KU-337-829

Veröffentlichungen
des Deutschen Historischen Instituts London

Band 9

Publications
of the German Historical Institute London

Volume 9

Klett-Cotta

Hans-Eberhard Hilpert

Kaiser- und Papstbriefe in den Chronica majora des Matthaeus Paris

Klett-Cotta

CIP-Kurztitelaufnahme der Deutschen Bibliothek

Hilpert, Hans-Eberhard:
Kaiser- und Papstbriefe in den Chronica majora des Matthaeus Paris / Hans-Eberhard Hilpert. —
1. Aufl. — Stuttgart: Klett-Cotta, 1981.
(Veröffentlichungen des Deutschen Historischen Instituts London; Bd. 9)
ISBN 3-12-915510-4
NE: Kaiser- und Papstbriefe in den Chronica majora des Matthaeus Paris; Deutsches Historisches Institut ⟨London⟩: Veröffentlichungen ...

1. Auflage 1981

Verlagsgemeinschaft Ernst Klett – J. G. Cotta'sche Buchhandlung Nachf. GmbH.
Stuttgart

Printed in Germany
Umschlag: Manfred Muraro, nach einem Entwurf von Heinz Edelmann
Satz: A. Maisch, Gerlingen
Druck: Verlagsdruck, Gerlingen

Inhalt

Vorwort

Den Anstoß zu der vorliegenden Untersuchung gab eine eher zufällige und punktuelle Beschäftigung mit dem Chronisten Matthaeus Paris und dessen Bericht über die Königswahl Richards von Cornwall 1257 (H.-E. Hilpert, „Richard of Cornwall's candidature for the German throne and the Christmas 1256 parliament at Westminster", in: Journal of Medieval History 6 [1980], S. 185–198). Vor allem den vielen Fragen und Anregungen von Prof. Dr. Kurt Reindel habe ich es zu verdanken, daß daraus der Plan für diese Arbeit entstand. Ich möchte ihm ganz besonders für sein Interesse und viele geopferte Stunden danken.

In diesen Diskussionen wurde mir immer klarer, daß angesichts des Forschungsstandes nicht ein weiterer Versuch einer historiographischen Gesamtwürdigung des Chronisten Matthaeus Paris sinnvoll sein könnte, ohne daß zuvor wesentlich genauere Erkenntnisse über die Matthaeus zugänglichen Informationen, die Sammel- und Aufzeichnungsarbeit im Kloster St. Albans und über die schließliche Abfassung seines Werks gewonnen werden. Im Vordergrund stand damit nicht mehr, eine Erklärung für Matthaeus' politische Haltung, ihre Einseitigkeiten, aber auch offensichtlichen Wandlungen über die Jahre hinweg zu geben (zumal K. Schnith dies erst kurz zuvor versucht hatte). Je mehr neue Fragen die ersten paläographischen und codicologischen Untersuchungen aufwarfen, um so stärker ermunterte mich Kurt Reindel, gerade diesen nachzugehen. Daß daraus ein Bild der Werkstatt eines mittelalterlichen Chronisten wurde, liegt an den unverhofft reichen Funden, die schließlich eine Begrenzung des Buches auf die hilfswissenschaftlichen Fragestellungen erforderten.

Eine frühere Fassung wurde im Sommersemester 1979 von der Fakultät für Geschichte, Gesellschaft und Geographie der Universität Regensburg als Dissertation angenommen. Für die überarbeitete Druckfassung wurde neue oder mir später bekannt gewordene Literatur bis zum Oktober 1980 berücksichtigt. Viele Hochschullehrer und Institutionen haben durch ihre Hilfsbereitschaft die Fertigstellung des Buches ganz wesentlich erleichtert; ihnen bin ich zu großem Dank verpflichtet! Prof. Dr. Horst Fuhrmann ermöglichte mir die Benutzung der Bibliothek der Monumenta Germaniae Historica in München; Prof. Dr. Hans Martin Schaller lieh mir Mikrofilme aus seinem Besitz, klärte viele Fragen zur Überlieferung von Petrus de Vinea-Briefen und machte mich auf Fehler und Ungenauigkeiten in meinem Manuskript aufmerksam; auch Prof. Dr. Fritz Trautz, Mannheim, wies mich auf übersehene Literatur hin. Prof. Dr. Bernhard Bischoff beantwortete Fragen zu den englischen Scriptorien des

Hochmittelalters; Prof. Dr. Peter Herde, Würzburg, lieh mir Fotografien der Münchner Albert von Behaim-Handschrift und gab mir Einblick in die Materialien zu seiner entstehenden Edition für die MGH.

Der briefliche und mündliche Gedankenaustausch mit Prof. Richard Vaughan in Hull hat etliche *nugae palaeographicae* abgeklärt und unsere Auffassungen in fast allen Punkten zusammengeführt. Eine erste Skizze meiner Überlegungen konnte ich im Graduiertenseminar von Prof. Christopher Holdsworth (jetzt Exeter) und Mr. John Gillingham am Londoner Institute of Historical Research im Winter 1976/77 zur Diskussion stellen. Dr. Jane Sayers, University College London, las eine Skizze des VIII. Kapitels.

Während zweier Jahre in England konnte ich die Bestände vieler Bibliotheken und Archive benutzen, die freizügig auch Zimelien, wie die Handschriften des Matthaeus Paris, zur Verfügung stellten; insbesondere habe ich zu danken:

- Corpus Christi College, Cambridge und Dr. Raymond Page, dem Parker Librarian
- der Cambridge University Library
- der British Library, London
- dem Institute of Historical Research, London
- dem Public Record Office, London
- dem Archiv des Erzbischofs von Canterbury, Lambeth Palace, London
- H. H. The Duke of Devonshire, Chatsworth (Derbyshire), und dem dortigen Bibliothekar Mr. Wragg.

Dr. W. Voelkle, Bibliothekar der Pierpont Morgan Library, verschaffte mir bei einem unangemeldeten Besuch in New York auf unkonventionelle Weise Zugang zu der dort aufbewahrten Handschrift aus St. Albans.

Dem Direktor des Deutschen Historischen Instituts London, Prof. Dr. Wolfgang J. Mommsen, und dem Beirat des Instituts danke ich für die Bereitschaft, das Buch in die Reihe der Veröffentlichungen des DHI London aufzunehmen. Dem Brauch der Reihe folgend, steht am Schluß des Buches ein englischsprachiges summary, bei dessen Korrektur P. Dr. Owen Blum O. F. M. half.

Regensburg, im Dezember 1980 Hans-Eberhard Hilpert

I. Einleitung: Matthaeus Paris in der Tradition der anglo-normannischen Geschichtsschreibung

Mittelalterliche Weltchroniken [1] haben gemeinhin die kennzeichnende Besonderheit, die Geschichte der Welt und insbesondere der christlichen Menschheit vor allem unter heilsgeschichtlichen Vorzeichen [2] darzustellen. In dieser Tradition stehen die im Hochmittelalter vor allem auf monastischem Boden hervorgebrachten Werke eines Hermann von der Reichenau, Frutolf-Ekkehard, Sigebert von Gembloux und Otto von Freising. Mit ihren vielfach popularisierten Ausläufern Vincenz von Beauvais und Martin von Troppau reicht diese Gattung weit in das Spätmittelalter hinein [3].

Neben diesen jüdisch-christlichen Weltdeutungen war im Mittelalter eine stärker an innerweltlichen Erklärungsmustern und dem Handeln der Menschen orientierte Geschichtsschreibung nie vollständig in den Hintergrund getreten [4]. Sie lebte nicht nur in den – vor allem in der Erzählliteratur häufigen – a-theologischen Vorstellungen vom Walten der Göttin Fortuna [5] weiter, sondern auch in Herrscher-, Dynastien-, und Volksgeschichten. Der Typus der Volksgeschichte war im Hochmittelalter vor allem in der anglo-normannischen Geschichtsschrei-

[1] Zur Gattung der Weltchronik vgl. *H. Grundmann,* Geschichtsschreibung im Mittelalter, in: Deutsche Philologie im Aufriß, hrsg. v. *W. Stammler,* Bd. 3, Sp. 2234–2240; *A. D. von den Brincken,* Studien zur lateinischen Weltchronistik (1957); eine quellenkundliche Einführung bei *K. H. Krüger,* Die Universalchroniken (1976).

[2] *A. Funkenstein,* Heilsplan und natürliche Entwicklung (1965).

[3] Überblick über die wichtigsten Universalchroniken bei *van Caenegem/Ganshof,* Kurze Quellenkunde des westeuropäischen Mittelalters (1964), S. 14–17.

[4] Diesen Aspekt betont *F. P. Pickering,* Augustinus oder Boethius?; seine Theorien kurzgefaßt in: Literatur und darstellende Kunst im Mittelalter (1966), S. 115 f.

[5] Zu der Göttin Fortuna als „geschichtlicher" Kraft: *Pickering,* Literatur, S. 112–145; die Vorstellung des hohen Mittelalters über das heimtückische Walten der Göttin Fortuna bei *K. Hampe,* Zur Auffassung der Fortuna im Mittelalter, in: AfKu 17 (1927), S. 20–37, bes. S. 21.

Berühmt ist die Miniatur im „Liber ad Honorem Augusti" des Petrus de Eboli, Bern, Burgerbibliothek MS. 120, abgebildet u. a. bei *Van Cleve,* The Emperor Frederick II (1972), Abb. 2; sowie in: Die Zeit der Staufer, Bd. 2, Abb. 604, dazu die Erläuterungen in Bd. 1 Nr. 810, S. 647 f.

Für Fortuna in der Literatur vgl. *H. R. Patch,* The Goddess Fortuna in Mediaeval Literature (1927); im Bereich der englischen mittelalterlichen Erzählliteratur *K. J. Höltgen,* König Arthur und Fortuna, in: Anglia 75 (1957), S. 35–74.

bung [6] beliebt. Eine spezifisch normannische Leistung war die Verbindung nationalgeschichtlicher und kirchlich-theologischer Betrachtungsstandpunkte, die seit Ordericus Vitalis die normannische Historiographie kennzeichnen [7].

Ebenfalls von Ordericus nahm eine Arbeitsweise ihren Ausgang, die in der Folge von zahlreichen englischen Chronisten nachgeahmt und ausgeweitet wurde: die Insertion von Briefen, Urkunden, Archivalien aller Art, um die eigene Erzählung zu illustrieren und inhaltlich zu untermauern. Ordericus benutzte vor allem die ihm zur Verfügung stehenden Bestände des Klosterarchivs von St. Evroul [8]; die von ihm in seine Historia Ecclesiastica übernommenen Dokumente dienen vor allem dem Zweck, Rechte und Ansprüche des eigenen Hauses glaubhaft zu machen [9]. Auch Johann von Salisbury verwandte für seine Historia Pontificalis Material aus kirchlichen Archiven [10].

Die Geschichtsschreiber des *regnum Angliae* übernehmen diese Methode. Bei Heinrich von Huntingdon, der seine Historia Anglorum bald nach 1133 begann [11], findet sich eine größere Anzahl Dokumente [12]; dies geht aus dem Druck nicht hervor [13], dort sind die meisten Stücke ausgelassen. Die Insertion verfügbarer Dokumente wird in der hofnahen Historiographie unter Heinrich II.

[6] *K. Schnith,* Von Symeon von Durham zu Wilhelm von Newburgh. Wege der englischen „Volksgeschichte" im 12. Jahrhundert, in: FS Spörl (1965), S. 245–252.

[7] *J. Spörl,* Grundformen hochmittelalterlicher Geschichtsanschauung (1935), S. 65: „Es ist Ordericus geradezu eigentümlich, daß er *Normannen*geschichte und *Kirchengeschichte* zu einer unlösbaren Einheit verbindet".

Galfrid von Monmouth hat in seiner „Historia Regum Britanniae", einer weithin fiktiven Geschichte der keltischen Vorzeit, ebenso diesen ihm von Gildas und Nennius nicht unbekannten Typ fortgesetzt. Zu Galfrid zuletzt *Chr. Brooke,* Geoffrey of Monmouth as a historian, in: FS Cheney (1976), S. 77–91.

[8] Vgl. *H. Wolter,* Ordericus Vitalis (1955), S. 97 und A. auf S. 215; maßgebliche Neuedition der „Historia Ecclesiastica" durch *M. Chibnall* (1969 ff.), vgl. *Graves,* Nr. 2937. *Chibnall,* Charter and Chronicle: the use of archive sources by Norman historians, FS Cheney, S. 1–17.

[9] Derartige Cartularchroniken, eng verbunden mit Heiligenviten und Klostergeschichte sind auch aus Süddeutschland bekannt, vgl. *J. Kastner,* Historiae fundationum monasteriorum (1974), rez. in: Mlat. Jb. 12 (1977), S. 264. Auch in Monte Cassino gab es im 12. Jahrhundert eine sehr enge Verbindung von Urkundenaufzeichnung und Chronik, vgl. *H. Hoffmann,* Chronik und Urkunde in Montecassino, in: QF 51 (1971), S. 94.

[10] *Spörl,* S. 82.

[11] Zu ihm *A. Gransden,* Historical Writing in England (1974), S. 193 ff.; vgl. auch *W. F. Schirmer,* Heinrich von Huntingdons *Historia Anglorum,* in: Anglia 88 (1970), S. 26–41, bes. S. 36–40.

[12] *Gransden,* S. 198.

[13] Vgl. *Brooke,* FS Cheney, S. 82 A. 19; die Edition von *T. Arnold* (1879) gibt nur einen Brief wieder und ist auch sonst ungenügend. A. Gransden bereitet eine Neuedition vor.

zur gängigen Praxis; in den Gesta Henrici Secundi des „Benedikt von Peterborough“ [14] nimmt dies derartigen Umfang an, daß Antonia Gransden schreibt, „... towards the end the chronicle reads more like a register than a literary work“ [15]. Roger Howden, der die (nach D. M. Stenton ebenfalls von ihm verfaßten) Gesta Henrici später für die Jahre ab 1192 fortführte, schloß sich diesem Brauch an [16] und nahm außerdem Einzelheiten über das Itinerar des Königs und die Besetzung wichtiger Ämter kalenderartig auf. Ralph Diceto [17], ab 1180 Dekan von St. Paul's, schrieb mehrere historische Werke, von denen die Ymagines Historiarum die zweite Hälfte des 12. Jahrhunderts abdecken und in Ralphs späteren Jahren einen unmittelbaren zeitgenössischen Bericht darstellen. Auch Ralph benutzte Briefe und das ihm zur Verfügung stehende Archiv von St. Paul's, dessen Registratur ihm auch als Vorbild für seine *signa* diente, ein zeichenförmiges System von Verweisen auf bestimmte Arten von Nachrichten [18].

Mit dem angiovinischen Reich ging in den Wirren der Regierungszeit Johanns Ohneland auch die historiographische Tradition, die auf beiden Seiten des Ärmelkanals gleichermaßen geblüht hatte, vielerorts verloren. Die Historie zieht sich aus der Umgebung des Hofes in die Klöster zurück. Die literarisch meist unbedeutenden Annalen aus Southwark, Waverley, Bermondsey, Tewkesbury, Dunstable und anderen Klöstern sind die für die erste Hälfte der Regierungszeit Heinrichs III. typischen Produkte unambitionierten Chronistenfleißes [19].

Nur im Kloster St. Albans wurde mit Roger Wendovers Flores Historiarum und Matthaeus Paris' Chronica majora [20] an die großen Vorbilder angeknüpft, sowohl hinsichtlich des universalhistorischen Horizonts, als auch der Betonung des nationalgeschichtlichen Interesses und der Aufnahme dokumentarischen Materials [21]. St. Albans, eine Tagereise nördlich von London an der alten Rö-

[14] *Graves,* Nr. 2879; *D. M. Stenton,* Roger of Howden and Benedict, in: EHR 68 (1953), S. 574–582 macht wahrscheinlich, daß Howden auch der Verfasser der „Gesta Henrici“ war. *Gransden,* S. 227–230 bringt Bedenken dagegen vor, die aber Lady Stentons Theorie nicht eindeutig widerlegen können.

[15] *Gransden,* S. 224.

[16] Ebd., S. 226 f.; zu Howden vgl. *Graves,* Nr. 2903.

[17] *Graves,* Nr. 2860.

[18] Vgl. *Gransden,* S. 231, 234 und Tafel VII aus Lambeth MS. 8, fol. 1^v mit den *signa.*

[19] Die meisten Texte sind gedruckt bei *H. R. Luard* (Hrsg.), Annales monastici, vgl. *Graves,* Nr. 2730.

[20] *Graves,* Nr. 2979, 2941.

[21] Wendover knüpft an die anglo-normannische Tradition an, wie sich schon in dem von Robert von Torigny abgewandelten Prolog zeigt, vgl. *K. Schnith,* England in einer sich wandelnden Welt (1974), S. 9–11. Die Chronistik von St. Albans übernimmt von

merstraße in der Nachbarschaft der Römerstadt Verulamium gelegen, war eine der traditionsreichsten Abteien des Landes und neben Canterbury, Winchester, Westminster, Abingdon, Malmesbury und Bury St. Edmunds eines der Zentren benediktinischer Kultur in England [22]. Die Abtei führte ihre Gründung in das späte achte Jahrhundert in die Zeit des Königs Offa von Mercia zurück [23] und konnte sich zudem rühmen, den Namen des Protomärtyrers Britanniens zu tragen [24]. Die überragende Stellung, die St. Albans im späteren Mittelalter im Kreise der englischen Klöster genoß, gewann es jedoch erst im Laufe des 12. Jahrhunderts. Der wichtigste Meilenstein war die Bestätigung der Exemption 1156 durch Papst Hadrian IV., den Engländer Nicholas Breakspear [25]. In der zweiten Hälfte des Jahrhunderts entwickelte sich St. Albans zu einem blühenden Mittelpunkt englischer Klosterkultur.

St. Albans verfügte über ein bedeutendes Scriptorium; es war bereits im 11. Jahrhundert unter dem ersten normannischen Abt Paul von Caen gegründet worden. Eine regelrechte Bibliothek und die Tätigkeit mehrerer Schreiber lassen sich unter Abt Simon in der zweiten Hälfte des 12. Jahrhunderts nach-

Howden den Grundsatz, die Orte, an denen der König das Weihnachtsfest feierte, festzuhalten. Dicetos „Ymagines“ veranlaßten Matthaeus Paris zur Entwicklung seiner *signa*, vgl. *Gransden*, S. 364 und A. 56 und zuletzt *M. T. Clanchy*, From Memory to Written Record (1979), S. 142 f. Mit dem Diceto MS. in St. Albans (BL Royal MS. 13 E. vi, vgl. *N. R. Ker*, Medieval Libraries of Great Britain, S. 167) war auch eine unmittelbare Vorlage für die Praxis der Dokumentensammlung gegeben.

[22] *D. Knowles*, The Monastic Order in England (2. Aufl. 1963), S. 310 f., 502 f.; zu Bedeutung und Reichtum der einzelnen Klöster *Knowles/Hadcock*, Medieval Religious Houses (2. Aufl. 1971), S. 52–58.

[23] Zur Gründung von St. Albans 793: *L. F. R. Williams*, History of the Abbey of St. Alban (1917), S. 9–16; die Quellen: Gesta Abbatum, hrsg. v. *Riley*, Vitae Offarum, hrsg. v. *Wats;* zur Frühgeschichte von St. Albans *W. Levison*, St. Alban and St. Albans, in: Antiquity 15 (1941), S. 337–359; zuletzt *J. E. van der Westhuizen* (Hrsg.), John Lydgate, The Life of Saint Alban and Saint Amphibal (1974), S. 26–44.

[24] Über Albanus *J. Morris*, The Date of Saint Alban, in: Hertfordshire Archaeology 1 (1968), S. 1–8 mit fragwürdiger Datierung des Albanus-Martyriums. *Van der Westhuizen*, S. 39–42 stellt die Problematik dar. Den Versuch einer textgeschichtlichen Klärung des hagiographischen Materials unternahm unlängst *W. McLeod*, Alban and Amphibal: Some Extant Lives and a Lost Life, in: Mediaeval Studies 42 (1980), S. 407–430.

Eine neuere wissenschaftliche Darstellung der Geschichte von St. Albans fehlt, so daß auf die Monographie von Williams (1917) zurückgegriffen werden muß; E. Toms (1962) ist populärwissenschaftlich.

[25] Die Urkunde bei *W. Holtzmann*, Papsturkunden in England 3 (1952) Nr. 100, S. 234–238; *W. E. Lunt*, Financial Relations of the Papacy with England to 1327 (1939), S. 96–99; über die päpstlichen Privilegien für St. Albans auch *J. E. Sayers*, Papal Privileges for St. Albans Abbey and its Dependencies, in: FS Major (1971), S. 57–84.

weisen[26]. Doch tritt das Scriptorium von St. Albans bis in das 13. Jahrhundert hinein, während der fruchtbarsten Zeit normannischer Geschichtsschreibung in England wie auf dem Kontinent, nicht als Ursprungsort historischer Werke in Erscheinung. Frühere Theorien über die Entstehung einer „historischen Schule" während der Abtsjahre von Johannes de Cella konnten nicht erhärtet werden[27], so daß der erste für die Forschung greifbare Name eines Geschichtsschreibers in St. Albans derjenige von Roger Wendover ist, dessen Weltchronik von der Schöpfung bis in das Jahr 1235 reicht.

Roger Wendover war wenige Jahre lang, bis 1219 oder kurz danach, Prior von Belvoir, einer Zelle von St. Albans, gewesen. Seine Ablösung erfolgte nach dem Bericht der Gesta Abbatum offenbar wegen seines Finanzgebarens[28]. Ob er mit der Abfassung seiner Chronik, der sogenannten Flores Historiarum[29], bereits vor 1219 begonnen hatte, ist noch ungeklärt. Die Argumente sprechen eher dafür, daß Wendover erst in der Regierungszeit Heinrichs III. mit seiner Kompilation begann. Eine genauere Untersuchung über die Vorlagen, die

[26] Zur Frühzeit des Scriptorium *F. Madden* (Hrsg.), HA 1, S. XI f.; *F. Liebermann* (Hrsg.), MG SS 28, S. 5 f.; zur Entwicklung des Schrifttypus *N. Denholm-Young*, Handwriting in England and Wales (2. Aufl. 1964), S. 51; allgemein über Scriptorien und Bibliotheken der anglo-normannischen Klöster *D. Knowles*, The Monastic Order, S. 518–527. Zu den Buchbeständen in St. Albans *Madden*, HA 1, S. XII und *Ker*, Medieval Libraries, S. 165–168. Aus St. Albans ist kein vollständiger mittelalterlicher Bibliothekskatalog erhalten; etwa 135 erhaltene Codices können St. Albans zugeschrieben werden, vgl. dazu jetzt *R. W. Hunt*, The Library of the Abbey of St Albans, in: FS Ker (1978), S. 251–277. Abt Warin (1183–1195) und mehrere andere Mönche waren zum Studium nach Salerno geschickt worden, vgl. *G. B. Parks*, The English Traveler to Italy 1 (1954), S. 132 f., Gesta Abbatum 1, S. 194–196. Kurz vor der Drucklegung wird mir bekannt: *R. M. Thomson*, Some Collections of Latin Verse from St. Albans Abbey and the Provenance of MSS. Rawl. C. 562, 568–9, in: Bodleian Library Record 10, Nr. 3 (1980), S. 151–161. Die Erforschung der in St. Albans überlieferten mittellateinischen Dichtung steckt noch in den Anfängen. *K. D. Hartzell*, A St. Albans Miscellany in New York, in: Mlat. Jb. 10 (1974), S. 20–61 hat sich mit dem Scriptorium während des späten 11. und des 12. Jahrhunderts befaßt und die Sammelhandschrift Pierpont Morgan Library MS. 926 untersucht. Dazu zitiert er (S. 48) die Meinung des verstorbenen Francis Wormald: "It is the beginning of what was to produce ultimately Matthew Paris and the *Gesta Abbatum*".

[27] *F. M. Powicke*, Notes on the Compilation of the *Chronica majora* of Matthew Paris, in: PBA 30 (1944), S. 147–149 hat diese von *Luard*, CM 2, S. X f. geäußerte Vermutung widerlegt. Im 12. Jahrhundert scheint es in St. Albans lediglich eine Hausgeschichte gegeben zu haben, die erschlossen werden kann, vgl. *R. Vaughan*, Matthew Paris (1958), S. 182 f.

[28] Gesta Abbatum 1, S. 270; *Liebermann*, MG SS 28, S. 9.

[29] Die unter diesem Namen laufende Wendover-Chronik ist nicht zu verwechseln mit den späteren Flores Historiarum, die von Matthaeus Paris begonnen und lange einem „Matthaeus Westminster" zugeschrieben wurden.

Wendover bis 1217 benutzte, fehlt [30]. Daher kann nur vorläufig festgestellt werden, daß in St. Albans offenbar noch keine nennenswerte eigene Geschichtsschreibung bestand, als von dort 1209/10 ein Diceto-MS. zur Abschrift nach Dunstable ging, in dessen Anhang sich einige dürftige Notizen aus St. Albans über das Jahrzehnt ab 1200 befanden [31].

Für die Regierungsjahre von König Johann scheint Wendover eine fremde, verlorene Quelle benutzt zu haben, wie J. C. Holt wahrscheinlich machte [32]. Auch die Insertion des Magna Carta-Textes von 1225 zum Jahre 1215 legt einen verhältnismäßig späten Abfassungsbeginn nahe, zumal der Text der 1225 erfolgten Neuausfertigung der Magna Carta sich bei Wendover in einer mit Bruchstücken der ersten Fassung vermischten Form wiederfindet [33]. Der Schwerpunkt des zeitgenössischen Teiles von Wendovers Chronik liegt auf der englischen Geschichte, wobei der vermutlich aus einer Vorlage übernommene antikönigliche Blickwinkel die Erzählung prägt [34]. Doch fehlt auch, vor allem in den letzten Jahren, die kontinentale und insbesondere kaiserliche Geschichte nicht; auch für die später bei Matthaeus Paris virtuos gehandhabte Einbeziehung brieflicher Nachrichten finden sich immer wieder Beispiele. Wendover hat die Annale [35] für 1235 nicht mehr fertiggestellt, sie ist bereits erheblich von Matthaeus Paris mitgeprägt. Roger Wendover ist im Jahre 1236 gestorben [36].

Zur Biographie des Matthaeus Paris ist das wenige Überlieferte erschöpfend untersucht [37]. Man weiß, daß er 1217 als Novize in das Kloster St. Albans eintrat und dort 1259 oder wenig später starb. Aus Altersgründen wird sein Geburtsdatum nicht wesentlich vor 1200 angesetzt. Aus den Chronica majora erfahren wir von ihm, daß er mehrere Reisen in England unternahm und 1248/49 in Norwegen war, wohin ihn das Kloster St. Benet Hulme als Friedens- und

[30] Die Bemerkungen von *Schnith*, England, S. 24–30 hierzu zeigen, wie dürftig der Forschungsstand ist.

[31] BL Royal MS. 13 E vi wurde von St. Albans nach Dunstable ausgeliehen, vgl. *Cheney*, Notes on the Making of the Dunstable Annals, in: FS Wilkinson (1969), S. 87 f. = *Cheney*, Medieval Texts and Studies (1973), S. 215 f. Die Kurznotizen in dem MS. gedruckt als Annales Sancti Albani bei *Liebermann* (Hrsg.), Ungedruckte Anglo-Normannische Geschichtsquellen (1879), S. 166–172.

[32] *J. C. Holt*, King John's Disaster in the Wash, in: Nottingham Mediaeval Studies 5 (1961), S. 77, 84–86.

[33] *Holt*, The St. Albans Chroniclers and Magna Carta, in: TRHS 5th S. 14 (1964), S. 67–88.

[34] *Schnith*, England, S. 24–32 hat die Tendenz Wendovers eingehend beschrieben.

[35] Im folgenden wird in Anlehnung an das englische "the annal" der Singular „die Annale“ in der Bedeutung „Eintragung in der Chronik für ein Jahr“ verwandt.

[36] Zu Wendovers Tod Anfang Mai 1236 vgl. den Nekrolog in LA, gedruckt CM 6, S. 274.

[37] *Madden*, HA 3, S. VII–XXII; *Vaughan*, Matthew Paris, Kap. I; *Gransden*, S. 356–359.

Ordnungsstifter gerufen hatte [38]. Den weitaus größten Teil seiner letzten 25 Lebensjahre verbrachte er jedoch in seinem Kloster; nach den Maßstäben seiner Zeit kann man ihn nicht als einen weitgereisten Mann bezeichnen.

Über das Corpus der Matthaeus zuzuschreibenden Werke und MSS. herrschte lange Zeit Ungewißheit. Zwar hatte schon Madden, der die Historia Anglorum edierte, die Handschrift des Chronisten erkannt, doch es war ihm nicht gelungen, dies zu beweisen [39]. Luard und später Powicke schlossen sich seiner Theorie nicht an, so daß Klarheit erst geschaffen wurde, als Richard Vaughan die Handschrift des Matthaeus Paris zweifelsfrei identifizierte und damit auch eine Reihe von MSS. als autograph nachweisen konnte [40]. Aus den drei wichtigsten historischen MSS., die im wesentlichen autograph sind [41], wird bereits der Umfang von Matthaeus' Interessen und Fähigkeiten deutlich. Neben seiner Tätigkeit als Chronist war er einer der bedeutendsten Buchmaler [42] seiner Zeit, dazu Kartograph [43], Heraldiker [44], Verfasser von Heiligenviten [45], auch an der Goldschmiedekunst interessiert [46], in seiner Zeit also eine Art Universalgenie. Nur den Oxforder Magistern und ihrer Wissenschaft steht er mit Desinteresse und wohl auch Unverständnis gegenüber. Die frühere Vermutung, der Beiname „Parisiensis" könne auf ein Studium in Paris zurückgehen, entbehrt jeder nachprüfbaren Grundlage.

Trotz Matthaeus' außerordentlicher Vielseitigkeit hat im Mittelpunkt die Arbeit als Geschichtsschreiber gestanden, und die Nachwelt hat dies auch so gesehen. So meint V. H. Galbraith, obwohl er Matthaeus Paris nicht für einen der originellen Köpfe des Zeitalters hält:

[38] CM 5, S. 42–45.

[39] *Madden,* HA 1, S. XLVIII f.

[40] *Luard,* CM 1, S. XI; *Powicke,* PBA 30 (1944), S. 151–154; *Vaughan,* The Handwriting of Matthew Paris, in: Transactions of the Cambridge Bibliographical Society 1 (1953), S. 376–394 und *Vaughan,* Matthew Paris, Kap. III.

[41] Es sind dies die MSS., welche die Chronica majora ab 1189, die Historia Anglorum und den Liber Additamentorum enthalten, MSS. B, R, LA; die Siglen unten S. 16.

[42] Für die Lit. zu Matthaeus als Künstler vgl. den Exkurs am Ende des Kapitels.

[43] *Vaughan,* Matthew Paris, Kap. XII, i, mit Literatur; außerdem *Parks,* S. 179–185; *von den Brincken,* Die Klimatenkarte in der Chronik des Johann von Wallingford, in: Westfalen 51 (1973), S. 47–56, bes. S. 54.

[44] *Vaughan,* Matthew Paris, Kap. XII, ii; *R. Marks / A. Payne* (Hrsg.), British Heraldry (1978), S. 18, mit Lit.

[45] *Vaughan,* Matthew Paris, Kap. IX; *C. H. Lawrence,* St. Edmund of Abingdon (1960), S. 70–100; *M. D. Legge,* Anglo-Norman in the Cloisters (1950), Kap. III. Die hagiographischen Werke des Matthaeus sind mit wenigen Ausnahmen (Edmundsvita) noch unzureichend untersucht.

[46] *Vaughan,* Matthew Paris, S. 209; Matthaeus' Traktat „De anulis et gemmis ..." LA, fol. 145, CM 6 Nr. 198, S. 383–389, Abb. am Beginn des Bandes.

For an explanation of his unquestioned preeminence among the historians of his age, we must look not to his personalities, but to his passionate interest in the world around him, his humanity in fact, amazing in a monastic historian: and secondly to his historical methods and industry [47].

Schon der aus Italien stammende und später in England lebende Humanist Polydor Vergil hat im 16. Jahrhundert, als er selbst eine Geschichte Englands schrieb, den Rang von Matthaeus Paris erkannt, den er zusammen mit Beda und Wilhelm von Malmesbury in die vorderste Reihe der mittelalterlichen Geschichtsschreiber des Landes stellte [48].

Matthaeus' Hauptwerk, die Chronica majora, eine Fortführung von Wendovers Chronik ab 1235 bis 1250 und später bis 1259 (aus dem die sämtlich späteren Kurzfassungen und Umarbeitungen bis 1250 destilliert sind), wurde als erstes in Angriff genommen und bis 1250 fertiggestellt, bevor sich Matthaeus an die Arbeit des Kürzens, Revidierens und Verbesserns machte. Der moderne Historiker wird also in erster Linie die Chronica majora benutzen und die späteren Werke, insbesondere die Historia Anglorum und die Flores Historiarum des „Matthaeus Westminster" vor allem unter dem Gesichtspunkt von Zusätzen, Auslassungen und Veränderungen gegenüber den Chronica majora heranziehen. Damit erübrigt sich hier eine ausführliche Diskussion über MSS., Editionen und Forschungsstand bei den kleineren, oder von den Chronica majora abhängenden Werken (zumal die entsprechenden Informationen anderswo bequem zugänglich sind) [49], so daß nur für die Hauptwerke der Forschungs- und Editionsstand kurz zu resümieren ist.

Die Texte sind in den folgenden Handschriften überliefert [50]:

A Cambridge, Corpus Christi College MS. 26; erster Teil der Chronica majora bis 1188, zu Matthaeus' Zeit in St. Albans in mehreren Händen geschrieben.

B Cambridge, Corpus Christi College MS. 16; zweiter Teil der Chronica majora 1189–1250, dann fortgesetzt bis 1253, ab 1213 autograph.

C London, BL Cotton MS. Nero D v; Abschrift der Chronica majora 1189 bis 1250 im Scriptorium von St. Albans unter Aufsicht von Matthaeus Paris; der erste Teil bis 1188 wurde um 1300 hinzugefügt [51]; überliefert bei späteren Rasuren in B gelegentlich den ältesten Text.

[47] *V. H. Galbraith,* Roger Wendover and Matthew Paris (1944), S. 38.

[48] *M. McKisack,* Medieval History in the Tudor Age (1971), S. 100; Polydor Vergil hat das MS. BL Royal 14 C vii gesehen, das die HA enthält; dort finden sich Marginalglossen in seiner Hand, vgl. *Madden,* HA 1, S. XLI.

[49] Vor allem in den entsprechenden Kapiteln bei *Vaughan,* Matthew Paris, sowie bei *Gransden,* S. 356–379.

[50] Die Siglen sind die von Luard eingeführten und von Vaughan übernommenen. Stemma bei *Vaughan,* Matthew Paris, S. 29, vgl. auch S. 35 f.

[51] BL Harley MS. 1620 ist eine weitere Abschrift des ersten Teils von CM, durch *Vaughan,* Matthew Paris, S. 153 auf ca. 1300 datiert.

R London, BL Royal MS. 14 C vii; Historia Anglorum und dritter Teil der Chronica majora 1254–1259, autograph.

LA London, BL Cotton MS. Nero D i; Gesta Abbatum, Vitae Offarum, Liber Additamentorum, sowie vermischte Dokumente, großenteils in der Hand von Matthaeus Paris.

Ch Manchester, Chetham's Library MS. 6712; die „jüngeren" Flores Historiarum, bis 1241 durch zwei Schreiber aus St. Albans kopiert, dann 1241 bis 1249 Autograph von Matthaeus Paris; lange Zeit als Werk eines fiktiven „Matthaeus Westminster" bezeichnet [52].

Von Matthaeus Paris' Vorgänger Roger Wendover sind keine zeitgenössischen MSS. erhalten, sondern lediglich spätere Abschriften:

O London, BL Cotton MS. Otho B v; Wendover, Flores Historiarum, ca. 1350 [53]; beim Brand der Cottonian Collection schwer beschädigt.

W Oxford, Bodleian Library Douce MS. 207; Wendover, Flores Historiarum, ca. 1300.

Es ist hier nicht möglich, die Verbreitung dieser Werke und MSS. im einzelnen zu verfolgen. Die Chronica majora selbst und ebenso die Historia Anglorum (von der nur ein MS. existiert) sind in ihrer Wirkung wohl auf den Kreis von St. Albans beschränkt gewesen. Es gibt keinerlei Anhaltspunkte für verlorene Kopien an anderen Orten [54]. Die „späteren" Flores Historiarum, die in ihrer ursprünglichen Form ebenfalls das Werk des Matthaeus waren, sind dagegen in einer relativ großen Zahl von Abschriften (mit lokalen Fortsetzungen) erhalten [55], so daß man im 14. und 15. Jahrhundert bei anderen Autoren, besonders aus dem Raum London und East Anglia, mit deren Kenntnis rechnen muß.

Auch für die Humanisten [56] war Matthaeus Paris eine bekannte Größe – neben dem schon erwähnten Polydor Vergil haben Leland, Bale und der Historienschreiber Holinshed sich mit dem Chronisten aus St. Albans beschäftigt. Die größte Dankesschuld hat die Nachwelt gegenüber Matthew Parker, Erzbischof

[52] Alle späteren MSS. der Flores brauchen hier nicht berücksichtigt zu werden, vgl. *Galbraith*, Roger Wendover, S. 42 f.; *Madden*, HA 1, S. XX–XXVIII; *Vaughan*, Matthew Paris, Kap. VI; *Gransden*, S. 377–379, 522 f.

[53] Nicht zu berücksichtigen ist hierzu eine Teilabschrift, die nach *Vaughan*, Matthew Paris, S. 21 A. 2 kurz vor 1352 gefertigt wurde: Cambridge, Corpus Christi College MS. 264.

[54] *Madden*, HA 1, S. XVI referiert, bei Lelands Besuch in St. Albans im Jahre 1535 sei diesem gesagt worden, ein MS. der Werke von Matthaeus Paris sei gestohlen worden, doch möglicherweise handelt es sich um einen der später von Erzbischof Parker erworbenen Codices. In jedem Fall wäre die Existenz einer zusätzlichen Kopie in St. Albans kein Indiz für weitere Verbreitung.

[55] Vgl. die Lit. bei A. 52; die Briefe und Dokumente in CM sind in den Flores meist weggelassen.

[56] Vgl. *McKisack*, der ich hier folge, S. 10, 17, 34, 40 f.

von Canterbury 1559–1575, und einer der bedeutendsten Antiquare seiner Zeit. Ihm ist in erster Linie zu verdanken, daß mehrere hundert handgeschriebene Bücher, die in der Zeit nach der Auflösung der englischen Klöster auf den Markt und damit in Privathand gekommen waren, vor dem Untergang bewahrt worden sind. Der Großteil seiner Sammlung ist testamentarisch dem Corpus Christi College in Cambridge vermacht worden, wo die Parker Library noch heute aufbewahrt wird (zu ihrem Bestand gehören die Matthaeus Paris MSS. A, B) [57].

Matthew Parker hat in seinem letzten Lebensjahrzehnt mehrere Texte ediert, darunter die Flores Historiarum des „Matthaeus Westminster", und auch die Chronica majora (ab 1066), letztere erschienen im Jahre 1571 [58]. Dieser Matthaeus Paris-Text, der von Wats (1640) im wesentlichen nachgedruckt wurde, ist erst von der Neuausgabe in der Rolls Series durch H. R. Luard abgelöst worden [59]. Angesichts des allgemein mangelhaften Textzustandes der Parker-Wats-Ausgabe, die auch Original mit Abschriften, Chronica majora mit Historia Anglorum vermischte [60], ist darauf hinzuweisen, daß die Kenntnis der von Matthaeus Paris kopierten Dokumente lange Zeit auf dieser Ausgabe beruhte. Sowohl Mansi, der verschiedentlich Konzilskonstitutionen und päpstliche Schreiben (nicht immer mit entsprechender Kennzeichnung) von Matthaeus Paris übernahm, als auch später Huillard-Bréholles für seine Aktensammlung zur Geschichte Kaiser Friedrichs II. mußten sich also auf eine Vorlage stützen, die nicht immer über jeden Zweifel erhaben sein konnte.

Die kritische Beschäftigung mit den Quellen des Mittelalters, und damit auch die Bemühung um einen authentischen Text der Chronica majora, setzte in England erst in der zweiten Hälfte des 19. Jahrhunderts ein, als auf Initiative des *Master of the Rolls* die große Sammlung der erzählenden Quellen des Mittelalters für den Bereich der britischen Inseln in Angriff genommen wurde [61]. Die Bände der Rolls Series, die in schneller Folge und meist in Auftragsarbeit ediert erschienen, erreichten nicht immer den von den MGH gewohnten Standard. Vor allem fehlte oft die Koordination zwischen den einzelnen Herausgebern. So kam es, daß F. Madden in der Vorrede zu seiner Ausgabe der Historia Anglorum vermutungsweise, aber richtig die Handschrift von Matthaeus Paris erkannte, aber seine Vorstellungen offensichtlich nicht mit Hardy

[57] Zur Geschichte der Parker Library: *F. Wormald/C. E. Wright,* The English Library before 1700 (1958), S. 156 f., 170; Matthew Parker's Legacy (1975).

[58] Bibliographische Nachweise bei *Vaughan,* Matthew Paris, S. 270.

[59] *H. R. Luard,* Matthaei Parisiensis, monachi Sancti Albani, Chronica majora, 7 Bde. (1872–1883). Ich zitiere stets nach diesem Druck; *Liebermann,* MG SS 28 bietet nur eine Teiledition im Hinblick auf die Reichsgeschichte.

[60] *McKisack,* S. 40 f.; da die Dokumente aus CM jedoch nicht in HA enthalten sind, kam es wenigstens hier zu keiner Vermischung.

[61] *Knowles,* Great Historical Enterprises, Kap. IV, S. 99–134 „The Rolls Series"; *van Caenegem/Ganshof,* S. 196 f.

und Luard abklärte. Luard schloß sich jedenfalls Madden nicht an, erkannte aber immerhin in A, B, R die ältesten MSS., die für einen Druck der Chronica majora maßgeblich sein mußten. Bei seiner Ausgabe der „späteren" Flores Historiarum hielt Luard dann an dem fiktiven „Matthaeus Westminster" fest – auch ihn hatte Madden schon als humanistisches Antiquarsgespinst erkannt [62]. Zudem ging er von der Theorie aus, daß für die Wendover-Chronik bis 1188 eine Vorlage bestanden habe, die er mit Abt Johannes de Cella in Verbindung brachte. Von kritischen Ausgaben kann man also nur bedingt sprechen, doch erscheint im Falle der Chronica majora die Arbeit mit dem gedruckten Text nicht wesentlich behindert, da Luard nach den richtigen MSS. edierte. Doch muß angemerkt werden, daß (weil Luard die Handschrift von Matthaeus Paris und damit erst recht deren Phasen nicht erkannte) die späteren Marginalglossen, Rasuren und Ergänzungen nicht immer richtig vermerkt sind. Das Verhältnis von Vorlage (Wendover) und Matthaeus Paris im Teil bis 1235 ist durch das Verfahren des Petitdrucks für die von Wendover übernommenen Stellen editorisch unsauber dargestellt. Der in O, W erhaltene Wendover-Text ist nach Vaughans Forschungen nicht immer mit Wendovers mutmaßlichem Original identisch [63]. Auch die Ausgabe der „späteren" Flores Historiarum in der Rolls Series zeigt nach Vaughans Urteil das Verhältnis zur Vorlage nicht immer korrekt an [64].

Zum Zeitpunkt der Edition waren also wichtige paläographische Probleme noch nicht erkannt, und auch in den folgenden Jahrzehnten war das hilfswissenschaftlich motivierte Interesse nicht besonders intensiv. So konnte sich auch

[62] *Madden*, HA 1, S. XX–XXII.

[63] Vgl. *Vaughan*, Matthew Paris, S. 24–29; das von Vaughan erarbeitete Stemma zeigt, daß es unrichtig ist, den in O, W und deren Vorlage *ow* enthaltenen Text mit Wendovers eigener Fassung gleichzusetzen. Aus diesem ursprünglichen Wendover-Text haben sowohl Matthaeus Paris als auch der Kopist von *ow* geschöpft; beide haben ihre Vorlage verändert. In diesem Licht scheinen die Bemerkungen *von den Brinckens* in ihrer Rezension über *Schnith*, England, im DA 31 (1975), S. 225 f., es sei zu begrüßen, daß Schnith Wendover und Paris in einem behandele, den textkritischen Problemen nicht genug Rechnung zu tragen.

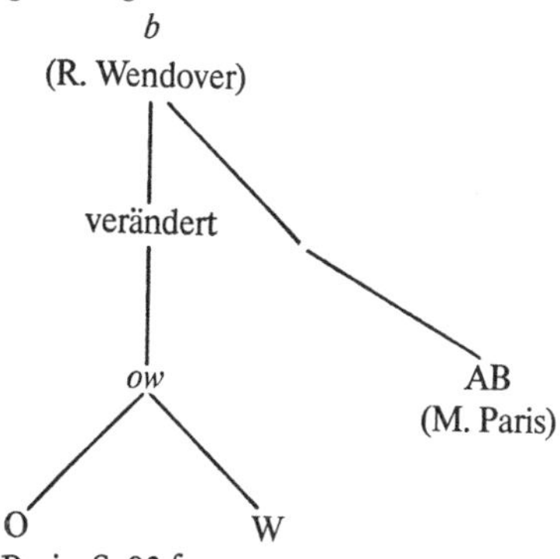

[64] *Vaughan*, Matthew Paris, S. 92 f.

Claude Jenkins in seiner kurzgefaßten Übersicht im Jahre 1922 in der Frage von Autorschaft und Handschrift nicht zu einem eindeutigen Urteil entschließen [65]. Erst im Jahre 1941 kam durch den schon erwähnten Aufsatz von Sir Maurice Powicke die Diskussion in Bewegung [66]. Powicke zerstörte den Mythos von der frühen Kompilation unter Abt Johannes de Cella und schrieb den wesentlichen Teil der Chronik bis 1235 Wendover selbst zu. Dann allerdings fuhr er fort, Matthaeus' MSS. A, B als Kopien von fremder Hand einzuschätzen und vermutete als Entstehungszeit von B die Jahre nach 1256 (wegen einer vermeintlichen Anspielung auf Richard von Cornwalls Königtum an einem zu frühen Zeitpunkt).

V. H. Galbraith hat in seiner Antwort auf diesen Aufsatz diese zweite Theorie Powickes zurückgewiesen, und der Autor korrigierte in einer geänderten Fassung im Jahre 1944 seine Anschauungen auch teilweise selbst [67]. Galbraith gab in seinem Glasgower Vortrag darüber hinaus auch die Richtung für die zukünftige Forschung an: Maddens Identifizierung von Matthaeus Paris' Werk und Schrift zu beweisen oder zu widerlegen. Richard Vaughan gelang der Nachweis, daß die mit eigentümlichen kursiven Elementen durchsetzte Buchschrift der großen historischen MSS. aus St. Albans die des Chronisten selbst war [68]. Damit ergab sich auch die Möglichkeit, durch eine Untersuchung insbesondere der Zusätze, Rasuren und Glossierungen eine Chronologie der Werke des Matthaeus Paris zu erstellen [69].

Auf dieser Grundlage ist die Frage nach der Glaubwürdigkeit des Chronisten neu zu stellen: nachdem die MSS. der Chronik als autograph erkannt sind und die Existenz früherer MSS. ausgeschlossen werden kann, sind Fehler und Verfälschungen mit großer Wahrscheinlichkeit dem Autor Matthaeus Paris selbst zur Last zu legen. In der Forschung sind immer wieder, auch in früheren Zeiten, Zweifel an dessen Darstellungen angemeldet worden [70]. Allerdings stützt

[65] *C. Jenkins,* The Monastic Chronicler and the Early School of St. Albans (1922), S. 61–63.

[66] *Powicke,* MPh 38 (1940/41), S. 305–317.

[67] *Galbraith,* Roger Wendover, S. 26–28; *Powicke,* PBA 30, S. 152.

[68] *Vaughan,* Handwriting.

[69] Vaughans relative Datierung von Matthaeus' MSS. (eine der wesentlichen Leistungen seines Buches) betrifft hauptsächlich die nach CM entstandenen Revisionen und Umarbeitungen (Kap. IV–VII); zur Chronologie von CM konnte Vaughan mit rein paläographischen Methoden keine definitiven Ergebnisse erzielen.

[70] Vgl. *A. L. Smith,* Church and State in the Middle Ages (1913), S. 119, 130, 149 f., und bes. 167–179; S. 170: „... his evidence ... ranges in value from first-hand, priceless testimony to the most extravagant and worthless gossip". *Vaughan,* Matthew Paris, S. 131 diskutiert die Glaubwürdigkeit unter dem Aspekt von Matthaeus' „Wahrheitsliebe": „Matthew's carelessness makes him an inaccurate, and therefore frequently unreliable, writer, but his reliability can only be properly assessed by an examination of his veracity".

sich die Chronik auf die in St. Albans eintreffenden Berichte Dritter [71] und auf eine große Zahl Dokumente, so daß die Frage nach der Zuverlässigkeit differenziert gestellt werden muß: nach der Korrektheit der zur Verfügung stehenden Informationen und nach den Verfahren, mit denen Matthaeus sie aufbereitete. Karl Schnith hat in seiner Habilitationsschrift den zweiten Aspekt umfassend untersucht und den Versuch unternommen, Matthaeus' Geschichtsbild, vor allem durch vergleichende Portraits der beiden Antipoden Kaiser und Papst, zu fassen. Ein solcher Vergleich stößt insofern an seine Grenzen, als dabei manche Eigenarten der Matthaeus zugänglichen Nachrichten nicht in Rechnung gestellt werden können.

Bei den auf mündlichem Weg nach St. Albans gelangten Informationen ist es naturgemäß besonders schwierig, die Faktengrundlage des Chronisten zu kontrollieren. Die folgende Untersuchung konzentriert sich daher auf die Matthaeus Paris bekanntgewordenen Briefe und Dokumente. Im Vordergrund steht dabei nicht deren historischer Quellenwert *per se*, denn viele Stücke sind auch anderweitig bekannt, sondern die Aussagekraft bezüglich der Rezeption und Verarbeitung der dem Chronisten zugegangenen Materialien. Es soll versucht werden, in die Werkstatt eines mittelalterlichen Geschichtsschreibers, mit allen ihren Hilfsmitteln, Einblick zu nehmen.

Exkurs

Zu Matthaeus als Künstler: *O. E. Saunders,* Englische Buchmalerei 1 (1927), S. 91–96, z. T. überholt; *P. Brieger,* English Art 1216–1307 (1957), Kap. VIII "Matthew Paris and his School". S. 138–140 äußert Brieger die Vermutung, daß Matthaeus bei der Illustrierung der MSS. Helfer hatte, was er damit begründete (S. 140), daß etliche Zeichnungen desselben Sujets in CM und HA in dem ersteren Werk von eindeutig höherer Qualität seien (vgl. Tafel 45 a, b). Die Diskussion hierüber ist noch offen. R. Vaughan schreibt mir (5. 9. 1978): "I think Brieger is wrong about the illustrations in the Hist. Anglorum but it's a difficult thing to prove either way". *Vaughan,* Matthew Paris, Kap. XI gibt eine ausführliche Diskussion der Literatur, konnte aber Briegers Hypothese dort nicht mehr erörtern. Vgl. auch *M. Rickert,* Painting in Britain. The Middle Ages (2. Aufl. 1965), S. 108–110. Rickerts Kritik S. 236 A. 75 an Vaughans "mechanical evidence useful for identifying handwriting but unreliable for distinguishing the qualities of an artist from a collaborator or copyist", geht insofern ins Leere, als sie auf Vaughans durch die Zeichnungen belegtes Argu-

[71] Eine (nicht ganz vollständige) Aufstellung von Matthaeus' Informanten bei *Vaughan,* Matthew Paris, S. 12–17.

ment (S. 214) gar nicht eingeht, daß in den letzten Lebensjahren (also während der Entstehung von R) Matthaeus' Kräfte sichtbar schwanden und die Qualität der Zeichnungen deswegen nachließ. Dies ist ein gewichtiges Argument, da die MSS. Produktion von Matthaeus über annähernd zwei Jahrzehnte fast lückenlos verfolgt werden kann.

Eine Auflistung der Fundorte von Abbildungen aus den MSS. des Matthaeus gibt *Vaughan*, Handwriting, S. 393 f. sowie in: Matthew Paris, S. 207 ff.; seither: *Brieger*, Tafeln 42–49; *Denholm-Young*, Handwriting, Tafel 12 (Wappenzeichnungen); *W. N. Bryant*, Matthew Paris, Chronicler of St. Albans, in: History Today 19 (1969), S. 772–782; *Gransden*, Tafeln 9, 10; Matthew Parker's Legacy (1975), Tafel 20–22.

Jüngst hat *S. Patterson*, An Attempt to Identify Matthew Paris as a Flourisher, in: The Transactions of the Bibliographical Society. The Library 32, Nr. 4 (1977), S. 367–370 die farbigen Initialen in den MSS. des Matthaeus untersucht; ihre „Hand 1" ist nach R. Vaughans Ansicht (Brief vom 27. 6. 1978) diejenige von Matthaeus selbst. Die MSS. erwecken in der Tat den Eindruck, daß Matthaeus kaum Mitarbeiter an sie heranlassen wollte.

II. Arbeitstechniken des Chronisten im Scriptorium von St. Albans

1. Wendover und Paris. Zur Abgrenzung der ihnen zugeschriebenen Teile der Chronik

Das Fehlen eines zuverlässigen Roger Wendover-Textes hat die Untersuchung der Ursprünge von Matthaeus Paris' selbständigem Teil der Chronik erschwert. So ist es zunächst nicht völlig sicher, ob die ursprüngliche Fassung der Wendover-Chronik bis zu jener Stelle reichte, an der die beiden erhaltenen MSS. O, W abbrechen [1] – während der Darstellung der Ereignisse von 1235, nach der Heirat zwischen Kaiser Friedrich II. und Isabella, der Schwester des englischen Königs. Aber lange Zeit ist von der Forschung mit einer Ausnahme [2] nie in Zweifel gezogen worden, daß Wendover bis zu jenem Punkte schrieb; immerhin spricht dafür das ausdrückliche, gleichlautende Kolophon am Ende von O, W: „Huc usque scripsit Cronica dominus Rogerus de Wendoure" [3]. Und bei Matthaeus Paris, dessen Fassung für die Jahre 1234 und 1235 erheblich von dem überlieferten Wendover-Text abweicht, ist im MS. B an dieser Stelle angemerkt: „Dominus Rogerus de Wendoure, prior aliquando de Bealvero, hucusque Cronica sua digessit. Incipit frater Matheus Parisiensis" [4].

Dies war Grund genug, die Autorschaft bis hierher Wendover zuzusprechen [5], obwohl in C derselbe Vermerk bereits etwa 15 Monate früher, im Verlaufe der Annale zu 1234 angebracht und zudem paläographisch älter als jener in B ist [6].

[1] CM 3, S. 327.

[2] *Madden,* HA 1, S. LXII f.

[3] CM 3, S. 327 A. 2.

[4] Ebd., in einer Hand um 1300, wie *Vaughan,* Matthew Paris, S. 29 feststellte.

[5] So *Luard,* der bis CM 3, S. 327 die beiden Autoren durch unterschiedliche Typen trennt.

[6] Dies hatte Madden entdeckt, der außerdem darauf hinwies, daß in O zu Beginn des 2. Buches (fol. 3r, vgl. *Vaughan,* Matthew Paris, S. 29) vom Abschluß mit 1234 die Rede ist: „Incipit liber secundus de Floribus Historiarum a Nativitate dni nri Jhesu Christi usque ad annum millesimum ducentesimum tricesimum quartum". O hat bekanntlich durch den Brand der Cottonian Collection im Jahre 1731 erheblich gelitten, und Madden merkt auch an, diese Überschrift sei dort sehr schlecht lesbar, so daß er sie aus Bodl. MS. Laud 572 rekonstruiert habe. In W ist die Überschrift offensichtlich nicht enthalten, und damit ist ihre Existenz in *ow* zweifelhaft. Sowohl O als auch W scheinen ursprünglich Sammelcodices von Wendover und den späteren Flores Histo-

Vaughan hat diese Diskrepanz damit zu erklären versucht, daß *b* und *ow* zwei Rezensionen des Wendover-Textes darstellten, von denen die erste bis 1234, die zweite bis 1235 gereicht habe; außerdem wies Vaughan darauf hin, daß die entsprechende Marginalie in C gleichzeitig mit dem übrigen Text des MS., also gegen 1250, entstanden sei, während sie in B von späterer Hand um 1300 hinzugefügt wurde [7]. Diese Theorie läßt eine Erklärungslücke: wie Vaughan selbst festgestellt hat, wurde für die Herstellung von AB [8] der verlorene Codex *b* herangezogen [9] – der nach Vaughan die erste zeitlich frühere Rezension der Wendover-Chronik darstellt und folglich nur bis zu jenem Punkt im Frühjahr 1234 gereicht habe. In der Tat ist es aber so, daß der uns erhaltene autographe Matthaeus Paris-Text in B bis zum Sommer 1235 mit O, W einen erheblichen Teil des Textes gemeinsam hat, der nach Vaughan nicht von *b* stammen könnte.

Gleichzeitig stellte Vaughan die Frage, warum Matthaeus Paris sich mit der Benutzung der früheren Rezension zufriedengegeben haben sollte, wenn der weitergeführte Text doch bereits vorlag. Eine Antwort darauf gab er nicht, doch hätte sie – ausgehend von seiner Zwei-Rezensionen-Theorie – nur so lauten können: Paris benutzte *b* bis zu jener Stelle im Frühjahr 1234, an der das MS. abbrach, und verwandte von dort an bis zum Ende der Wendover-Chronik (in O, W) die zweite Fassung *ow* [10].

Seit Vaughan hat sich nur Richard Kay mit der Frage des Übergangs von Roger Wendover zu Matthaeus Paris beschäftigt [11]. Kay fordert zunächst, der Rubrik [12] in C als dem ältesten Beweisstück das entsprechende Gewicht zukom-

riarum gewesen zu sein, vgl. HA 1, S. LXXII f. Auf letzteres weist auch das Vorhandensein der Überschrift in Laud 572 hin, einem Flores MS. des 14. Jahrhunderts aus Winchester, vgl. *Ker,* S. 201.

[7] *Vaughan,* Matthew Paris, S. 29 f.

[8] A und B befanden sich ursprünglich in einem Codex zusammengebunden und wurden erst nach 1250 von Matthaeus geteilt, vgl. ebd., S. 56 f., 59. Die Sigle AB bezeichnet die MSS. in der Phase vor der Trennung.

[9] *Vaughan,* ebd., S. 28 beweist dies damit, daß z. B. während der Annale für 1228 in O, W und damit in *ow* eine Zeile wegen Homöoteleuton fehlt, während sie in AB vorhanden ist.

[10] Diese Überlegung führt zur Einführung eines weiteren Hyparchetyps b_1 in das Stemma, wodurch das bei *Vaughan,* Matthew Paris, S. 29 f. erkannte Problem gelöst wird.

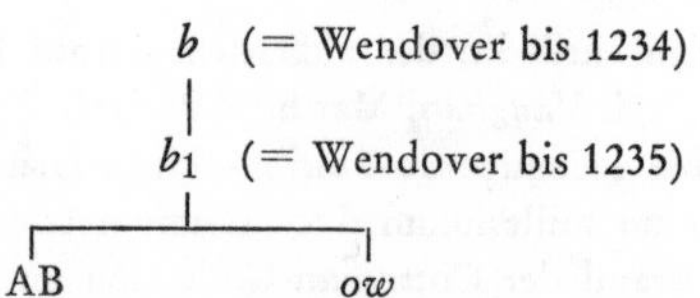

Damit wäre b_1 das von Matthaeus Paris verwandte MS.

[11] *R. Kay,* Wendover's last annal, in: EHR 84 (1969), S. 779–785.

[12] Ebd., S. 781 f.; „rubric" scheint bei ihm im weiteren Sinne „Marginalie" zu bedeuten.

men zu lassen: dort sei zu 1234 ausdrücklich das Ende von Wendover vermerkt, von einer Fortsetzung sei nirgends die Rede. Da Wendover 1236 starb, und C nach dem ursprünglichen Ende von AB kurz nach 1250 kopiert wurde, hätte eine Fortsetzung von Wendover über 1234 hinaus ja bereits existieren müssen. Da in C hiervon nichts angedeutet ist, zog Kay den Schluß, daß Wendover 1234 endgültig seinen Teil der St. Albans-Chronik beendet habe:

If we are to believe the rubric at all, we must accept its testimony as a whole and accordingly ascribe the first continuation of Wendover (May 1234 – July 1235) to Matthew Paris [13].

Damit beginnen aber für Kays Theorie die Erklärungsschwierigkeiten. Denn wie Kay auch weiß, ist der Text bis Juli 1235 in O, W enthalten, und damit in *ow*. Dieses MS. wiederum kann aber nicht von B kopiert sein, sondern geht auf *b* zurück [14]. Daher nimmt Kay an, die Fortsetzung bis Juli 1235 sei in *b* vorhanden gewesen, und zwar von Matthaeus Paris verfaßt [15]. Dies erfordert aber eine plausible Begründung, warum Paris die Weiterführung der Chronik in *b* dann nach einem Jahr abbrach, um seine eigene Bearbeitung der St. Albans-Chronik zu beginnen. Und Kay vermutet, nach dem letzten Eintrag Wendovers in der Annale zu 1234 seien in *b* noch einige Blätter freigeblieben, auf denen Matthaeus Paris zunächst seine Weiterführung begonnen habe – für 1234 noch in der relativ großzügigen Dimensionierung der letzten Wendover-Annalen, dann 1235 gedrängter, bis der in *b* noch vorhandene Raum verbraucht war, noch vor dem Ende der Annale, im Juli 1235 [16].

So erzeugt bei Kay eine Hypothese die Notwendigkeit der nächsten – und befriedigen können die Antworten doch nicht, sie sind sogar extrem unwahrscheinlich. Um mit der letzten zu beginnen: das Ende des zur Verfügung stehenden Raumes auf den von Wendover nicht beschriebenen Seiten der letzten Lage oder Lagen [17] hätte überhaupt keinen Grund dargestellt, die Weiterführung dort abzubrechen und einen neuen Codex anzufangen (in den dann in diesem Fall zunächst eine redigierte Fassung des Vorhandenen übertragen worden wäre!). Mittelalterliche Codices waren ohne Schwierigkeit teilbar und zusammensetzbar: man hätte also jederzeit neue Lagen anhängen oder, falls der Codex durch übergroßen Umfang unhandlich geworden wäre, ihn teilen können. Daß derartiges

[13] Ebd., S. 782.

[14] Kays Begründung ebd.: Wäre *ow* ab 1234 eine Abschrift von B, so bliebe unerklärt, warum *ow* dann nach 15 Monaten aufhört und nicht über 1235 hinaus kopiert wurde.

[15] Auch das Vorhandensein einer Fortsetzung auf einer losen Lage hat Kay erwogen, aber dann verworfen – es bliebe unerklärt, wie dann der Kopist von *ow* das Ganze Wendover hätte zuschreiben können. (Die lose Lage hätte natürlich selbst einen solchen Hinweis enthalten können!)

[16] Ebd., S. 783.

[17] Eines im übrigen ja gar nicht erhaltenen MS.!

im Scriptorium von St. Albans durchaus vorgenommen wurde, zeigt die von Vaughan rekonstruierte Entstehung des Liber Additamentorum [18]. Nach dem ursprünglichen Abschluß der Chronica majora mit 1250 befand sich dieser Anhang noch im Corpus von B, worauf die heute noch im MS. Nero D i feststellbaren Custoden hinweisen [19]. Als dann die Weiterführung der Chronica majora in Angriff genommen wurde, trennte man den Dokumentenanhang von B ab und vereinigte ihn mit anderem Material zum Liber Additamentorum. An B konnte man daraufhin weitere Lagen anhängen, auf denen sich jetzt die Weiterführung der Chronik von 1251–1253 befindet.

Doch Kays Hypothesenkette enthält noch gravierendere Mängel: wäre der letzte Abschnitt der St. Albans-Chronik in *b* von April 1234 bis Juli 1235 tatsächlich das Werk von Matthaeus Paris, so hätte er für diesen Zeitraum selbst zwei Versionen erstellt [20], die erste in *b*, und später eine zweite in B. Der in B überlieferte Matthaeus Paris-Text enthält Hinweise für den fraglichen Zeitraum, die die vorausgehende Existenz einer von Matthaeus selbst geschriebenen Fortsetzung in *b*, wie sie über *ow* in O, W überliefert wäre, äußerst unwahrscheinlich machen.

Einmal hielt Matthaeus Paris die Wahl des Johannes von Hertford zum neuen Abt von St. Albans im Frühjahr 1235 [21] für so wichtig, daß er in seiner Chronik detaillierte Angaben über Wahl und Bestätigungsverfahren machte [22], dazu einen Briefwechsel zwischen St. Albans und Rom kopierte [23], den man auch in O, W erwarten würde, wäre der Autor derselbe. Außerdem überliefert O, W zu 1235 einen unvollständigen Papstbrief mit der Datierung „Spoleti ii non. Septembri“ im achten Pontifikatsjahr Gregors IX [24]. Diese Datierung hätte ohne Probleme die richtige Einreihung unter dem Inkarnationsjahr 1234 ermöglicht [25] oder, falls die Insertion zu 1235 auf entsprechend spätes Eintreffen des Textes zurückzuführen wäre, bei der Übernahme in B durch den Autor korrigiert werden können. Matthaeus Paris hat den Text des Fragments von Wendover an derselben Stelle in B übernommen, war aber außerdem im Besitz des vollständigen Schreibens, das er ebenfalls in B kopierte, und zwar unter dem richtigen Jahr 1234 [26]. Doppeleintragungen als solche wären bei Matthaeus Paris noch kein besonderer

[18] *Vaughan,* Matthew Paris, S. 78–91.

[19] Ebd., S. 67–70.

[20] Kay erwähnt diese Implikation mit keinem Wort.

[21] CM 3, S. 307.

[22] CM 3, S. 308, 313 ff.

[23] CM 3, 313–317; der 6° id. Iunii datierte Brief Gregors, Potth. 9928.

[24] Potth. 9525, ein Kreuzzugsaufruf an die ganze Christenheit; der gekürzte Text bei Wendover und CM 3, S. 309–312.

[25] Vgl. *Cheney,* Handbook of Dates, S. 33, 37; die Wahl Gregors IX.: 19. März 1227.

[26] CM 3, S. 280–287.

Verdachtsgrund, da ihm ähnliche Unaufmerksamkeiten auch an anderen Stellen unterlaufen sind [27]. In diesem Falle müßte man ihm aber unterstellen, falls auf ihn die Teilabschrift des Briefes in *b* zurückzuführen wäre, daß er zunächst die eindeutige Datierung falsch aufgelöst hätte und dann wenig später das Stück nicht mehr wiedererkannte, als er den kompletten Inhalt erneut abschrieb und diesmal korrekt chronologisch einordnete.

Kays Behauptungen stützen sich im übrigen stets implizit darauf, Matthaeus Paris habe seine Chronik mehr oder weniger bruchlos im Anschluß an Wendover fortgeführt. Die ganze Theorie, die davon ausgeht, erst seien die letzten Seiten von *b* vollgeschrieben worden, woraufhin dann der neue Codex B begonnen wurde, ist eigentlich nur sinnvoll, wenn man annimmt, daß bis zum Beginn der Abfassung von B keine erhebliche Zeitspanne verstrich. Doch genau dies war bei den Chronica majora der Fall: Matthaeus faßte seine Annale zu 1235 in B erst einige Jahre später ab, nach 1243, wie noch zu zeigen sein wird.

Ein sinnfälliger Grund für die Anbringung der Marginalie in B und C an verschiedener Stelle ist also nicht ersichtlich. Es dürfte aber als unbestreitbar gelten, wegen des identischen Wortlautes beider Notizen, daß die eine Vorlage der anderen war (also offensichtlich C Vorlage für B). Für den Tatbestand bietet sich eine Erklärungsmöglichkeit an, die die stemmatischen Verhältnisse nahelegen. In St. Albans gab es Wendover MSS. unterschiedlicher Länge; MS. *b* reichte bis 1234 und könnte die Veranlassung für die Marginalie in C gegeben haben. MS. b_1 und seine Derivate (*ow*, O, W) reichten bis 1235, so daß ein Späterer um 1300 es für zutreffend gehalten haben muß, das Ende der Wendover-Chronik in B an jener Stelle am Rand anzumerken. Diese bereits von Vaughan vertretene Hypothese [28] hat gegen Kay den Vorzug der Einfachheit, erfordert keine umständlichen codicologischen Annahmen und argumentiert nur mit MSS., die in der angenommenen Form auch wirklich rekonstruiert werden können.

2. Die Chronologie der Abfassung

Matthaeus Paris kann ab Mitte 1235 als alleiniger Autor der Chronik von St. Albans gelten; es ist aber unzulässig, daraus allein zu schließen, er habe die Arbeit Wendovers bruchlos fortgeführt, die Tätigkeit des Chronisten zwischen dem Juli 1235 und Wendovers Tod im folgenden Jahr, jedenfalls nicht erheblich später, übernommen. Es ist bisher nur am Rande die Frage erörtert worden, ob

[27] So wird schon zu 1243 die Königswahl Heinrich Raspes gebracht, CM 4, S. 268; als Ursachen für solche Fehler kommen Verwendung von Schedenmaterial sowie die Zeitdifferenz bis zur Niederschrift in Frage, wie noch darzustellen sein wird.

[28] *Vaughan*, Matthew Paris, S. 29 f.

nicht bis zum Beginn der Abfassung des selbständigen Teiles von B auch ein längerer Zeitraum verstrichen sein könnte. Frühere Fragestellungen nach der Entstehungszeit von B (bzw. AB) konzentrierten sich nicht auf diesen „Anknüpfungspunkt“, sondern waren darauf gerichtet, für das gesamte MS. überhaupt erst zu einer Datierung zu gelangen. So bemerkte Luard [29], der Herausgeber der Chronica majora, daß der „veränderte“ Wortlaut eines von Paris zu 1239 inserierten kaiserlichen Manifests [30] die Wahl Richards von Cornwall zum deutschen König geradezu vorhersage. Diese vermeintliche Interpolation bewog ihn, den entsprechenden Teil des MS. später als 1256 zu datieren [31]. Sir Maurice Powicke übernahm diese Ansicht von Luard [32] und verwandte sie als Beweisstück für seine These, daß B eine relativ späte – und nicht autographe, aber zu Matthaeus' Lebzeiten hergestellte – Kopie eines verlorenen Originals darstelle. V. H. Galbraith gelang es, diese „interpolierte Prophezeihung“ auf einen Übersetzungsfehler Luards bzw. Powickes, sowie auf korrupte Überlieferung oder eine individuelle Textvariante für den einen Empfänger des Briefes zurückzuführen [33]. Galbraith betonte, damit müsse man von der Theorie, daß B (ab 1213) erst nach dem Januar 1257 geschrieben sei, abrücken und zugeben, daß man nicht genau wisse, wann das MS. entstanden sei. Anzumerken ist, daß weder Powicke noch Galbraith ernsthaft in Erwägung zogen, daß B (ab 1213) autograph ist, sondern ausdrücklich Maddens Schriftidentifizierung für unbewiesen hielten [34] (und nur unter dieser Vorbedingung konnte die Möglichkeit einer so späten Entstehung überhaupt sinnvoll in Erwägung gezogen werden).

Der von Richard Vaughan erbrachte Nachweis, daß die mit der Annale zu 1213 in B einsetzende Hand jene des Autors Matthaeus Paris ist [35], und ferner, daß es sich bei B um Matthaeus' originales „Arbeitsbuch“ handelt, dem kein verlorenes anderes MS. zugrundeliegt, hat die Ergebnisse aller früheren Arbeiten natürlich relativiert: damit stand nun ein für allemal fest, daß die Entstehung von B nicht in einem verhältnismäßig kurzen Zeitraum, wie er für die Herstellung einer Abschrift anzusetzen ist, gesucht werden kann, sondern daß der Codex über eine Reihe von Jahren anwuchs, was Vaughan auch mit Schrift-

[29] *Luard,* CM 3, S. XI A. 2.

[30] BF 2431 (an Richard von Cornwall, 20. April 1239), CM 3, S. 575–589, vgl. 587 f.: „Tu igitur, dilecte, cum tibi dilectis, princeps orbis terrae profuture, non nobis solum, sed ecclesiae ... condole“.

[31] Möglich war dies ohnehin nur, weil Luard die von Madden identifizierte Hand nicht als die des Matthaeus selbst akzeptierte und B für eine Abschrift hielt.

[32] *Powicke,* MPh 38, S. 310; Luard war schon zuvor durch *Liebermann,* MG SS 28, S. 168 A. 1 widerlegt worden, vgl. *Galbraith,* Roger Wendover, S. 27 A. 3.

[33] *Galbraith,* Roger Wendover, S. 27; Powicke hat diese Kritik in der zweiten Fassung seines Aufsatzes akzeptiert, PBA 30, S. 152, hielt aber an seinen Datierungsvorstellungen fest.

[34] *Powicke,* PBA 30, S. 151 negativer als *Galbraith,* Roger Wendover, S. 26.

[35] *Vaughan,* Handwriting; auch: Matthew Paris, S. 35 ff.

proben aus verschiedenen Perioden belegte [36]. Weiter gelang es Vaughan zu zeigen, daß der ursprünglich von Matthaeus Paris geplante Abschluß der Chronik nach dem Jahre 1250 und einer abrundenden Charakteristik des ganzen vergangenen halben Jahrhunderts ab 1200 fast gleichzeitig mit den letzten Ereignissen am Anfang des Jahres 1251 erfolgte. Der unangreifbare Beweis dafür ist, daß die von Matthaeus Paris nachträglich zum großen Ereignis gemachte Notiz von Kaiser Friedrichs II. Tod nicht mehr im Text von 1250 steht, sonderen am Rand nachgetragen ist [37]. Und auf den ersten Seiten des nächsten Jahres findet sich der Eintrag: „Certificantur Occidentales de morte F[retherici]" [38], gefolgt von einer Zusammenfassung des kaiserlichen Testaments. Auch die Tatsache, daß die Historia Anglorum im Laufe des Jahres 1250 begonnen wurde [39], und also Matthaeus Paris zu jener Zeit in B die für die Herstellung der Historia Anglorum bestimmten redaktionellen Vermerke („Vacat", „Impertinens", etc.) anbringen konnte, deutet auf den fortgeschrittenen Zustand von B hin.

Damit ist für den gesamten von Matthaeus verfaßten Teil der Chronica majora bis 1251 ein *terminus ante* gefunden. Zudem ist es möglich geworden, für die Analyse der Entstehung von B den Teil ab 1251 abzusondern; Untersuchungsziel ist es, die Niederschrift der einzelnen Annalen in B genauer zu datieren. Richard Vaughan hatte sich mit diesem Problem nicht näher befaßt und lediglich (offenbar zustimmend) referiert, was H. Plehn gefunden zu haben glaubte [40], daß nämlich die Annale zu 1239 frühestens 1245 entstanden sein könne [41]. Zum Beginn der Annale 1239 stellt Matthaeus Paris dar [42], wie Gilbert Marshal während des Weihnachtsfestes von Mitgliedern des königlichen Haushaltes der Zutritt zu den Feierlichkeiten verwehrt wurde, und Marshal erbost

[36] Powickes Rezension über Vaughans Buch, in: EHR 74 (1959), S. 482–485 (in der Vaughans Ansichten weithin verworfen werden) erklärt die Vorurteile des Rezensenten schlicht zum Dogma und nimmt wesentliche Argumentationen in ihrer Bedeutung nicht zur Kenntnis. Keiner von Powickes Einwänden hält einer Überprüfung stand, insbesondere zur Chronologie der Entstehung. *W. Kienast*, Deutschland und Frankreich in der Kaiserzeit 3 (2. Aufl. 1975), S. 605 A. 1722 ist schlecht informiert, wenn er sich Powicke ohne Diskussion anschließt: „Doch wendet sich F. M. Powicke ... m. E. mit Recht gegen V.s Annahme, M. Paris habe die Chronik erst nach 1245 zu schreiben begonnen, als älterer Mann, der ganz auf sein Gedächtnis angewiesen war. P. glaubt, daß M. Par. ein verlorenes Original näher den Ereignissen von 1236–1250 verfaßte".

[37] CM 5, S. 190; auch beim Gesamtüberblick über die letzten 50 Jahre fehlt der Tod des Kaisers, vgl. *Vaughan*, Matthew Paris, S. 60 f.

[38] CM 5, S. 216.

[39] HA 1, S. 9; vgl. *Vaughan*, Matthew Paris, S. 61 A. 2.

[40] Ebd., S. 59; *H. Plehn*, Der politische Charakter von Matheus Parisiensis (1897), S. 135.

[41] Von der Sache her ist dieses Ergebnis, wie zu sehen sein wird, durchaus im Rahmen des Richtigen, aber von der Beweisführung unhaltbar.

[42] CM 3, S. 523 f.

wieder abreiste, nachdem der König ihm auf seine Beschwerde hin nicht Genugtuung zukommen ließ. Am Ende dieses Abschnittes heißt es bei Matthaeus Paris dann: „Nec postea ipse vel frater ejus Walterus sincero corde regem, ut prius, dilexit, nec fortunato casu prosperabantur“ [43].

Plehn betrachtete den Ausdruck „nec ... fortunato casu prosperabantur“ als Anspielung auf den Tod der beiden Brüder Marshal [44], so daß dieser Satz frühestens 1245, nach dem Tode des zweiten von ihnen, hätte geschrieben werden können. Es wird keiner ausführlichen Begründung bedürfen, daß diese Interpretation nicht vom Text gedeckt ist. Die Stelle besagt nichts weiter, als daß die beiden Brüder nach diesem Vorfall „nicht vom Glück begünstigt wurden“ [45]; eine Anspielung auf beider Tod hierin zu sehen, ist jedenfalls Spekulation und kann nicht allein für sich genommen als Beweis für spätere Abfassung gelten. Der einzige von Plehn angeführte konkrete Anhaltspunkt hat sich als nicht brauchbar erwiesen, doch die bei Plehn im Ansatz vorhandene Methode, die innere Chronologie der Chronica majora zu überprüfen, könnte durchaus zu Ergebnissen führen. Dazu werden aber eindeutige Anordnungs„fehler“ des Chronisten benötigt, die allein es ermöglichen können, die Etappen der Anfertigung des MS. zu dokumentieren.

Im Verlaufe der Intrigen, die Richard Marshal 1234 nach Irland führten [46], wo er schließlich den Tod fand, berichtet Matthaeus Paris von der Fälschung einer Urkunde durch Anhänger des Königs. Einer, der sich weigerte, daran teilzunehmen, war Kanzler Neville, der Bischof von Chichester [47]. Die von Matthaeus berichtete Geschichte [48] („Tunc consiliarii saepedicti violentia proditiosa, subrepto sigillo regio ab Hugone [!] Cicestrensi episcopo, tunc cancellario, non huic fraudi consentiente, per cartam regis ... concesserunt ...“) ist wahrscheinlich in dieser Form unhistorisch – was dem Argument hier aber nicht schadet. Dem Ralph Neville wurde tatsächlich im Jahre 1238 nach einem Zerwürfnis mit dem König das Siegel entzogen [49]. Ob Matthaeus Paris darauf anspielt und Ereignisse

[43] CM 3, S. 524.

[44] Für ihre Todesdaten vgl. *Powicke,* King Henry III and the Lord Edward (1947), S. 142, 702 A. 2.

[45] Der Übersetzung von „casus“ als „Sturz, Untergang, Tod“ steht auch entgegen, daß der „fortunatus casus“ dann eigentlich ein Widerspruch in sich wäre.

[46] *Powicke,* The Thirteenth Century 1216–1307 (2. Aufl. 1962), S. 53–58.

[47] Dazu *T. F. Tout,* Chapters in the Administrative History of Mediaeval England 1 (2. Aufl. 1937), S. 224 f.

[48] CM 3, S. 266; Matthaeus hat in die von Wendover übernommene Geschichte den Passus „violentia – consentiente“ interpoliert. Der richtige Vorname des Bischofs war Ralph. Weder als Kanzler noch als Bischof von Chichester gab es in dieser Zeit einen Hugo, die Verwechslung mit einer anderen Person ist ausgeschlossen. Matthaeus Paris muß sich hier im Vornamen geirrt haben; vgl. *Powicke/Fryde,* Handbook of British Chronology (2. Aufl. 1961), S. 83, 216.

[49] *Powicke,* King Henry III, S. 270, 292 A. 2, 297 A. 2.

von 1233/34 und 1238 vermengt, ist hier nicht zu entscheiden. Eines weist aber auf jeden Fall darauf hin, daß diese in den Wendover-Text interpolierte Stelle erst nach 1238 geschrieben worden ist: das Wort „tunc“ bezeichnet Neville zweifelsfrei als Ex-Kanzler [50].

Die Chronik enthält zu 1239 das Fragment eines Papstbriefes an König Ludwig IX. von Frankreich [51]. Der Text ist ohne Intitulatio und Arenga am Anfang sowie ohne Datierung am Ende dort abgeschrieben. Wegen der von Matthaeus Paris stammenden chronologischen Zuordnung steht der Brief in den „Regesta Imperii“ unter Gregor IX [52]. Böhmer wie auch Ficker hielten das Stück für eine Fälschung, und Fehling schloß sich dieser Auffassung an [53]. Matthaeus Paris, der zuvor ausgiebig die Exkommunikation des Kaisers schildert und dazu Rundschreiben Friedrichs II. sowie Gregors IX. inseriert, bietet hier den vorgeblichen Text eines Briefes, in dem der Papst dem Bruder des französischen Königs, Robert von Artois, die Kaiserkrone antragen will und dabei von der erfolgten Absetzung des Kaisers spricht: „... et a culmini imperiali abjudicasse Frethericum dictum imperatorem“. Gregor IX. hat den Kaiser bekanntlich nie abgesetzt, sondern exkommuniziert [54]. Allenfalls wäre als Möglichkeit in Betracht zu ziehen, daß im zeitlichen Umfeld der 1241 geplanten Absetzung des Kaisers an der Kurie ein entsprechendes Pamphlet als Stilübung verfaßt worden sein könnte. Daß es jedoch, nach dem wenig glorreichen Mißlingen von Gregors Konzilsplänen 1241, trotzdem in Umlauf gesetzt worden sein sollte, scheint mir ausgeschlossen. Auch der Zusammenhang bei Matthaeus Paris spricht nicht für eine kuriale Entstehung: unmittelbar nach dem Brief schildert Matthaeus die

[50] Neville blieb zwar auch nach der Wegnahme des Siegels auf Proteste des Adels hin weiter nominell Kanzler (er konnte ab 1242 bis zu seinem Tod das Siegel sogar wieder für zwei Jahre erlangen), wurde aber allgemein nach 1238 nicht als der bevollmächtigte Amtsinhaber angesehen; vgl. *L. B. Dibben,* Chancellor and Keeper of the Seal under Henry III, in: EHR 27 (1912), S. 39–51.

[51] CM 3, S. 624 f.

[52] BF 7226 a Böhmer, 7270 Ficker.

[53] *F. Fehling,* Kaiser Friedrich II. und die römischen Cardinäle in den Jahren 1227 bis 1239 (1901), S. 73; dagegen scheint Potth. 10806 nicht an der Echtheit zu zweifeln und vermutet als Datum Anagni, Oktober. Auch *E. Kantorowicz,* Kaiser Friedrich II. (1927), S. 495 f., *Van Cleve,* The Emperor Frederick II, S. 436, *Kienast,* Deutschland und Frankreich 3, S. 609–611 halten den Brief ohne Begründung für echt und 1239 verfaßt.

[54] Daß der Papst die Absetzung auf dem von ihm 1241 berufenen Konzil geplant hatte, ist in der Literatur *communis opinio,* vgl. *Gebhardt/Grundmann,* Handbuch der deutschen Geschichte 1 (9. Aufl. 1970), § 140; *J. Haller,* Das Papsttum. Idee und Wirklichkeit 4 (2. Aufl. 1962), S. 109 f.; die Quellen zur Berufung des Konzils bei *Kantorowicz,* Erg. Bd., S. 214; *Van Cleve,* The Emperor Frederick II, S. 447 f.; vgl. CM 4, S. 65 ff. Es gibt keine Anzeichen dafür, daß Friedrich II. sich nach der Exkommunikation 1239 selbst als abgesetzt betrachtete, vgl. unten S. 122 und A. 8.

Reaktion der Franzosen [55], die in schwungvollen Reden das Angebot ablehnen und betonen, das französische *regnum* stehe dem *imperium* gleich, man habe also keine Rangerhöhung nötig. Dies spricht entschieden gegen eine kuriale Beteiligung an der Überlieferung, und nach dem Inhalt wird man den Fälscher eher in Frankreich als in England suchen. Der Infinitiv Perfekt „abjudicasse" kann nur so interpretiert werden, daß das Brieffragment erst nach dem Konzil von Lyon in dieser Form entstanden sein kann. Damit verfügen wir über einen weiteren zeitlichen Anhaltspunkt für die Zeit der Abfassung der Chronica majora: die Annale für 1239 kann nicht vor 1245 niedergeschrieben worden sein [56].

Über die politischen Entwicklungen in Deutschland war Matthaeus nicht immer auf dem laufenden und erlag bei seiner Niederschrift gelegentlich Irrtümern. So erwähnt er die Wahl Heinrich Raspes zum deutschen König erstmals zum Jahre 1243 [57]. Die Veitshöchheimer Wahl fand in Wirklichkeit am 22. Mai 1246 statt [58], so daß auch hier der entsprechende Text bei Matthaeus Paris zu 1243 erst mehrere Jahre später, frühestens im Sommer 1246, geschrieben wurde.

Zu den Matthaeus persönlich bekannten Zeitgenossen gehörte auch der Hofdichter Heinrich von Avranches [59]. Der Poet [60], vermutlich deutscher Herkunft, hatte ein unstetes Leben geführt, das ihn schon einmal, etwa von 1219 bis 1227 nach England und auch nach St. Albans geführt hatte. Im Liber Additamentorum ist ein kurzes Gedicht von ihm erhalten [60a], dessen Text auf Abt Wilhelm von Trumpington († 1235) anspielt, also in der Zeit von Heinrichs erstem Englandaufenthalt entstanden war. Nach langem Umherreisen und Aufenthalten insbesondere in Italien am kaiserlichen wie am päpstlichen Hof kehrte er um 1243 nach England zurück, wo er spätestens im Herbst jenes Jahres nachweisbar ist. Am 30. März 1244 läßt König Heinrich III. ihm erstmals eine Summe von 6 £ anweisen,

ad acquietand' expensas Magistri Henrici versificatoris a xx die Octobr' anno etc. xxvii usque ad quintam diem Aprilis anno etc. xxviii qui capit per mensem xx sol quamdiu steterit in servicio nostro per preceptum nostrum [61].

[55] CM 3, S. 626.

[56] Zu dieser Jahreszahl war auch Plehn gekommen, nur war sein Nachweis falsch.

[57] CM 4, S. 268. Zu 1243 finden sich bei Matthaeus noch mehr Ungereimtheiten, so soll Innozenz IV. sofort nach seiner Wahl den Bann gegen den Kaiser erneuert haben.

[58] BF 4865 d; *R. Malsch,* Heinrich Raspe, Landgraf von Thüringen und Deutscher König (1911), S. 57 f.

[59] *Vaughan,* Matthew Paris, S. 128 f., 259 f. erwähnt die Verbindung; der Name fehlt aber in seiner Liste der Bekannten von Matthaeus, S. 13–17.

[60] *J. C. Russell,* Master Henry of Avranches as an International Poet, in: Speculum 3 (1928), S. 34–63; zu den hier erwähnten biographischen Daten S. 34–38.

[60a] CM 6 Nr. 44, S. 62 f.

[61] *Russell,* Speculum 3, S. 55, Item 1, aus: Liberate Roll 28 Henry III; englisches Regest in: CLibR 2, S. 225.

Das Gehalt wurde rückwirkend ab Oktober 1243 gewährt [62]; in den folgenden Jahren bis zum Tode des Dichters sind immer wieder Leistungen an ihn verzeichnet.

Die enge Verbindung Heinrichs von Avranches mit St. Albans in diesen Jahren wird schon dadurch deutlich, daß das wichtigste MS. mit den Werken des Dichters, das erhalten ist, großenteils in Matthaeus Paris' Hand geschrieben ist. Dem Chronisten hat dieses Buch selbst gehört [63]. Das Heinrich von Avranches darin zuzuschreibende Material ist wohl zu verschiedenen Zeiten und an verschiedenen Höfen entstanden, und der Dichter scheint später in England seine „gesammelten Werke“ mit sich geführt zu haben. Eine Datierung dieser MS.-Teile auf die Jahre um oder kurz nach 1243 kann kaum strittig sein. Ab 1243 ist der Dichter in den Diensten des englischen Königs; die paläographischen Eigenschaften legen eine Einordnung in diese Zeit unbedingt nahe [64].

Auf die ihm als Kopisten unmittelbar bekannten Gedichte des Heinrich von Avranches nimmt Matthaeus Paris an drei Stellen der Chronica majora ausdrücklich Bezug; angesichts der zeitlichen Korrelierbarkeit mit dem MS. der Heinrich von Avranches-Gedichte (Cambridge U. L. Dd. xi. 78) stellen diese Hinweise zusätzliche Markierungspunkte für die Entstehungsgeschichte von B dar. Die erste derartige Erwähnung erfolgt zum Jahre 1219 im Zusammenhang mit dem Tode von Wilhelm Marshal [65]; nach einem anonymen Epitaph [66] auf Marshal schreibt Matthaeus Paris weiter:

Plura habentur epitaphia scripta de eo in libro fratris M. Parisiensis quem habet de versibus Henrici de Abrincis.

[62] Zur Auflösung der Datierung nach „regnal years“ vgl. *Cheney*, Handbook of Dates, S. 12, 19; das 28. Regierungsjahr Heinrichs III. beginnt am 28. Oktober 1243.

[63] Cambridge University Library MS. Dd. xi. 78; Edition der Gedichte bei *J. C. Russell / J. P. Heironimus* (Hrsg.), The Shorter Latin Poems of Master Henry of Avranches Relating to England (1935); vgl. S. 6 und CM 3, S. 43 für den Besitz des MS. durch Matthaeus Paris.

[64] *Vaughan,* Handwriting, S. 389; die von Vaughan hier Tafel XIX (d) gegebene Schriftprobe gehört einer relativ späten Phase an. Eine wohl früher von Matthaeus Paris selbst geschriebene Seite in: Die Zeit der Staufer 2, Abb. 610; vgl. dazu den Text in Bd. 1, S. 652 f. von H. M. Schaller und F. Mütherich, ohne den Hinweis auf den autographen Charakter der Abbildung.

Nach R. Vaughans Meinung streckte sich der Prozeß der Entstehung des MS. über mehrere Jahre, endend vermutlich vor 1250; daß die Entstehung des MS. als längerer Prozeß zu betrachten ist, ergibt sich aus einem Vergleich der anderen Schreiberhände mit solchen in anderen MSS. So taucht in C. U. L. Dd. xi. 78 fol. 35^{v}–37^{v} eine sehr steife, formalisierte Schreiberhand auf, mit einer im Scriptorium sonst ungebräuchlichen schwarzen Tinte, die sich auch in LA fol. 148^{r}–160^{v} findet, einer Sammlung von Urkunden, die später in den LA eingebunden wurde, aber früher als der LA selbst ist.

[65] CM 3, S. 43 f.

[66] Von Luard CM 3, S. 43 A. 5 Gervasius von Melkeley zugeschrieben.

– unbezweifelbar ein Verweis auf dieses MS., und gleichzeitig eine eindeutige Aussage über den Besitzer des MS. Die entsprechenden Blätter mit den Epitaphen sind leider verloren, doch ist auf einem Einzelblatt ein Inhaltsverzeichnis erhalten, in dem Matthaeus mit einer Notiz auf einen solchen Epitaph hinweist [67]. Was Luard hier in seiner Ausgabe der Chronica majora nicht kennzeichnet, ist für unseren Zusammenhang von besonderer Bedeutung: der Verweis in B auf das Heinrich von Avranches-Buch ist nicht im ursprünglichen Text enthalten, sondern von Matthaeus Paris selbst später am Rand hinzugefügt worden. Dieser Tatbestand ermöglicht den Schluß, daß Matthaeus zum Zeitpunkt der Abfassung seiner Annale für 1219 den Poeten vielleicht noch nicht getroffen, zumindest noch nicht einen wesentlichen Teil der Abschrift seiner Gedichte angefertigt hatte, der als *liber* hätte bezeichnet werden können. Die Niederschrift dieses Teils der Chronik in B ist also vor der Entstehung des von Matthaeus Paris um 1243 geschriebenen Teils von Cambridge U. L. Dd. xi. 78 anzusetzen.

Neuerlich findet Heinrich von Avranches Erwähnung im Rahmen der Annalen 1229 und 1237, und zwar beide Male mit demselben Zitat. Es geht um Bischof Richard le Poore, der in Salisbury den Neubau der Kathedrale in die Wege geleitet hatte und 1228 von dort nach Durham transferiert wurde:

> Rex largitur opes, fert praesul opem, lapicidae
> Dant operam; tribus hiis est opus ut stet opus [68].

Derselbe Spruch wird nach des Bischofs Tod 1237 im Rahmen einer Gesamtwürdigung wiederholt [69]. Sowohl zu 1229 als auch zu 1237 finden sich diese Zeilen im Text in B selbst, so daß zum Zeitpunkt der Niederschrift in B das Gedicht in St. Albans bekannt gewesen sein muß. Das Gedicht selbst, das den Titel „De translatione veteris ecclesie Saresberiensis et constructione nove“ trägt [70], ist wohl von Heinrich schon während seines ersten längeren Englandaufenthaltes in den zwanziger Jahren des Jahrhunderts verfaßt worden – es nimmt lediglich auf einen Bischof Bezug, den 1228 abgelösten und versetzten Richard. Da ein verhältnismäßig großer Teil der Gedichte in dem MS. schon vor 1243 entstanden sein muß, hat der Dichter eine Sammlung seiner Werke, die er mit sich führte, nach seiner Rückkehr nach England 1243 dem Chronisten von St. Albans offensichtlich zur Abschrift überlassen. Die Verzahnung zwischen B und Cambridge U. L. Dd. xi. 78 wird an der zitierten Stelle besonders sichtbar. Das in B übernommene Zitat stimmt nämlich mit dem Wortlaut des Gedichts nicht überein; dort lautet die Stelle anders:

[67] Vgl. CM 3, S. 43 A. 6; das Inhaltsverzeichnis in C. U. L. Dd. xi. 78 auf Vorsatzblatt.

[68] CM 3, S. 189 f.; verzeichnet bei *H. Walther,* Initia carminum Nr. 16739.

[69] CM 3, S. 391.

[70] Gedruckt bei *Russell/Heironimus* Nr. 20, S. 110–114; im MS. C. U. L. Dd. xi. 78 fol. 92^{v}–96^{r}.

Rex igitur det opes, presul det opem, lapicide
dent operam: tribus hiis est opus ut stet opus [71].

Matthaeus Paris hat die von ihm in den Chronica majora verwendete veränderte Version dieser Zeilen anschließend am Rande des Gedichtes im Avranches-MS. nachgetragen [72]. Der Teil in B, der durch die Jahre 1229 und 1237 begrenzt wird, kann nach den gewonnenen Ergebnissen insgesamt in seiner Entstehung nicht früher als 1243 angesetzt werden.

Damit liegen nun in ausreichendem Umfang Eckdaten vor, um die Chronologie der Abfassung von B zu beschreiben. Die Annale für 1219, also ganz am Anfang des autographen Teiles, ist noch vor 1243 oder wohl spätestens in jenem Jahr in B eingetragen worden. Alle Teile nach der Annale für 1229 sind dagegen erst 1243 oder danach entstanden. Für Matthaeus' Erzählung der Ereignisse von 1239 ergibt sich das Jahr 1245 als der frühestmögliche Zeitpunkt der Abfassung, und die Annale für 1243 ist nicht vor 1246 niedergeschrieben. Wann Matthaeus mit der veränderten Abschrift der frühen Teile der Wendover-Chronik begann, konnte auf diese Weise nicht herausgefunden werden, aber ein Ergebnis wäre hier schon wegen des Editionszustands auch nur von begrenzter Aussagekraft gewesen. Doch ist der Nachweis gelungen, daß Matthaeus den zeitgenössischen selbständigen Teil seiner Chronik mit erheblicher Verzögerung aufzuzeichnen begann. Die Chronica majora ab 1235 wurden erst etwa acht Jahre nach dem Ende von Wendovers Chronik 1235 begonnen. In den dann folgenden Jahren hat der Chronist den Rückstand schließlich aufgearbeitet, so daß er, wie oben erwähnt, seine Aufzeichnungen über das Jahr 1250 schon bald nach dem Ende jenes Jahres abschließen konnte. Um wieviele Jahre oder Monate Matthaeus den Text für 1246 bis 1250 hinter den Ereignissen her schrieb, läßt sich im einzelnen nicht nachweisen, doch legt die im groben innerhalb der einzelnen Annalen eingehaltene chronologische Anordnung der Ereignisse den Schluß nahe, der Text sei jeweils erst nach dem Ende des betreffenden Jahres verfaßt, als dem Chronisten die Informationen und auch die vor allem bis 1246 häufigen Dokumente gesammelt vorlagen.

Eine Begebenheit erlaubt noch einmal festzustellen, daß Matthaeus Paris um gut ein Jahr hinter der erlebten Zeit her schrieb. Auf Bitten der in Nöte geratenen Abtei St. Benet Holme in Norwegen, für deren Interessen Matthaeus in England schon früher tätig geworden war, bestellt Papst Innozenz IV. den Mönch aus St. Albans, das norwegische Kloster zu reformieren [73]. Die Reise des Matthaeus nach Norwegen fand 1248 statt, und bei dieser Gelegenheit überbrachte er dem norwegischen König Hakon VI. einen Brief Ludwigs IX. von

[71] *Russell/Heironimus,* S. 116 Z. 205 f.; im MS. fol. 96^r.

[72] MS. fol. 96^r, vgl. CM 3, S. 189 A. 5.

[73] Matthaeus beschreibt seine Reise in CM 5, S. 42–45; der Brief Innozenz' IV., Potth. 13141, vgl. CM 5, S. 44 f., auch in HA 3, S. 40 f. sowie in LA fol. 92^v mit zusätzlicher Erläuterung. Datum des Briefes nach HA: 27. November 1247.

Frankreich. Dies wissen wir von Matthaeus selbst, der das Überbringen dieses Schreibens bereits zum Jahre 1247, ziemlich am Ende der Annale, berichtet, zusammen mit Hakons Krönung und Kreuznahme sowie der eben von Matthaeus Paris zu überbringenden Einladung an Hakon, sich am Kreuzzug Ludwigs des Heiligen zu beteiligen [74]. Der Verweis auf die Überbringung des Briefs („Hoc autem mandatum, cujus epistolam ipse qui haec scripsit detulit, ...") ist ein eindeutiger Beleg dafür, daß die Stelle erst nach Matthaeus' Rückkehr von seiner Norwegenfahrt im folgenden Jahr geschrieben ist. Zudem steht der Bericht über Hakons Krönung am 29. Juli 1247 hier isoliert fast am Ende der Ereignisse des Jahres, während sonst die zeitliche Anordnung meist stimmt. Dies legt nahe, daß Matthaeus Paris die Niederschrift für das Jahr 1247 zu Anfang 1248 bereits begonnen, vielleicht sogar bis kurz vor der hier erörterten Stelle geführt hatte, und die Annale dann nach der Rückkehr von seiner Reise abschloß, wobei er die gestörte Anordnung in Kauf nehmen mußte.

3. Der Beginn von Matthaeus' Sammeltätigkeit

Eine Konsequenz aus der Tatsache, daß der selbständige Teil der Chronica majora erst ab 1243 niedergeschrieben wurde, ist, daß der Autor seinen Text ab 1235 für annähernd ein Jahrzehnt „nacharbeiten" mußte. Aus dem Gedächtnis kann das umfangreiche Material unmöglich in der vorliegenden Art rekonstruiert und dann niedergeschrieben sein; dies läßt sich ohne großen Beweisaufwand zeigen. Einmal sprechen die zahlreichen Dokumente, die in der Chronik erscheinen – wie immer man im einzelnen deren Textqualität beurteilen mag – und die dem Chronisten zu verschiedenen Zeitpunkten zugänglich wurden, für das ursprüngliche Vorhandensein einer provisorischen Aufzeichnung. Zum anderen macht schon der große Umfang – ca. 80 Seiten pro Jahr durchschnittlich im Druck der modernen Ausgabe – eine solche Annahme unerläßlich; andernfalls müßte die Chronik in ganz anderem Maße von sachlichen und chronologischen Fehlern verunstaltet sein.

Ein vergleichbares Beispiel, um diese Behauptung zu illustrieren, liefert uns ein Geschichtsschreiber, der zu Matthaeus' Lebzeiten und vielleicht in dessen Gesichtskreis gewirkt hat, im nur 12 oder 13 Meilen von St. Albans entfernten Priorat von Regularkanonikern in Dunstable, Bedfordshire [75]. Dort wurde unter Prior Richard de Morins [76] 1210 eine Annalenzusammenfassung angelegt, die

[74] CM 4, S. 650–652.

[75] *Knowles/Hadcock,* S. 140, 156.

[76] *S. Kuttner,* in: Dictionnaire de Droit Canonique 7 (1965) s. v. „Ricardus Anglicus", Sp. 676–681 hat die Identität des Priors Richard de Morins mit dem Kanonisten Ricardus Anglicus festgestellt. Über ihn auch *Russell,* Dictionary of Writers in Thirteenth-Century England (1936), S. 111–113 und *S. Kuttner/E. Rathbone,* Anglo-Nor-

sich, wie Christopher Cheney zeigte [77], im wesentlichen auf Ralph Diceto stützte, und zwar auf ein aus St. Albans entliehenes MS., aber auch auf die in diesem MS. in St. Albans nachgetragenen Ergänzungen bis 1209 [78]. Ab 1210 hatte man dann in Dunstable keine Vorlage mehr zur Verfügung und setzte die Aufzeichnung selbständig fort. Von 1210 bis 1219 (in Luards Textausgabe ein Umfang von insgesamt 24 Seiten) [79] sind die Einträge, wenn auch sachlich im allgemeinen zutreffend, chronologisch äußerst verwirrt [80]. Da aber die Qualität der Informationen selbst gut ist, handelt es sich vielleicht nicht einmal um eine Niederschrift nach dem Gedächtnis, sondern lediglich um das Produkt unzureichender laufender Aufzeichnungen oder mangelhafter Aufbewahrung. Ab 1220 treten die Mängel in den Annalen von Dunstable übrigens in den Hintergrund, so daß Cheney vermutete, Prior Richard habe das Heft selbst wieder in die Hand genommen.

Dieses Beispiel sollte nur demonstrieren, was wir zu erwarten hätten, wenn Matthaeus Paris auf ähnlich nachlässige Weise gearbeitet hätte. Dies war bei den monastischen Geschichtsschreibern aber wohl nicht die Regel. Wie man sich die laufende Fortführung einer Klostergeschichte im Idealfall vorstellte, zeigt eine entsprechende Anweisung, die sich im Prolog der Winton-Waverley-Annalen, aber auch der Annalen von Worcester findet, und wohl in verschiedenen Versionen der (recht unzureichend erforschten) südenglischen Annalentradition verbreitet war:

Considerantes pro multis causis in religione chronicas esse necessarias, istas vobis de vetustis rotulis neglectisque scedulis excerpsimus; et quasi de sub mensa Domini fragmenta collegimus, ne perirent. Non enim debet vestras urbanas aures offendere rudis et inculta Latinitas, qui soletis in scripturis magis sensui quam verbis incumbere, fructui potius quam foliis inhaerere. Nec mirandum, si liber annuatim augmentatur, ac per hoc a diversis compositus, in alicujus forte manus inciderit, qui proloquens fecerit barbarismum. Vestri itaque studii erit; ut in libro jugiter scedula dependeat, in qua cum plumbo notentur obitus illustrium virorum et aliquod de regni statu memoriale, cum audiri contigerit. In fine vero anni non quicunque voluerit, sed cui injunctum fuerit, quod verius et melius censuerit ad posteritatis notitiam transmittendum, in corpore libri succincta brevitate describat; et tunc veteri scedula subtracta, nova imponatur [81].

man Canonists of the Twelfth Century: an Introductory Study, in: Traditio 7 (1949–1951), S. 329–331.

[77] *Cheney*, in: FS Wilkinson (1969), S. 79–98 = *Cheney*, Medieval Texts and Studies (1973), S. 209–230, im folgenden nach dem Druck von 1973 zitiert.

[78] BL Royal MS. 13 E. vi, in der Edition von Stubbs C genannt. Zu diesem MS. und den darin enthaltenen Annales Sancti Albani vgl. oben S. 14 und A. 31.

[79] *Cheney*, Medieval Texts, S. 229.

[80] Ebd., S. 227 f.

[81] Ann. mon. 4, S. 355, vgl. dazu *Cheney*, Medieval Texts, S. 224; *Gransden*, S. 319 f. Über die südenglischen Annalen *Denholm-Young*, The Winchester-Hyde Chronicle, in: EHR 49 (1934), S. 85–93 = *Denholm-Young*, Collected Papers (2. Aufl. 1969), S. 236–244.

Mit solcher Akribie ist man, wie Cheney am Beispiel Dunstable gezeigt hat, nicht zu allen Zeiten und an allen Orten vorgegangen. Und doch hätte auch dieses Verfahren – mit der laufenden Aufzeichnung der Begebenheiten auf einer *scedula* am Ende des Codex – für Matthaeus Paris nicht ausgereicht, um den Stoffumfang der geplanten Chronik zu bewältigen. So hätten ein oder mehrere Blätter am Ende der weiterzuführenden Klosterchronik (z. B. in *b* oder b_1) die Stoffmenge gar nicht aufnehmen können. Außerdem wurden anfangs die Notizen nicht jährlich geordnet und in die Chronik übernommen, sondern Matthaeus Paris hatte einen Rückstau von mindestens acht Jahren zu bewältigen, bis er seine Fortsetzung in Angriff nahm. Man kann sich ein ungefähres Bild über den Umfang und die erforderliche Genauigkeit machen, mit der zuvor das ihm Wissenswerte festgehalten werden mußte. Der gedruckte Text Luards für die Zeit vom Beginn der selbständigen Matthaeus Paris-Chronik im Sommer 1235 bis zum Ende 1242 umfaßt über 500 Seiten. Soviel Material hatte der Chronist also vor Beginn seiner Textfassung in einigermaßen geordneter Form zur Hand, vielleicht auch dazu schon Teile des Materials für die nicht weniger umfangreiche Annale für 1243.

Auf welche Weise das Rohmaterial zustandekam und geführt wurde, kann heute nicht mehr im einzelnen rekonstruiert werden. Die historiographische Tradition in St. Albans war damals noch nicht sehr alt. Die ersten für uns greifbaren Annalen setzen nach dem Ende der Diceto-Chronik in dem in St. Albans vorhandenen MS. ein. Sie waren so kurz und wurden auch ziemlich zeitgleich geführt, daß hier an vorausgehende Notizen auf losem Blatt kaum zu denken ist [82]. Viel eher haben die von Liebermann so genannten Annales Sancti Albani selbst den Charakter derartiger provisorischer Aufzeichnungen. Über Roger Wendovers Sammeltätigkeit wissen wir so gut wie nichts, so daß also nicht von möglichen bestehenden Traditionen im Haus auf das Verfahren von Matthaeus Paris geschlossen werden kann.

Eine Methode, die ursprüngliche Existenz von Scheden nachzuweisen, hat Richard Vaughan aufgezeigt. In seiner Matthaeus Paris-Monographie kommt er mehrfach darauf zu sprechen, daß Matthaeus mit losen Notizen arbeitete, ohne dies im einzelnen zu begründen. In einem gleichzeitig publizierten Aufsatz über die Chronik des Johann von Wallingford hat Vaughan dann seine Ansicht präzisiert [83]. Wallingford, der von 1246/47 bis 1256 Mönch in St. Albans war und dann bis zu seinem Tode in der Zelle Wymondham das Amt des Priors versah, schrieb während einer nicht genauer bekannten Zeitspanne eine Chronik, die er später nach Wymondham mitnahm und dort um Eintragungen von lokaler Bedeutung ergänzte. Im Text dieser Chronik finden sich nach Vaughans Urteil Stellen, die nicht auf das bei Matthaeus Paris Überlieferte zurückgehen, sondern zusätzliche Nachrichten liefern (oft zu auch von Matthaeus selbst geschilderten

[82] Vgl. oben S. 14 und A. 31.

[83] *Vaughan*, The Chronicle of John of Wallingford, in: EHR 73 (1958), S. 66–77.

Ereignissen). Bei solchen Stellen denkt Vaughan an die Heranziehung von Matthaeus' Notizenapparat („rough drafts") [84]. Dieser Befund kann ohne eine ausführliche Spezialuntersuchung nicht erhärtet werden. Der Wallingford-Text ist nur in ganz kurzen Auszügen gedruckt [85] und von Luard für seine Ausgaben nicht kollationiert worden. Überhaupt ist der gesamte Komplex der Beziehungen zwischen den Chronica majora, den „späteren" Flores Historiarum, Wallingford und weiteren Derivaten noch sehr wenig erforscht.

Matthaeus' Schedenmaterial, ob es aus einzelnen Blättern oder aus Lagen und Heften bestand, war mit an Sicherheit grenzender Wahrscheinlichkeit zeitlich nach Jahren geordnet. Jedes Jahr in der Chronik beginnt mit dem weihnachtlichen Hoftag des Königs, der also chronologisch korrekt notiert wurde [86]. Für die Aufteilung des Rohmaterials nach Jahren sprechen ferner vor allem die zahlreichen Erwähnungen von Naturereignissen, Katastrophen und ähnlichem, die in der Chronik nur mit dem lakonischen Ausdruck „eodem anno" datiert sind. Auch die Nekrologe sind meist korrekt geführt, ohne daß die Sterbedaten immer aus dem Text hervorgehen. Daß die Dokumente, die später in die Chronik eingingen, ebenfalls in Abschriften vorhanden waren, ist einleuchtend. Ob diese zusammen mit den übrigen Notizen oder getrennt aufbewahrt wurden, ist nicht klar entscheidbar. Die Tatsache, daß eine Reihe, auch undatierte, Dokumente in den sachlichen Zusammenhang einer Erzählung eingebettet sind, scheint mir eher für eine einheitliche Führung der Schedenmaterialien zu sprechen. Die Hinweise sind aber in dieser Beziehung nicht eindeutig.

Matthaeus selbst spricht gelegentlich von losen Blättern, „cedulae", bei Hinweisen auf spätere Ergänzungen in seinen MSS.[87], die er offensichtlich als ganz übliche Arbeitsmittel betrachtete, doch können die wenigen Fälle nicht den Nach-

[84] Ebd., S. 67 f.

[85] Ebd., S. 70–77 sowie in MG SS 28, S. 505–511. Abhängige Chroniken wie Oxenedes und B. Cotton enthalten auch Material, das auf Wallingford zurückgeht, ohne daß deren gedruckte Texte das Fehlen einer vollständigen Vergleichsmöglichkeit für den Wallingford-Text ersetzen.

[86] Die Chronik von St. Albans läßt das Jahr mit dem Weihnachtsfest beginnen, während in England um die Mitte des 13. Jahrhunderts sonst der Annuntiationsstil bereits erheblich an Boden gewonnen hatte. Über den Jahresbeginn *R. L. Poole,* The Beginning of the Year in the Middle Ages, in: PBA 10 (1921–1923), S. 113–137; jetzt in *R. L. Poole,* Studies in Chronology and History (1934), S. 1–27, vgl. S. 11: der Weihnachtsstil blieb in den großen englischen Benediktinerklöstern bis in das 14. Jahrhundert in Gebrauch.

[87] In B fol. 45^{r} (von Luard nicht gedruckt) ad 1216 schreibt Matthaeus an den Rand: „Carta domini pape Bullata scribitur in cedula addita". Dazu zeichnet er ein *signum.* Das Blatt mit dem Papstbrief ist verloren.

Zum Jahre 1252, CM 5, S. 312 findet sich noch einmal ein ähnlicher Hinweis: „Literae procuratoriae ipsius in libro Additamentorum inseruntur ad tale signum [Zeichen], in cedulis margini insitis". Diese „cedulae" befinden sich als angeklebte Blätter an LA fol. 70, 71, vgl. CM 6, S. 493 A. 1.

weis eines umfangreichen Schedarium liefern. Nur auf indirekte Weise kann man sich diesem Apparat nähern. Auf einem der letzten Blätter des Liber Additamentorum befindet sich heute eine ganzseitige Zeichnung, die einen Christus Pantokrator darstellt, der höchstwahrscheinlich von einem „frater Willelmus" gezeichnet wurde (so schreibt Matthaeus in der Legende), einem Franziskaner und Freund des Chronisten. Wie A. G. Little feststellte, ist dieses Bild zumindest am oberen Rand abgeschnitten, vermutlich um es bei der Einfügung in den Liber Additamentorum auf die Größe dieses Codex zu stutzen. Eine Lagenuntersuchung konnte Little nicht durchführen, aber als Vaughan das MS. zerlegte, kam er zu dem Ergebnis, es habe sich sehr wahrscheinlich um ein loses Blatt gehandelt. Nun steht ausdrücklich, und zwar in Matthaeus' eigener Hand, auf diesem Blatt die Anweisung geschrieben, man solle es auf der Rückseite nicht beschriften, um das Bild nicht zu beeinträchtigen, das man am besten sehen könne, wenn man das Pergament hochhebe und gegen das Licht halte [88]. Aus dieser Anweisung könnte man folgern, daß gewöhnlich auf solchen leeren oder halbbeschrifteten Blättern Notizen eingetragen wurden, vor allem, daß es solche losen Blätter in großer Anzahl gab, denn sonst wäre die Aufforderung, die Rückseite der Zeichnung nicht zu beschreiben, überflüssig. Außerdem scheint diese Mahnung an andere Schreiber gerichtet; Matthaeus hätte sich selbst ja nicht auf diese Weise warnen müssen.

Daß daneben auch Hefte geführt wurden, in die vor allem einlaufende Dokumente aufgenommen wurden, ist nicht auszuschließen. Der Liber Additamentorum in seiner annähernd rekonstruierbaren Form, wie er nach 1250 als Anhang von B bestand, war erst ca. 1247 angelegt worden. Alle früheren Hinweise auf den Dokumentenanhang sind in B später am Rande nachgetragen [89]. Von dem Zeitpunkt an, als Matthaeus die Texte der Dokumente aus dem erzählenden Teil großenteils herausnimmt, tritt uns sein System der Querverweise auf den Anhang voll ausgeprägt entgegen. Dies könnte so aufgefaßt werden, daß es auch zuvor eine ähnlich angelegte Sammlung gab, die nach der Übernahme der entsprechenden Texte in B überflüssig wurde [90].

Immer wieder finden sich in den Chronica majora Doppeleintragungen derselben Angelegenheit, manchmal zweimal unter demselben Jahr, manchmal zu verschiedenen Jahren – ein Phänomen, das übrigens in etlichen anderen Chroniken dieser Zeit ebenfalls zu beobachten ist. Gelegentlich sind solche Doubletten

[88] *A. G. Little,* in: Collectanea Francisca 1 (1914), S. 1–8; verb. Neudruck *Little,* Franciscan Papers, Lists, and Documents (1943), S. 16–24, vgl. S. 19 f., dort Abbildung der Zeichnung in LA fol. 156.

[89] *Vaughan,* Matthew Paris, S. 66 f. Die Rekonstruktion des Liber Additamentorum in seiner ursprünglichen Form S. 81–85.

[90] Soweit solche Hefte aus St. Albans erhalten sind, z. B. als Bestandteil des später zusammengefügten LA, scheinen sie keinen provisorischen Charakter gehabt zu haben, sondern ähneln eher einem Cartular (so die Urkunden aus angelsächsischer Zeit oder die Papsturkunden des 12. Jahrhunderts in LA fol. 148–160).

im Wortlaut sehr ähnlich oder sogar identisch, so daß an dieselbe Vorlage gedacht werden muß [91]. Dies ist sicher ein Hinweis auf die Verwendung von Scheden, auf denen das Rohmaterial für die Chronik bausteinartig vorgearbeitet war. Doch nach Cheneys schon herangezogener Untersuchung der Annalen von Dunstable kann man solche Doppelerwähnungen nicht als Beweis dafür ansehen, daß über längere Zeit hinweg ein „Zettelkasten" geführt wurde, bevor mit der eigentlichen Niederschrift begonnen wurde. In den Annalen von Dunstable gibt es überraschenderweise für die chronologisch wirren Jahre 1210–1219, die mit jeweils einigen Jahren Verspätung geschrieben wurden, nur sehr wenige Beispiele dafür, während in dem fast gleichzeitig mit den Ereignissen geschriebenen Text ab 1220 die Zahl der Doppelberichte bemerkenswert höher ist [92]. Ähnliches ließe sich auch anhand der späteren Teile der Chronica majora ab 1251 zeigen; auch hier finden sich zahlreiche Doppel, obwohl die Abfassung sehr nahe an den Ereignissen lag. Damit können diese Fälle nicht als Indizien für eine über mehrere Jahre hinweg geführte provisorische Scheden-Aufzeichnung gelten.

Einen Hinweis, daß die Sammeltätigkeit auch Dritten, ja sogar dem König bekannt geworden war, bietet die Chronik zum Jahre 1247. Während einer Prozession mit einem Gefäß Heiligen Blutes in London, an der auch Matthaeus teilnahm, fordert der Herrscher den Mönch ausdrücklich auf, nichts zu vergessen und die Begebenheit in seinem Werk festzuhalten:

> ... Supplico igitur et supplicando praecipio, ut te expresse et plenarie scribente haec omnia scripto notabili indelebiliter libro commendentur, ne horum memoria aliqua vetustate quomodolibet in posterum deleatur [93].

Man muß dies als Aufforderung verstehen, möglichst umgehend die Einzelheiten festzuhalten, damit nichts verlorenginge. Wird nicht stillschweigend hier vorausgesetzt, daß der Chronist sich irgendwelcher schriftlicher Gedächtnisstützen bedient?

Daß diese Übersicht weithin über Vermutungen nicht hinauskommt, liegt in der Natur der Sache: Scheden waren nach der Vollendung des Werks im allgemeinen nicht mehr aufbewahrenswert und sind verloren. So ist man in der Regel darauf angewiesen, ihr Vorhandensein aus spärlichen Indizien zu erschließen, ohne sehr viel über Gestalt und Systematik eines solchen Schedenmaterials erfahren zu können [94]. Das einzige wohl gesicherte Ergebnis ist die

[91] Ein typisches Beispiel ist der Bericht bei Matthaeus Paris über die Aktivitäten des berüchtigten Dominikanerinquisitors Robert Bugre. Zu 1236, CM 3, S. 361 und zu 1238, CM 3, S. 520 wird nahezu wörtlich dieselbe Geschichte erzählt.

[92] *Cheney*, Medieval Texts, S. 226–228.

[93] CM 4, S. 644 f.; vgl. *M. T. Clanchy*, Did Henry III have a Policy?, in: History 53 (1968), S. 212.

[94] Man wird häufig in mittelalterlichen Scriptorien und Kanzleien Besonderheiten nur dadurch erklären können, daß die Schreiber mit Schedarien gearbeitet haben. An der päpstlichen Kurie verfuhr man so, wie Schaller bei seinen Forschungen zur Ent-

Einsicht, dieses Material habe bereits nach Jahren geordnet seinen Weg auf die Zettel gefunden.

Die nächste Frage, die sich von selbst aufdrängt, ist, wann Matthaeus Paris mit der Herstellung dieser Materialien begonnen hat. Es wäre schließlich denkbar, daß Wendover über das Ende seiner Chronik hinaus noch eine Zeitlang daran weiterarbeitete, oder daß ein Dritter damit beschäftigt war. Aber seltsamerweise findet sich außer einem datierten aber anonymen Brief über die Mißbräuche der geldverleihenden Caursinen [95] im selbständigen Teil von 1235 und für 1236 kein einziges Dokument, während Matthaeus sonst darauf so großen Wert legte. Erst mit 1237 beginnt der Strom der Briefe und Dokumente zu fließen. Daraus kann der vorsichtige Schluß gezogen werden, daß Matthaeus selbst vor 1237, zumindest in dem später von ihm gesteckten Rahmen, noch nicht seine chronikalische Sammeltätigkeit aufgenommen hatte; ganz ausgeschlossen werden kann natürlich nicht, daß aus einem nicht mehr ersichtlichen Grund in jenen eineinhalb Jahren keine aus der Sicht des Chronisten übermittelnswerten Dokumente in seine Hand kamen.

1237 setzt die Tätigkeit des Matthaeus voll ein. Einen Anstoß dazu hat vermutlich das englische Legatenkonzil im Herbst jenes Jahres gegeben, denn ein beträchtlicher Teil von Matthaeus' Überlieferung für 1237 geht offensichtlich auf dieses Konzil zurück [96]. Eine besondere Rolle spielen hier vier Briefe, die – zum Teil bei Matthaeus datiert – in die Jahre 1232/33 gehören. Es handelt sich um einen Briefwechsel zwischen Papst Gregor IX. und Erzbischof Germanus von Konstantinopel [97]. Trotz der eindeutigen Datierung gibt Matthaeus Paris die Briefe geschlossen unter 1237 wieder. Zunächst ist der Überlieferungsweg ins Auge zu fassen. Die vier Briefe sind mit Sicherheit als geschlossene Sammlung nach England gekommen; die Zusammenstellung wurde an der Kurie angefertigt und findet sich (nicht geschlossen) auch im Vatikanischen Register. So ist es wahrscheinlich, daß der 1237 in England angekommene Kardinallegat Otto [98] die

stehung der Briefsammlung des Kardinals Thomas von Capua beschrieb, *H. M. Schaller,* Studien zur Briefsammlung des Kardinals Thomas von Capua, in: DA 21 (1965), S. 413, 437 f. Schon im 11. Jahrhundert bewahrte Petrus Damiani seinen eigenen Briefauslauf auf Scheden auf, vgl. *K. Reindel,* Studien zur Überlieferung der Werke des Petrus Damiani I, in: DA 15 (1959), S. 54 f., 62.

[95] CM 3, S. 329–331, ad annum 1235.

[96] Die Dokumente in CM 3, S. 396–399, 420–441, 445 f., 448–469. Kritische Edition der Statuten des Provinzialkonzils bei *Powicke/Cheney,* Councils and Synods II, pt. 1, S. 238–259.

[97] CM 3, S. 448–469. Einer der Germanus-Briefe ist an die römischen Kardinäle gerichtet. Auvray 803, 804, 849, 1316; die beiden Papstbriefe auch bei Potth. 8981, 9198.

[98] Über die Legation des Kardinaldiakons Otto vgl. *D. Williamson,* The Legation of Cardinal Otto, 1237–41 (masch. M. A. Diss. 1947); *Williamson,* Some Aspects of the Legation of Cardinal Otto in England, 1237–41, in: EHR 64 (1949), S. 145–173; *H. Weber,* Ueber das Verhältniss Englands zu Rom während der Zeit der Legation des Cardinals Otho in den Jahren 1237–1241 (1883).

Briefe in seinem Gepäck mitgeführt hat. Dafür spricht, daß Matthaeus Paris die vier Briefe dem Jahre 1237 zuweist und daß sie dort im Rahmen dieses Jahres nach dem Konzil und den dort promulgierten Konstitutionen an der Reihe sind. Anhand dieses Beispiels wird deutlich, daß spätestens 1237 Matthaeus Paris seine Sammeltätigkeit in der für ihn typischen Weise begonnen hatte, und daß die Ereignisse rings um das Legatenkonzil von 1237 hierfür einen ersten bedeutenden Markierungspunkt darstellen.

III. Matthaeus Paris und der Exchequer

1. Die Organisation des Exchequer und das „Red Book of the Exchequer"

Der erwähnte Briefwechsel zwischen Gregor IX. und Germanus von Konstantinopel, dessen Inhalt das Verhältnis zwischen der westlichen Kirche und Konstantinopel betrifft, hat augenscheinlich auch bei englischen Hofbeamten Interesse geweckt, denn die Texte wurden in das „Red Book of the Exchequer" übernommen (ohne sie mit irgendwelchen Hinweisen – außer den in den Briefen selbst enthaltenen Datierungen – zu versehen). Im Red Book finden sich außerdem eine Anzahl weiterer Stücke, die sowohl dort als auch bei Matthaeus Paris überliefert sind [1], darunter etliche Briefe aus der Kanzlei Kaiser Friedrichs II [2]. Da das Red Book eigentlich kein Briefbuch ist, sondern anderen Zwecken diente, und sich zudem von allen dort kopierten Briefen aus der Zeit von Matthaeus Paris' Tätigkeit ein überraschend großer Teil in dessen Chronik wiederfindet, liegt es nahe, in diesen Fällen die Überlieferungsverhältnisse zu klären, wie dies schon Kantorowicz forderte. Dazu ist es erforderlich, sich zunächst ein Bild von der Bedeutung und Arbeitsweise jener Behörde zu machen, in der das Red Book entstand, eben des Exchequer.

Seit der ersten Hälfte des 12. Jahrhunderts war es Brauch geworden, daß die *sheriffs* aus den einzelnen Grafschaften zweimal jährlich, an Ostern und Michaeli (29. September), die von ihnen eingetriebenen Abgaben ablieferten und Rechnung legten, wozu man sich einer dem *abacus* ähnlichen Zählweise auf einem gescheckten Tuch (*scaccarium*, daher der Name Exchequer) bediente. Der Bequemlichkeit halber fanden die Abrechnungen gewöhnlich in Westminster statt, da der königliche Hofstaat ständig herumzog. Unter Heinrich II. war daraus bereits eine Einrichtung mit verfestigten Regeln geworden, die für ihren Aufgabenbereich neben den *thesaurus* in Winchester trat, die erste Verwaltungseinrichtung im englischen Königreich mit einem festen Sitz [3]. Dies hatte zur Folge,

[1] Vgl. *H. Hall* (Hrsg.), The Red Book of the Exchequer, 3 Bde. (1896), Bd. 1, S. XCIX–CXVIII.

[2] *Hall* Bd. 1, S. CI–CIII; vgl. *Kantorowicz*, Petrus de Vinea in England, in: MÖIG 51 (1937), S. 43–88, hierzu S. 76 A. 114.

[3] Das wichtigste Standardwerk ist *R. L. Poole*, The Exchequer in the Twelfth Century (1912); die Entstehung des Exchequer sowie das Verhältnis zum *thesaurus* bei *Tout* 1, S. 93–99; ein kurzer Überblick bei *A. L. Poole*, From Domesday Book to

daß sich der Exchequer immer ausgeprägter von der königlichen *curia* trennte – das erste Beispiel jener „Zellteilung“, durch die immer neue Teile der *curia* vom wandernden königlichen Hofstaat abgelöst wurden, und die schließlich zu der vielfältigen Behördenorganisation des englischen Spätmittelalters führte. Die Geschichte des Exchequer spiegelt sich vor allem in den erhaltenen Archivalien. Zur Registrierung von Finanztransaktionen wurden Aufzeichnungen angelegt, deren früheste und wichtigste die *Pipe Rolls* waren (und die mit der Ausweitung der Geschäftstätigkeit durch zahlreiche neue Reihen ergänzt wurden) [4].

Die Verwaltungsorganisation überstand auch die oft chaotischen Zeiten unter Richard I. und Johann [5], und während der Regentschaft für den unmündigen Heinrich III. stellten die Barone das Funktionieren des Exchequer wieder her [6]. Heinrich III. versuchte ab 1232 mit Unterbrechungen, sich den Exchequer als Instrument seiner Besteuerungsabsichten gefügig zu machen, doch gelang dies nur teilweise. Zwar wurden die wohl von Peter de Rivaux maßgeblich beeinflußten Verfahrensreformen Bestandteil der festen Prozedur, und der König konnte bei den Abrechnungen der *sheriffs* auch etliche halb in Vergessenheit geratene Ansprüche wieder durchsetzen [7], aber die eigentliche Absicht schlug fehl: die Barone des Reiches konnten verhindern, daß Heinrich III. in direktem Durchgriff über

Magna Carta 1087–1216 (2. Aufl. 1955), S. 416 f.; die modernste Zusammenfassung bietet *S. B. Chrimes,* An Introduction to the Administrative History of Mediaeval England (3. Aufl. 1966), S. 29–31, 46–65. Über die Organisation des Exchequer schrieb Richard Fitz-Nigel, der ca. 40 Jahre als *thesaurarius* wirkte, den Dialogus de Scaccario, die wichtigste Quelle zur Funktionsweise der Behörde. Zu Fitz-Nigel vgl. *Chrimes,* S. 51 f. und *H. G. Richardson,* Richard fitz Neal and the Dialogus de Scaccario, in: EHR 43 (1928), S. 161–171, 321–340. Die Editionen des Dialogus bei *Graves,* Nr. 3005, vgl. *Chrimes,* S. 52 A. 1. Eine Ausgabe mit deutscher Übersetzung und hervorragendem Sachkommentar erfolgte durch *M. Siegrist* (1963).

[4] Grundlegende Einführung: *V. H. Galbraith,* An Introduction to the Use of the Public Records (1934 u. ö.) Kap. III, S. 35–52. *W. Holtzmann,* Papsturkunden 1 (1930), S. 36–51 gibt eine Einführung in die Archivbestände weit über den Rahmen seiner Untersuchung hinaus. Einen Überblick über die Vielfalt der Bestände bietet *F. Trautz,* Die Könige von England und das Reich 1272–1377 (1961), S. 46–55; vgl. auch die Lit. bei *Graves,* Nr. 3077–3110, 3209–3218, 3229–3270. Auf die verwaltungsgeschichtlich wichtige Differenzierung zwischen Upper Exchequer und Lower Exchequer braucht hier nicht eingegangen zu werden.

[5] Besonders *D. M. Stenton,* English Society in the Early Middle Ages (4. Aufl. 1965), S. 43–45 betont die Stabilität des unter Heinrich II. geschaffenen Apparats.

[6] Die Veränderung der Verwaltungsmethoden in diesen Jahren beschrieb *M. Mills,* Experiments in Exchequer Procedure (1200–1232), in: TRHS 4th S. 8 (1925), S. 151–170, jetzt in: *R. W. Southern* (Hrsg.), Essays in Medieval History selected from the TRHS . . . (1968), S. 129–145, bes. S. 142–145.

[7] Grundlegend *Mills,* The Reforms at the Exchequer (1232–1242), in: TRHS 4th S. 10 (1927), S. 111–133; vgl. auch *Chrimes,* S. 90–96; *Powicke,* The Thirteenth Century, S. 62–64.

den Exchequer seine Einnahmen auf Dauer und ohne Mitsprachemöglichkeiten des Adels erhöhte. Der Exchequer war zum Puffer zwischen König und Adel geworden, war in erster Linie für die korrekte Abrechnung anerkannter Forderungen und von den Baronen genehmigter Steuern zuständig; beide Seiten suchten ihren Einfluß in der Behörde durch die Auswahl des Personals sicherzustellen.

Daher führte die politische Krise von 1234 (als die Barone gegen Heinrichs Versuche, seine Stellung zu stärken und die in der Magna Carta verbürgte Mitsprache in finanziellen Dingen zurückzudrängen, opponierten) auch nach dem Sturz von Heinrichs „grauer Eminenz“ Peter de Rivaux zu einer personellen Neuordnung im Exchequer [8]. Unter dem neuen *thesaurarius* Hugh Pateshull [9] stieg die Bedeutung der Kleriker, von denen zwei als ständig tätige *barones de scaccario* (Barons of the Exchequer) [10] die Geschäfte führten. Einer von diesen war, bis zu seinem Tode 1246, Alexander de Swereford, der lange Jahre Erzdiakon von Shrewsbury gewesen und einen großen Teil seines Lebens im Exchequer beschäftigt war; auf ihn geht die Anlage des Red Book zurück, sowie des ähnlichen kleinen schwarzen Buches [11]. Von Swereford, den Matthaeus Paris persönlich gekannt hat, wird anschließend noch die Rede sein.

Der Exchequer stellt sich also um die Mitte des 13. Jahrhunderts als unabhängig tätige Finanzbehörde unter der Leitung zweier Kleriker, der beiden Exchequer-Barone, dar; doch in der Theorie bestand die Einheit aller Verwaltungsorgane fort, gab es keine „verfassungsrechtliche“ Unterscheidung zwischen dem Haushalt des Königs und dem davon gelösten Exchequer. Das wird insbesondere deutlich, wenn das Große Siegel nicht zur Hand ist, weil der König

[8] Seit dem 12. Jahrhundert waren die Grenzen zwischen Personal der königlichen *curia* und des Exchequer fließend gewesen. Die Kämmerer des 12. Jahrhunderts versahen z. B. Dienst in der *camera* und im Exchequer, vgl. *Tout* 1, S. 94–96. Auch das Exchequer-Siegel war ursprünglich als „Ableger“ des königlichen Siegels entstanden, unter der Kontrolle der (mit dem König wandernden) Kanzlei, d. h. des *cancellarius*, vgl. *Tout* 1, S. 141–147; die Ableger der ursprünglichen *chancery* aus der Sicht der Siegeldifferenzierung: *P. Chaplais*, English Royal Documents. King John – Henry VI, 1199–1461 (1971), S. 45–47.

Vor Mitte des 13. Jahrhunderts tritt uns das Exchequer-Siegel dann als selbständig entgegen, mit eigenem *Chancellor of the Exchequer*, ein Prozeß, der sich vermutlich in den Jahren ab 1234 vollzog, als Ralph de Neville *cancellarius* war; ihm wurde das Siegel 1238 entzogen, die folgenden Kanzler waren sämtlich im Haushalt des Königs und dessen gefügige Diener, vgl. *Tout* 1, S. 284 f.; mit der Beschneidung des Status der Kanzler auf den eines Siegelbewahrers ging freilich der Einfluß der Kanzlei auf den Exchequer verloren.

[9] Im Amt ab 1234, vgl. *Powicke/Fryde*, Handbook, S. 99.

[10] Dieser Ausdruck war zwar seit den Anfangstagen des Exchequer geläufig, erhält aber jetzt eine veränderte Bedeutung; dazu *Chrimes*, S. 30.

[11] *Hall* 1, S. XXXV–XLIX; *Powicke*, The Thirteenth Century, S. 65; *Powicke*, King Henry III, S. 90 f.

mit seinem Haushalt (und damit der *chancery* und der *wardrobe*) sich nicht in England aufhält. Als Heinrich III. im Mai 1242 zu einem langen Aufenthalt in Frankreich aufbrach, nahm er das Große Siegel mit, während für die Zeit seiner Abwesenheit an dessen Stelle das Exchequer-Siegel trat, und dieses wiederum durch ein bestimmtes *privy seal* ersetzt wurde. Ein Jahrzehnt später, während seines fast eineinhalbjährigen Aufenthalts in der Gascogne 1253/4 ließ der König zwar das Große Siegel zurück, es war aber eingesiegelt und konnte nicht benutzt werden; für die laufenden Geschäftsbedürfnisse wurde wieder das Exchequer-Siegel verwandt [12]. Es wird also sichtbar, daß der Exchequer über seine gewöhnlichen Aufgaben hinaus auch als „Ersatzkanzlei" tätig wird, vor allem bei Abwesenheit des Königs im Ausland. Da aber der Hof ständig umherzog und z. B. für ausländische Boten sicher nicht stets erreichbar war, bot sich auch in solchen Fällen der stationäre Exchequer als Anlaufstelle an. Diese Umstände erklären teilweise, daß im Exchequer in kopialer Form auch Dokumente als Einlauf archiviert werden konnten, die mit den eigentlichen Funktionen der Behörde in keinem Zusammenhang stehen.

Der schon genannte Alexander de Swereford begann um 1230 mit der Zusammenstellung der jetzt im Red Book [13] befindlichen Materialien, die ursprünglich im wesentlichen aus Schriftstücken bestanden, aus denen Landverteilung und Art der feudalen Pflichten hervorgingen. In der Anlage ist das Red Book nicht so systematisch wie das 150 Jahre frühere Domesday Book, sondern enthält eine Vielzahl einzelner Dokumente aus dem 12. und frühen 13. Jahrhundert. Man hat es offenbar als eine Art „Verwaltungshandbuch" betrachtet, und auch später wichtige neue Schriftstücke aufgenommen, so daß das MS. den Eindruck einer zu verschiedenen Zeiten des 13. und 14. Jahrhunderts geschriebenen Sammelhandschrift bietet. Die Edition von Hall enthält zwar im ersten Band eine ausführliche Beschreibung des Inhalts, druckt jedoch nur Teile des MS., vor allem solche lehensrechtlichen Inhalts [14]. Auch erscheint die paläographische Beschreibung unzureichend, so daß häufig der Rückgriff auf das Original erforderlich ist. Die weitere Erforschung der Entstehung des MS. stößt immer noch sehr schnell an ihre Grenzen; über das schreibende Personal des Exchequer ist so gut wie nichts bekannt [15]. Das MS. ist in seinem heutigen Zustand nicht chronologisch

[12] *Tout* 1, S. 291 f., dort die Belege.

[13] PRO Exch. Misc. Books (E. 164/2). Inhaltsbeschreibung bei *M. S. Giuseppi*, A Guide to the Manuscripts Preserved in the Public Record Office vol. I Legal Records etc. (1923), S. 100 f.; zur Entstehung von RB *Hall* 1, S. LVIII–LXI.

[14] Zur Kritik an der Edition vgl. die Lit. bei *Graves*, Nr. 3007. Manche Teile, so der Dialogus de Scaccario sind anderswo ediert. Die hier interessierenden Stücke sind in der Form des RB bisher nicht gedruckt oder für den Druck vollständig kollationiert worden.

[15] *Halls* Hypothese, Bd. 1, S. LIX, daß Swereford selbst große Teile des MS. geschrieben habe, scheint mir nicht ohne weiteres akzeptabel. Die allgemeine paläographische Literatur (Hector, Jenkinson, Johnson u. a.), vgl. *Graves*, Nr. 386 ff. hat bis-

angeordnet und enthält außerdem eine größere Anzahl eingefügter Blätter von teilweise unterschiedlichem Format. Das Buch ist in einem modernen Ledereinband so fest gebunden, daß die Lagen kaum erkennbar sind.

Die hier zur Erörterung stehenden Briefe beginnen fol. 167 [16] mit dem Gregor IX.-Germanus-Briefwechsel; soweit mir dies feststellbar war, scheint dies auch der Beginn einer neuen Lage zu sein. Vom Vorhergehenden ist die Schrift eindeutig verschieden; es handelt sich um eine Buchschrift eher monastischen Typs der ersten Hälfte des 13. Jahrhunderts ohne irgendwelche hervorstechende Besonderheiten. Dieser Schreiber fährt fort bis fol. 170^{v} zum Ende dieses Briefwechsels, die Bleiliniierung geht jedoch gleichartig weiter bis fol. 172, von wo an sie geändert wirkt; die Linien sind dann z. T. auch mit Tinte gezogen. Die Briefe ab fol. 171, die großenteils aus der kaiserlichen Kanzlei stammen, sind in deutlich anderer Schrift (*court hand* mit teilweise kursiven Zügen) in das Red Book kopiert. Auffällig sind mehrere Tinten-, und auch Schreiberwechsel von einem Stück zum nächsten [17]. Richtig ist auf jeden Fall die Feststellung, daß diese Briefe nicht geschlossen kopiert wurden. Zumindest der Gregor-Germanus-Briefwechsel ist auch paläographisch eindeutig vom Rest abgesetzt; diese Briefe wurden ganz offensichtlich früher als die darauf folgenden transsumiert. An ihrem Ende verblieben dann in der Lage noch ein paar bereits liniierte Seiten, auf denen später mit der Eintragung der anderen Stücke fortgefahren werden konnte. Mit gewisser Wahrscheinlichkeit geschah auch dies nicht auf einmal. Die Gestalt des Red Book um etwa 1240–1245 ist im einzelnen nicht rekonstruierbar, und wenn es den Codex als solchen bereits gab, so dürfte der Faszikel mit den Briefen ihm damals entweder nicht angehört oder sich an seinem Ende befunden haben.

Über Entstehung und Zweck dieser Exchequer-Briefsammlung gibt es bislang nicht einmal Vermutungen [18], weder bei Kantorowicz noch bei Vaughan, die

her zur Schreiberidentifizierung nur wenig beigetragen. Man spricht von einer typischen Exchequer-Schrift des 13. und 14. Jahrhunderts, die sich von kanzleimäßigen Produkten anderer Provenienz klar abhebt.

[16] Dies entspricht der auch von Hall verwandten alten Foliierung, im MS. in römischer Zählung, spätmittelalterlich oder frühneuzeitlich, in Tinte. Dazu kommt eine moderne Zählung, arabisch mit Bleistift, die aber unbrauchbar ist. Offenbar durch ein Versehen folgt dort auf fol. 104 gleich fol. 185. (Neuzählung wurde angeregt.) Die Abfolge der Stücke in RB ist dem bei *Hall* Bd. 1 gedruckten Inhaltsverzeichnis zu entnehmen; zu den hier behandelten vgl. dort S. XCIX–CIV.

[17] Die Kaiserbriefe erscheinen in einem Schrifttypus, der im RB schon vorher in sehr ähnlicher Form auftritt, z. B. fol. 16–30^{r}, 31^{r}–46^{v}. Ein Schreiberwechsel in der Mitte eines der Kaiserbriefe scheint nicht vorzuliegen.

[18] Nur *Hall* 1, S. VII hatte versucht, die Anlage der Sammlung mit dem nach der Heirat Friedrichs II. und der englischen Prinzessin Isabella gestiegenen Interesse der Engländer an solchen Schriftstücken zu begründen. Die Briefe des Kaisers seien „associated in the minds of Exchequer officials with a recent Marriage aid“. Dem widerspricht, daß RB keines der im Zusammenhang mit der Eheschließung ergangenen

beide im Zusammenhang mit Matthaeus Paris darauf eingehen. Entsprechende Überlegungen sollen auch hier zunächst zurückgestellt werden. Statt dessen ist als nächstes auf ein weiteres MS. einzugehen: BL Hargrave 313, das bereits von Liebermann in diesem Zusammenhang erwähnt wurde [19]. Dieses MS.[20] enthält große Teile des Red Book, so daß schon Liebermann vermutete, es handele sich um eine Abschrift hiervon. Der paläographische Eindruck bestätigt dies: der gesamte hier in Frage kommende Teil und noch etliches mehr ist durchgehend in einer Hand geschrieben [21], deren Charakter einer monastischen Buchschrift gleichkommt, obwohl kaum daran gezweifelt werden kann, daß der Kopist im Exchequer beschäftigt war. Daß es sich um eine Abschrift des Red Book handelt, macht nicht nur die Anordnung des Materials, sondern auch ein Vergleich der Texte deutlich. So hat Hargrave 313 als Intitulatio des Germanus-Briefs an die Kardinäle versehentlich „Gregorius“ [22]. Am deutlichsten ergibt sich das Verhältnis der beiden Codices zueinander durch eine sinnentstellende Auslassung in Hargrave 313 durch Homöoteleuton [23].

RB fol. 169^{r}	Hargr. fol. 101^{v}
secunda tamen et secundaria fundamenta legemus Apostolos et Prophetas, fundamenta Syon in montibus sanctis, et cives supernae Jerusalem super fundamentum Apostolorum et Prophetarum superaedificati leguntur.	secunda tamen et secundaria fundamenta legemus Apostolos et Prophetas superaedificati leguntur.

Charakteristischerweise fehlen in Hargrave 313 alle Eintragungen nach 1251 [23a]. Das späteste Stück ist dort die Notiz über die Hochzeit zwischen Margaret, der

Schriftstücke enthält. Auch eine erhaltene *roll* mit einer Liste der Aussteuergegenstände stammt aus der *chancery*, nicht dem Exchequer; zu dieser Liste vgl. unten S. 133 und A. 6. Zudem sind die Kaiserbriefe in RB alle einige Jahre später geschrieben als die Hochzeit 1235.

[19] *F. Liebermann*, Handschriften in Englischen Bibliotheken, in: NA 10 (1884/85), S. 594. Auch *J. L. A. Huillard-Bréholles*, Historia Diplomatica Friderici Secundi (1852–1861) hat BL Hargrave 313 verwendet, nicht jedoch RB.

[20] Dazu: A Catalogue of Manuscripts formerly in the Possession of Francis Hargrave, Esq., ... now Deposited in the British Museum (1818), S. 91–94; dort wird fälschlich das MS. dem 14. Jahrhundert zugeschrieben.

[21] Bereits *Hall* 1, S. L hielt Hargrave 313 für eine Kopie des RB um die Mitte des 13. Jahrhunderts. Sehr ähnlich wie die Haupthand von Hargrave 313 auch der Schreiber von RB fol. 167^{r}–170^{v}.

[22] RB fol. 168^{r}, Hargrave 313 fol. 102^{r}, Druck CM 3, S. 455.

[23] Potth. 8981, die Stelle im Druck CM 3, S. 461 Z. 4–8.

[23a] Vgl. *Hall* 1, S. LI.

Tochter Heinrichs III. und Alexander II. von Schottland „at York, the morrow of the Nativity 1251“ [24]. Dagegen fehlen in dem MS. zwei andere Stücke aus dem Red Book: das Memorandum über die Exkommunikation jener, die gegen die Carta Libertatum verstoßen würden (Sententia lata vom Mai 1253) [25] und der bekannte Brief des Bischofs von Lincoln, Robert Grosseteste, aus dem Jahre 1253 [26]. Damit ergibt sich ein zeitlicher Anhaltspunkt für die Anfertigung (zumindest dieses Teils) von Hargrave 313: nach 1251 und vor der Eintragung der genannten Dokumente von 1253 im Red Book. Der Grosseteste-Brief ist im Red Book mit dem Zusatz eingeleitet „Littera Roberti quondam Lincolniensis Episcopi“, was darauf hinweist, daß die Übernahme in den Codex erst nach Grossetestes Tod [27] erfolgte. Mit einer Toleranzmarge von ein bis zwei Jahren nach unten dürfen wir die Herstellung von Hargrave 313 für die Jahre 1252/3 annehmen. Dies wiederum bedeutet, daß zu dieser Zeit das Red Book die auch Matthaeus Paris bekannten Briefe bereits an dieser Stelle enthielt. Hargrave 313 wird damit zu einer wichtigen Datierungshilfe für die Entstehung der Briefsammlung im Red Book. Für den Textvergleich der den Chronica majora und dem Red Book gemeinsamen Briefe kann Hargrave 313 jedoch ausgeschieden werden.

Bevor dieser Textvergleich veranstaltet wird, soll ganz kurz das Bekannte über das Verhältnis zwischen Matthaeus Paris (oder seinem Kloster) und dem Exchequer (bzw. den Exchequer-Baronen) kritisch gesichtet werden. Zunächst: der Exchequer war keine kameralistische Geheiminstitution, zu der nur ein ganz kleiner ausgewählter Kreis Zutritt gehabt hätte. Zum einen stellte die jährlich zweimal stattfindende Abrechnung im Exchequer bereits eine Gelegenheit zum Informationsaustausch für Amtsträger aus allen Teilen des Königreiches dar; zum anderen scheint es durchaus nicht ungewöhnlich, daß interessierten Personen, z. B. den klösterlichen Chronisten, Zugang zu im Exchequer aufbewahrten Materialien gewährt wurde [28]. Ein etwa dem Chronisten von St. Albans vergleichbarer Fall sind die Annalen des Klosters Burton-on-Trent. Ernst Kantorowicz hat darauf hingewiesen, daß dieses Annalenwerk „besonders wertvoll geworden ist durch die große Zahl der eingestreuten Dokumente, die dem jeweiligen Annalisten – wie so häufig gerade in England – offenbar von amtlicher Seite zur

[24] *Hall* 1, S. CXVIII, RB fol. 232^{r}, Hargrave 313 fol. 133^{v}. Längerer Text CM 5, S. 267–270.

[25] *Hall* 1, S. CVI f., RB fol. 184^{r}, Druck CM 5, S. 376 f.

[26] *Hall* 1, S. CIII f., RB fol. 179^{v}–180^{r}, verändert in CM 5, S. 389–392; auch als ep. 128 in *Luard* (Hrsg.), Roberti Grosseteste Episcopi Quondam Lincolniensis Epistolae (1861), S. 432–437, vgl. dazu *S. H. Thomson,* The Writings of Robert Grosseteste (1940), S. 193 f., 212 f. mit weiteren Überlieferungen.

[27] Grosseteste starb am 9. Oktober 1253, vgl. *Powicke/Fryde,* Handbook, S. 235.

[28] Die in Kap. I beschriebene Tradition der Dokumenteninsertion in englischen Chroniken ist auch durch die Verfügbarkeit solcher Materialien an zentraler Stelle bedingt.

Verfügung gestellt worden sind"[29]. In diesem Zusammenhang geht Kantorowicz insbesondere auf vier Briefe aus Prinz Edmunds sizilischer Korrespondenz ein[30]; bei dreien von ihnen stellte er übrigens fest, daß Passagen mit Formulierungen in Petrus de Vinea-Briefen übereinstimmen, so daß er die Benutzung von Vineabriefen in England um 1256/7 annahm[31, 32]. Die kanzleimäßige sizilische Korrespondenz wurde nicht in der *chancery* aufbewahrt, sondern, wie aus einer eindeutigen Anweisung hervorgeht, in der *wardrobe*[33]. Von dort aus sind etliche Stücke in den Exchequer gelangt, wo sie Bischof Stapledon, der Verfasser eines Exchequer-Inventars im 14. Jahrhundert, registrierte[34]. Da die antiroyalistischen Mönche in Burton während der Jahre der Verfassungskämpfe, der ständigen Steuererhebungen für das sizilische Unternehmen und des *Barons' War* gewiß nicht Zugang zur *wardrobe* bekamen, die als Teil des königlichen Haushalts dem Einfluß der Barone entzogen war, scheint auch hier der Exchequer die Nahtstelle der Überlieferung gewesen zu sein.

Matthaeus Paris scheint über die im Exchequer allgemein mögliche Informationsbeschaffung hinaus recht enge Kontakte zu einem der Exchequer-Barone, Alexander de Swereford, unterhalten zu haben. Swereford wird mehrfach von

[29] *Kantorowicz,* MÖIG 51, S. 69 mit Verweis auf *Luard* (Hrsg.), Ann. mon. 1, S. XI, XXIX f.

[30] Ann. mon. 1, S. 397–401.

[31] *Kantorowicz,* MÖIG 51, S. 69–74; er verwendet hier undifferenziert die Bezeichnung „in der Kanzlei", obwohl, wie die Quellen erweisen, diese Korrespondenz vor allem mit der *wardrobe* und dem Exchequer in Verbindung zu bringen ist.

[32] Welche Musterbriefe für die sizilische Korrespondenz benutzt wurden, ist unbekannt. Es kann sich nicht um eine „geordnete" Vinea-Sammlung gehandelt haben, da deren Entstehung mit ziemlicher Gewißheit später anzunehmen ist. (Kantorowicz spricht S. 81 von einer aus Sizilien direkt gekommenen Sammlung, S. 83 von einem eingeführten „Vinea-Briefbuch".) Emmy Heller ist in einem aus ihrem Nachlaß veröffentlichten Aufsatz auf die von Kantorowicz offengelassenen Fragen eingegangen: *E. Heller,* Zur Frage des kurialen Stileinflusses in der sizilischen Kanzlei Friedrichs II., in: DA 19 (1963), S. 434–450. Sie stellte fest, daß der (in dem Brief Heinrichs III. an Teano, Ann. mon. 1, S. 398 f.) benutzte Brief PdV V 1 (Ernennungsdiplom, vgl. *G. Ladner,* MÖIG Erg. Bd. 12, S. 104–106) seinerseits auf eine kuriale Vorlage (Thomas von Capua III 4, nur in den 10-Bücher-Sammlungen) zurückgeht. Aber eine Synopse der Textvergleiche bei *Kantorowicz,* MÖIG 51, S. 71–73 (PdV V 1 und Ann. Burton) und *Heller,* DA 19, S. 450 (ThdC III 4 und PdV V 1) zeigt, daß ganz eindeutig der PdV-Brief die Vorlage für den Brief des englischen Königs darstellt. Vgl. auch *Kantorowicz,* MÖIG 51, S. 79 f.: der Brief in Ann. Burton geht auf die längere – ältere – Fassung zurück, nicht auf die kürzere.

[33] *Kantorowicz,* MÖIG 51, S. 67; über Auflösung und Verlust des *wardrobe*-Archivs *Tout* 1, S. 34 ff.

[34] *F. Palgrave* (Hrsg.), The Antient Kalendars and Inventories of the Treasury of His Majesty's Exchequer ... (1836), Bd. 1, S. 5, 28. Kantorowicz ist der Übergang der Dokumente von der *wardrobe* in den Exchequer offenbar nicht aufgefallen.

dem Chronisten erwähnt; man erfährt von ihm, daß bestimmte Dinge in den Rollen oder anderen Aufzeichnungen des Exchequer nachzusehen seien [35]. Auf das Red Book wird dabei ausdrücklich nie Bezug genommen, und die meisten Erwähnungen finden sich nicht in den Chronica majora, sondern in der später, und erst nach Swerefords Tod, begonnenen Historia Anglorum. Außerdem stehen die Hinweise auf die Exchequer-Archive bei Matthaeus nie in irgendeinem Zusammenhang mit den Briefen, die Matthaeus' Chronik und das Red Book gemeinsam haben. Man sieht, daß es problematisch ist, aufgrund der Quellenaussagen hier Verbindungen zu konstruieren.

Als ein weiteres Merkmal von Matthaeus' genauer Kenntnis dieser Behörde führte Vaughan an, daß er in den Chronica majora für die Verweise auf dazugehörige Dokumente im Liber Additamentorum Zeichen (z. T. bildhafter Art) verwendete, wie sie auch im Exchequer üblich gewesen seien [36]. Dies hat Antonia Gransden kürzlich berichtigt: das Verweissystem im Exchequer ist erst am Ende des 13. Jahrhunderts nachweisbar [37]. Das bislang verfügbare Wissen über die Verbindung von Matthaeus zu Alexander de Swereford und dem Exchequer hat also nichts im Hinblick auf die Überlieferungsgeschichte der hier zu behandelnden Briefe erbracht, so daß allein eine Kollation von MS. B und dem Red Book zusätzliche Aufschlüsse bringen kann.

Bereits Richard Vaughan hatte die Überlieferung in beiden MSS. erörtert und war zu der Ansicht gelangt „that Matthew did not use the existing Red Book,

[35] „Respice Rotulum de scaccario Alexandri de Suereford“, HA 2, S. 162 ad a. 1215. „Incipe in primo Rotulo scripto inter Rotulos parvos magistri Alexandri de Suereford, clerici de scaccario“, HA 2, S. 182. In beiden Fällen sind die erwarteten Dokumente nicht in RB. „Officia praelatorum et magnatum, quae ab antiquo jure et consuetudine in regum coronationibus sibi vendicant et facere debent, in Rotulis Scaccarii poterunt reperiri“, HA 2, S. 8, ähnlich HA 3, S. 209. „Secundum assertionem magistri Alexandri de Suereford ... rex Offa habuit sub sua ditione in principio suae dominationis tantum novem provincias quas Angli siras appellant“, CM 6, S. 519 A. 1 aus LA fol. 184^{r}. *Hall* 1, S. LXI A. 2 deutet dies falsch, wenn er erläutert, im RB gebe es in der Liste der Grafschaften keine diesbezüglichen Hinweise, was ein Beweis dafür sei, daß RB in seinen „historischen“ Teilen vielleicht nicht Swerefords Original oder endgültige Fassung sei. Gegen Halls Spekulation spricht, daß die Information mündlich gewesen oder aber einem anderen Werk entnommen sein könnte. 1257 entrüstet sich Matthaeus Paris über die gestiegenen Ausgaben Heinrichs III., CM 5, S. 627: „Expensae tunc temporis, sicut [audivimus] a fide dignis clericis conclavis, qui super hoc rotulos revolverant et summas diligenter computaverant, domini regis, ... probatae sunt ascendere ...“.

[36] *Vaughan,* Matthew Paris, S. 18; zu den Zeichen im Exchequer vgl. *Palgrave* 1, S. XXVI f.

[37] *Gransden,* S. 364 und A. 56, Tafeln VII, IX, zeigt, daß Matthaeus die Bildsymbole am Rande der laufenden Chronik (umgekehrte Krone oder Wappen verweisen auf Tod des Betreffenden, etc.) vermutlich von Diceto übernommen hat. Frau Gransden setzt aber diese Zeichen *(signa)* mit den anders aussehenden Verweisen auf den LA gleich, was m. E. einer Begründung bedürfte.

but probably its exemplar“ [38]. Wenn auch Vaughans Befund insoweit richtig ist, daß die erhaltenen MSS. in den ihnen gemeinsamen Stücken nicht eine Kopie des jeweils anderen sein können, so ist es doch unzutreffend, von *der* Vorlage des Red Book zu sprechen, da der paläographische Befund einen solchen Schluß nicht zuläßt. Die Briefe sind ganz offensichtlich zu verschiedenen Zeiten eingetragen worden, was entschieden dafür spricht, daß sie hier erstmals in dieser Anordnung gesammelt sind, und daß es also nicht *eine* Vorlage (d. h. Vorform des Red Book) geben konnte, von der sowohl Matthaeus Paris als auch das erhaltene Red Book abhängig wären. Die Überlieferungsverhältnisse sind also verwickelter als von Vaughan – und auch bisher allgemein – angenommen und können erst nach einer Diskussion der bei Vaughan nicht abgedruckten beweiskräftigen Textstellen geklärt werden.

2. Der Briefwechsel zwischen Gregor IX. und Germanus von Konstantinopel

Die vier Stücke des Gregor-Germanus-Briefwechsels, die geschlossen wahrscheinlich durch den Legaten Otto nach England kamen, bilden den Anfang der Briefsammlung im Red Book [39].

Germanus von Konstantinopel an Gregor IX.

CM 3, S. 448–455 448 Z. 8 ff.	RB fol. 167r–168r
Didici enim per prophetam tuum Ysaiam, quia omnis qui	Didici enim prophetam tuum Ysaiam quia omnis qui

[38] *Vaughan*, Matthew Paris, S. 17; „exemplar“ hat im Englischen die Bedeutung von „Vorlage“. Schon *Hall* 1, S. XXIX–XXXIII nimmt für das ausgehende 12. Jahrhundert verschiedene MSS.-Vorlagen aus dem Exchequer für zeitgenössische Chronisten an, äußert sich aber nicht über das Verhältnis von RB und CM während des Jahrzehnts 1237/46.

[39] Es handelt sich um den vorsichtigen Versuch des in Nicäa residierenden griechischen Patriarchen, Beziehungen mit Rom aufzunehmen. Der Briefwechsel bei Auvray 803, 804, 849, 1316. Bei den folgenden Textvergleichen werden der Einfachheit und des leichteren Zugangs halber die Stellen aus den Chronica majora nach der Edition von Luard zitiert (aus der der Fundort im MS. B jeweils ersichtlich ist), während die Hinweise auf RB sich auf das MS. beziehen. Bei dem damit entstehenden Problem, wie mit den orthographischen Normalisierungen des Herausgebers verfahren werden soll, wurde die folgende Lösung gewählt: in Textvergleichen sind rein editionsbedingte typographisch/orthographische Varianten (z. B. ae – e, f – ph, t – c) mitunter an die Schreibweise von CM angeglichen. Bei Vergleichen zwischen CM und einem anderen gedruckten Text wurde dieser jedoch belassen und nicht an CM angeglichen.

credit in te, talem lapidem existentem,	credit in te, talem lapidem existentem *vel qui talis lapis existis,*
nullatenus confundetur, neque a suae spei base poterit *com*moveri.	nullatenus confundetur, neque a suae spei base moveri poterit [40].

449 Z. 9 ff.

Joseph, in Aegyptum argenteis venundatus, servus deducitur in lacum, et in *carcerem truditur.*	Joseph, in Aegyptum argenteis venundatus, servus deducitur in lacum, et in *carcere traditur* [41].

449 Z. 19 ff.

(fratres ...) quorum numerus prudentum virginum numero aequipollet.	(fratres ...) quorum *numerositas vel* numerus prudentum virginum numero aequipollet [42].

451 Z. 23

Paulum dicentem audiamus [43]	*Paulo dicente* audiamus

(folgt Gal. 1, 8)

451 Z. 38 f.

et Salomoni adquiescite	et Salomoni adquiescite *sapiens et enim vir*
proverbialiter sic dicenti	*proverbialis* sic dicenti [44]

(folgt Prov. 17, 17)

[40] So auch Reg. Vat. Die wichtigsten Lesarten aus Reg. Vat. hat Luard selbst kollationiert, vgl. CM 6, S. 482–485. Die Edition der vier Briefe in der Reihe der Pontificia Commissio ad redigendum codicem iuris canonici orientalis. Fontes. Series III, hier heranzuziehen *A. L. Tautu* (Hrsg.), Bd. 3: Acta Honorii III et Gregorii IX (1950) Nr. 179, 179 a, 179 b, S. 235–252 und Nr. 193, S. 266–268 bringt für diese Stücke keinen editorischen Fortschritt. Zwar sind bei Tautu alle Bibelstellen belegt, aber im übrigen fehlt jeder Hinweis für den Benutzer, aus welchen der angegebenen MSS. und Drucke in alten Konziliensammlungen der Text jeweils genommen ist. Auch Lesarten fehlen völlig, offensichtlich hat sich der Hrsg. nicht veranlaßt gesehen, einen kritischen Text zu erstellen.

[41] Reg. Vat. „carcerem traditur".

[42] So Reg. Vat., aber noch ein Zusatz: „quorum quidem conversatio bona est et inseparabilis unanimitas quorum numerositas vel numerus".

[43] Offenbar so Reg. Vat.

[44] Reg. Vat. „sapiens etenim vir proverbialiter".

452 Z. 16–453 Z. 1

totus mundus una lingua factus acclamabit, *Deum protestans, invocans caelum et terram in testimonium, quia nos junctis manibus vobis uniri, vel vos nobis, facta diligenti inquisitione profundae veritatis cum invocatione Sancti Pneumatis, instantissime postulamus, nec amplius scismatico scandalo immerito deturpari, et a Latinis defamari, vel vos a Graecis depravari. Et ut veritatis medullam attingamus, multi potentes ac nobiles vobis optemperarent, nisi injustas oppressiones et opum protervas exactiones et servitutes indebitas, quas a vobis subjectis extorquetis, formidarent.*	totus mundus una lingua factus acclamabit (Deum – formidarent *deest)*[45]
Hinc et crudelia bella in alterutrum, civitatum desolatio, sigilla januis ecclesiarum impressa, *fratrum scismata,* et sacerdotalis ministrationis prorsus vacat operatio, ne *Graecorum climatibus, ut deceret,* Deus *col*laudetur.	Hinc et crudelia bella in alterutrum, civitatum desolatio, sigilla januis ecclesiarum impressa, et sacerdotalis ministrationis prorsus vacat operatio, ne *grecis* laudetur *vocibus* deus.
Unum, ut credimus, quod Graecis jam pridem desuper fuit praefinitum, hucusque defuit, tempus *scilicet* martirii;	*unum defuit tantum.*
sed et ipsum *jam imminet, ut* tribunal tirannicum aperiatur, ...	sed et ipsum *factum est. ut* martyrii tempus assit *et* tribunal tirannicum aperiatur ...[46]

453 Z. 32–35

sunt enim languentis cordis *suspiria,* et datur indul-	sunt enim languentis cordis *genimina*[47], et datur indul-

[45] So Reg. Vat.
[46] So Reg. Vat.
[47] So Reg. Vat.

gentia a discretis his, qui propter cordis *nimiam* tristitiam in verba *prorumpunt per singultus.*	gentia a discretis *viris* hiis qui propter cordis tristitiam *aliquid loquuntur quod mordeat*[48].

Germanus von Konstantinopel an die Kardinäle

CM 3, S. 455–460	RB fol. 168r–169r
455 Z. 14 ff.	
Quod enim quandoque *Deus* uni celavit, alii inspiravit; et sic quod *dispensative alicui bonum revelat, cum* in commune producitur, *propagative* ad utilitatem subjectae multitudinis transfertur.	Quod enim quandoque uni celavit, alii inspiravit; et sic quod *per consilium inspirat,* in commune producitur *et* ad utilitatem subjectae multitudinis transfertur[49].

457 Z. 11–459 Z. 11

Maneamus *quoque* instructi	Maneamus *aut[em]* instructi

in una eademque mente[50], et caritatem, quae secundum Christum est, sectemur; et illam evangelicam vocem habentes in buccina, quae dicit, Unus Dominus, una fides, unum baptisma,

liceat nobis vera confiteri, et induamini formam amicorum, ut liceat impune de veris confiteri. Quia autem scriptum est, Verba sapientis veridici et corripientis sunt quasi clavi in altum defixi; et veritas plerumque parit inimicos, licet verear, tamen confitebor. Divisio nostrae unitatis processit a tyrannide vestrae oppressionis et exactionum Romanae ecclesiae, quae de matre facta noverca suos, quos diu educaverat, more rapacis volucris suos pullos expellentis, filios elongavit. Quae etiam, quanto humiliores et sibi	(liceat – revertamur *deest*)

[48] So Reg. Vat.; „indulgentia“ in RB verschrieben: „solergentia“.

[49] So Reg. Vat.

[50] „Maneamus – mente“, Reg. Vat. *deest.*

*proniores, tanto magis concul-
cat et habet viliores,
non attendens illud Evangelicum,
Qui se humiliat, exaltabitur.
Temperet igitur vos modestia,
et, licet innata, paulisper
sedetur Romana avaritia, et
descendamus ad veritatis
scrutinium; et veritatis
inquisitione approbata
utrimque, ad unitatis
soliditatem revertamur*[51].

Etenim eramus omnes, tam Ytalici quam Graeci, aliquando in eadem fide, et in eisdem canonibus; pacem habentes inter nos, et pugnantes alter pro altero, et inimicos ecclesiae confundentes.

Et qui ab Oriente populus irruebat, haereticorum tyrannide perdurante, *quia fidele refugium habuit ad nos, et pars ejus ad vos, scilicet* magnam Romam[53], festino gressu *quasi* ad turrim immobilem *suae confugit* fortitudinis, *et consolationem recepit utrobique, et mutua caritate frater in fratris sinu ad protectionem recipiebatur.*	Qui ab oriente *persequebatur adhoc ibidem*[52] haereticorum tyrannide perdurante festino gressu ad magnam *properabat* Romam[54] *tamque* ad turrim fortitudinis immobilem.
Et cum Roma multotiens fuisset a gentibus occupata, imperium Graecorum *ab earum* tirannide liberavit. Agapitus *vero* et Vigilius ad Constantinopolim propter dissensiones quae Romae erant *aliquando* confugerunt, et honorifice recepti *protectione*	Et cum Roma multotiens fuisset a gentibus occupata, imperium Graecorum *eam ab eorum* tirannide liberavit. Agapitus autem et Vigilius ad Constantinopolim propter dissensiones quae Romae erant *postmodum* confugerunt, et honorifice *fuerunt* recepti[55]

[51] „Liceat – revertamur", Reg. Vat. *deest.*

[52] So Reg. Vat.

[53] „quia – Romam", Reg. Vat. *deest.*

[54] Ähnlich Reg. Vat.: „ad magnam properabat Romam, tanquam ...".

[55] Reg. Vat. und Fontes CICO (vgl. oben A. 40) „fuere", sonst RB wie Reg. Vat.

<table>
<tr><td>defendebantur; licet nobis grata vicissitudine nunquam in arcto positis auxilium[56] praebuistis. Sed oportet nos etiam ingratis bonos esse. Nam et piratis pacantur maria, et solem facit Deus oriri super justos et injustos[57].</td><td></td></tr>
<tr><td>Heu, heu! quam amara divisione sequestramur,</td><td>Nunc aut[em] heu amara divisione in inimicos divisi sumus ad invicem[58],</td></tr>
<tr><td>unus detrahit alii, et alter alterius, velut animae periculum, vitat consortium.</td><td>unus detrahit alii, et alter alterius vitat consortium velud anime periculum.</td></tr>
<tr><td colspan="2">Quid ergo dicemus? Si nos jacemus, erigite nos. Nolite in casum nostrum esse tantummodo corporalem, sed estote etiam</td></tr>
<tr><td>nobis in resurrectionem[59]</td><td>insurrectionem</td></tr>
<tr><td colspan="2">spiritualem, et gratiarum vobis debitores nos forte fatebimur[60]. Si autem culpa et initium scandali a veteri Roma prodiit et a successoribus Petri Apostoli, illa verba Apostolica legite quae ad Galathas Paulus scribit, sic dicens, Cum autem venisset Petrus Antiochiam, in</td></tr>
<tr><td>facie</td><td>faciem</td></tr>
<tr><td colspan="2">ei restiti, quia reprehensibilis erat, et caetera, quae consequenter Paulus tangentia Petrum ait.</td></tr>
<tr><td>Sed repugnatio hujusmodi, ut pie credendum est[61], non alicujus causa fuit discordiae vel correptionis amarae[62], sed potius indagationis et[63]</td><td>Sed repugnatio hujus non alicujus erat causa discordiae vel correptionis inanis, sed</td></tr>
</table>

[56] MS. B ursprünglich „asilum", dann auf Rasur „auxilium", vgl. CM 3, S. 458 A. 2. Fontes CICO 3, S. 252 A. 5: „asylum vel auxilium".

[57] „protectione – justos", Reg. Vat. *deest.*

[58] So Reg. Vat.

[59] So Reg. Vat.

[60] Reg. Vat. ins.: „tanquam qui causa nostrae salutis fueritis".

[61] „ut – est", Reg. Vat. *deest.*

[62] Reg. Vat.: „contentionis inanis".

[63] „potius indagationis et", Reg. Vat. *deest.*

profundioris *disputationis*, profundioris *dispensationis*[64],

temporalem condescendentiam irritantis.

Vinculo enim caritatis in Christo jungebantur astricti, fide et doctrina conformes, nulla ambitione vel avaritia distracti; utinam in his illis assimilaremini. Mentibus autem nostris scrupulum generat offendiculi; quod, terrenis tantum inhiantes possessionibus, undecunque potestis abradere, aurum et argentum congregatis; discipulos tamen ejus vos esse dicitis, qui ait, Aurum et argentum non est mecum; regna vobis tributo subicitis; negociationibus numisma multiplicatis, actibus dedocetis quod ore praedicatis; moderetur vos temperantia, ut sitis nobis et omni mundo exemplum et exemplar[65]. (Vinculo – exemplar *deest*)

Videtis quam bonum est fratrem juvari a fratre.

Gregor IX. an Germanus, Potth. 8981
CM 3, S. 460–466, RB fol. 169r–170r
Gregor IX. an Germanus, Potth. 9198
CM 3, S. 466–469, RB fol. 170r–170v

Bei diesen Briefen sind beide englische Überlieferungen so gut wie identisch, die Abweichungen sind dergestalt, wie sie zwischen zwei MSS. desselben Inhalts immer auftreten. Auch die Tatsache, daß ein Bibelzitat (Matth. 16, 19 über die Schlüsselgewalt) einmal verkürzt (im Red Book) und einmal vollständig wiedergegeben wird[66], erscheint unbedeutend. Bemerkenswert ist nur die bei Matthaeus Paris für Potth. 9198 unvollständige Datierung „Datum Laterani, xvi Kalendas Junii, etc.“[67], während das Red Book noch „Pontificatus nostri anno septimo“ hinzufügt.

Überraschend ist, wenn man die Überlieferung aller vier Briefe miteinander vergleicht, die unterschiedliche Verteilung der Varianten bzw. Interpolationen. Während die beiden Papstbriefe in den Überlieferungen des Chronisten von St. Albans und des Exchequer so gut wie gleichlautend sind, konzentrieren sich die Fehler und Einschübe (oder Auslassungen) auf die zwei Germanus-Briefe.

[64] So Reg. Vat.
[65] „Vinculo – exemplar“, Reg. Vat. *deest*.
[66] CM 3, S. 462.
[67] CM 3, S. 469.

Dies bedeutet zunächst, daß die Überlieferungsverhältnisse der in England geschlossen erscheinenden Zusammenstellung nicht generell schlecht sind, daß also nicht etwa von völlig inkompetenten Kopisten auszugehen ist. Die Begründung für die erheblichen Abweichungen bei den Germanus-Briefen muß demnach anderswo gesucht werden; nachdem die Briefe, wie bereits dargestellt, vermutlich im Zusammenhang mit dem Legatenkonzil von 1237 in England bekannt wurden, wäre eine Möglichkeit zu erwägen, die Dorothy Williamson für die Überlieferung der Canones des Konzils zur Diskussion stellte:

A detailed study of the surviving manuscripts of Otto's constitutions, three of the earliest of which come from religious houses or cathedrals, reveals a large number of minor variants in spelling and word order. This fact suggests that no authenticated copies were sent out under the legate's seal to cathedrals and monasteries, but that the constitutions were published solely by the reading in the council, and that those present obtained their own copies, probably through their own scribes, as best they could[68].

Wenn die Canones schon nicht in kanzleimäßiger Form verbreitet wurden, ist dies erst recht nicht für die vier Briefe anzunehmen. Bei den Canones ist nach Powicke und Cheney ein klares Stemma der MSS. nicht zu erhalten, so daß eine, unter den Bedingungen der Anfertigung einer größeren Zahl von Abschriften direkt vom Legatenkonzil entspringende, Kontamination der Überlieferung anzunehmen ist. Eine ähnliche Annahme für die vier Briefe würde höchstens das Zustandekommen einer gewissen Zahl von Lesarten erklären, wäre allerdings, bei nur zwei erhaltenen MSS. in England, gar nicht beweisbar. Außerdem ist es für (durch Lesarten meist vielfach mit anderen MSS. verschränkte) kontaminierte Überlieferungen völlig ungewöhnlich, daß ein MS. erhebliche Einschübe gegenüber dem anderen aufweist. Aber wahrscheinlich war das Interesse an den Briefen in England auch recht begrenzt, so daß nur eine kleine Zahl von Abschriften hergestellt wurden und damit die Bedingungen für das Entstehen kontaminierter Texte, wie bei den Konzilscanones, von vornherein fehlten.

Die beiden Textformen in den Chronica majora und im Red Book stammen aber auch nicht voneinander ab. Wie die Spaltenvergleiche vielfach zeigen, stammt RB hier nicht von CM ab, was sich schon aus dem längeren Text von CM ergibt. Aber auch umgekehrt ist keine Abhängigkeit anzunehmen; RB enthält ebenfalls im Vergleich mit Reg. Vat. „falsche" Lesarten, die nicht in CM stehen. Da der entsprechende Teil von Matthaeus' Chronik erst 1243 oder kurz danach geschrieben wurde, muß man annehmen, daß eine frühere Kopie, die auf das Londoner Konzil von 1237 zurückgeht, in St. Albans aufbewahrt wurde. Der bei Matthaeus Paris hergestellte Zusammenhang mit dem Legatenkonzil, der sich aus der zeitlichen Zuordnung der Briefe in der Chronik gegen Ende des Jahres 1237 ergibt, spricht entschieden für eine solche Überlieferung, die sich also nicht auf eine im Exchequer aufbewahrte Kopie stützt (obwohl die Les-

[68] Williamson, EHR 64, S. 164; dies wird von *Powicke/Cheney,* Councils and Synods II, pt. 1, S. 239 f. implizit akzeptiert.

arten eine unmittelbare beiden Texten gemeinsame Vorlage zuließen). Damit handelt es sich bei beiden Textformen um eine nach der Ankunft der Briefe in England zufällige parallele Überlieferung, und nicht um Materialübernahme durch Matthaeus Paris aus dem Exchequer, wie Vaughan dies für die vier Briefe – ohne solches direkt zu behaupten – implizierte.[69]

Die in CM zusätzlich zu dem Text von RB enthaltenen Passagen gehen deutlich auf Interpolationen durch Matthaeus Paris zurück, was sich im Falle der Germanus-Briefe aus dem Vergleich mit Reg. Vat. ergibt. Bereits Luard hatte zum Abschluß seiner Editionsarbeit die in den Chronica majora enthaltenen Papstbriefe mit der vatikanischen Überlieferung (sofern in Reg. Vat. vorhanden) verglichen und wichtigere Abweichungen vermerkt [70]. Das Red Book benutzte Luard allerdings nicht, so daß er nicht die eigentlich zu stellende Frage beantworten konnte, ob die von Rom nach England gelangte Fassung diese Zusätze bereits enthielt bzw. ob Matthaeus Paris selbst die Interpolationen vornahm.

Auch in der Konziliensammlung von Mansi sind drei der vier Briefe enthalten (d. h. alle mit Ausnahme des zweiten Germanus-Briefs).[71] Für den Germanus-Brief an Gregor gibt es neben dem lateinischen einen griechischen Text, und obwohl der lateinische Text bei Mansi ganz offensichtlich aus Matthaeus Paris in der Parker-Wats-Ausgabe übernommen ist und die eine längere interpolierte Stelle ebenfalls enthält [72], fehlen diese Zeilen in dem parallel dazu gedruckten griechischen Text [73].

Auch inhaltlich sind die Interpolationen, vor allem in dem Brief an die Kardinäle, mit den Klagen über die römische *avaritia,* über *exactiones,* sowie über die römische Tendenz, sich Reiche tributpflichtig zu machen (England seit König Johann!), im Rahmen von Germanus' „Versöhnungsangebot“ an den Papst völlig unverständlich. Diese Vorwürfe passen aber von Inhalt und Wortwahl her zu den von Matthaeus Paris in seiner Chronik immer wieder, versteckt und offen, erhobenen Vorwürfen gegen den Papst und die römische Kirche, die über Jahre hinweg die Grundtendenz der Chronik von St. Albans prägen [74].

[69] *Vaughan,* Matthew Paris, S. 17 f., 132 f., auch zur Interpolation der Briefe durch Matthaeus.

[70] CM 6, S. 482–485. Auvray, vgl. oben A. 39, gibt nur Regesten der Briefe.

[71] *J. D. Mansi,* Sacrorum Conciliorum nova et amplissima collectio Bd. 23 (1779), Sp. 47–62.

[72] CM 3, S. 452 Z. 17 ff.

[73] *Mansi* Bd. 23, Sp. 53 f.; daß Mansi Matthaeus Paris mehrfach verwandte, vermerkt er selbst an anderer Stelle, Sp. 464. Bei den einzelnen Stücken wird aber nicht eigens darauf hingewiesen. Damit ist Mansi generell zur Kontrolle der Überlieferung bei Matthaeus Paris unbrauchbar.

[74] Dazu Beispiele aus den Jahren 1237–1241: CM 3, S. 446, 525, 539, 608, 628; CM 4, S. 9 f., 35, 84, 100, 137. Über die Grundhaltung von Matthaeus gegenüber den päpstlichen Forderungen und über seine Vorurteile vgl. *R. Brentano,* Two Churches. England and Italy in the Thirteenth Century (1968), S. 5, 182, 327 f.

3. Kaiserbriefe Friedrichs II. im Red Book

Im Red Book folgen auf den Gregor-Germanus-Briefwechsel zunächst zwei Stücke, ein Kaiser- und ein Papstbrief, beide 1235 an den König von Frankreich gerichtet [75], in denen die Hochzeit des Kaisers mit der englischen Prinzessin Isabella angekündigt wird. Beide Briefe finden sich nicht bei Matthaeus Paris. Im Red Book schließt sich daran eine Reihe von Auszügen in komprimierter Form aus Briefen Gregors IX. aus dessen erstem Pontifikatsjahr an. Die vier Fragmente, allesamt aus Briefen an englische Empfänger, betreffen die Mündigkeitserklärung Heinrichs III.; sie finden sich ebenfalls im Liber Additamentorum von Matthaeus Paris, wo sie in eine Prozeßschrift aus dem Jahre 1239 eingebettet sind: „Responsiones magistri Laurentii de Sancto Albano pro comite Kantiae Huberto de Burgo, contra quem movit dominus rex gravissimas quaestiones" [76]. Dieser *magister* Laurentius, der die Prozeßschrift für Hugh de Burgh verfaßte, war ein „clericus Sancti Albani" [77], so daß eine Überlieferung des Textes innerhalb des Klosters wahrscheinlich ist. Jedenfalls kommt eine Vorlage in der Form, wie sie das Red Book enthält, schon deswegen nicht in Frage, weil dort der Zusammenhang mit der Prozeßschrift nicht erhalten ist [78]. Die große Bedeutung des Verfahrens gegen Hugh de Burgh läßt annehmen, daß die Schrift in einer größeren Anzahl von MSS. verbreitet war. Der Exchequer-Kompilator übernahm daraus nur einen Teil in das Red Book, welcher die persönliche Rechtsstellung des Königs betrifft und fügte ihn in das angelegte Briefheft nach den die Hochzeit der Schwester des Königs betreffenden Stücken ein.

Die Überlegungen im Hinblick auf eine Überlieferungsnahtstelle zwischen den Chronica majora und dem Exchequer konzentrieren sich damit auf die im Red Book enthaltenen Produkte der kaiserlichen Kanzlei. In den Chronica majora sind diese Briefe verstreut eingeordnet, im Red Book finden sie sich jedoch nahezu geschlossen [79]. Die erste Gruppe besteht aus vier an den englischen König gerichteten Briefen aus den Jahren 1240/41, die zweite Gruppe mit drei kaiserlichen Schreiben und einem Brief Walters von Ocra (BF 3579) stammt aus den Jahren 1245/46. Die folgende Tabelle gibt den Bestand und wichtige Parallelüberlieferungen wieder.

[75] RB fol. 171^{r}; BF 2087 und Potth. 9879.

[76] RB fol. 171^{v}; die „Responsiones" CM 6, S. 63–74 aus LA fol. 167; dort die vier in RB enthaltenen Fragmente CM 6, S. 69 f.

Es handelt sich um den Lehensprozeß gegen den 1232 entlassenen Justitiar Hugh de Burgh; das erste Verfahren fand 1232 statt, eine Wiederaufnahme 1239; vgl. *Powicke*, King Henry III, S. 81–83, 140 f.

[77] Er starb 1250, vgl. Gesta Abbatum 1, S. 327.

[78] Auch eine Kollation stützt dies: RB ist gegenüber LA sowohl erweitert als auch gekürzt.

[79] RB fol. 172^{r}–174^{v}, 176^{v}–179^{r}. Zu dieser Briefgruppe *Kantorowicz,* MÖIG 51, S. 75–77.

BF[80]	Incipit	HB	PdV	andere Drucke	CM
2910[81]	Triplex doloris aculeus	5, S. 841 – 846	—	MG Const. 2 Nr. 224, S. 308–312	3, S. 631 – 638
3129[81]	Aemula regum et	5, S. 1014 – 1017	I 36	*Rymer*[82] I, 1, S. 135	—
3139[81]	Qualiter ad multam (PdV: Infallibilis veritatis)	5, S. 1038 – 1041	I 34	MG Const. 2 Nr. 233, S. 317–321; *Rymer* I, 1, S. 133 f.	4, S. 65 – 68
3205[81]	Hilari affectione recepimus	5, S. 1123 – 1125	I 9	*Rymer* I, 1, S. 137 f.	4, S. 126 – 129
3551	Ne fama praeambula	6, S. 403 – 406	II 10		4, S. 570 – 575
3579	Quia scio vos	6, S. 457 – 459	—		4, S. 575 – 577
3495	Etsi causae nostrae	6, S. 332 – 337	I 3	MG Const. 2 Nr. 262, S. 360–366; *Winkelmann,* Acta 2 Nr. 43, S. 44–47; Chron. Melrose, hrsg. v. *Stevenson,* S. 171–176; Behaim, hrsg. v. *Höfler,* S. 81–85	4, S. 538 – 544
3541	Illos felices describit	6, S. 391 – 393	I 2	*Winkelmann,* Acta 2 Nr. 46, S. 49–51; Guisborough, hrsg. v. *Rothwell,* S. 179–181; Behaim, hrsg. v. *Höfler,* S. 79–81	4, S. 475 – 477

80 Die Briefe sind hier in der Reihenfolge von RB aufgeführt; sie sind in identischer Anordnung auch in Hargrave 313 enthalten.

81 Diese Briefe finden sich auch in BL Harley MS. 325, fol. 321–325 und BL Cotton MS. Cleop. B xii, fol. 45r–52r; vgl. *G. H. Pertz,* in: Archiv 7 (1839), S. 959 f., dort Cleop. B xii mit anderer Foliierung.

82 *Th. Rymer,* Foedera ...; ich zitiere nach der 3. Aufl. (1745), der sog. „Dutch edition", die *van Caenegem/Ganshof,* S. 222 als die beste ansehen; sie ist auch die Grundlage des fotomechanischen Nachdrucks. Sämtliche Auflagen haben verschiedene Seitenzählungen, so daß ggf. unter dem Jahr gesucht werden muß. Die Literatur des 19. Jahrhunderts zitiert meist nach der „Record edition" (1816 ff.), so Luard, MG Const. und noch Kantorowicz.

Die hier aufgeführten Briefe aus Rymer sind den dort gegebenen Quellenangaben zu-

Um den Überlieferungsweg der Briefe bis hin zu dem Chronisten von St. Albans zu verfolgen und den Text in den Chronica majora beurteilen zu können, sollen die Kaiserbriefe aus der Chronik sowohl dem Red Book als auch anderen, mit Sicherheit von den beiden genannten Fundorten unabhängigen, Überlieferungsformen entgegengestellt werden. Dies wird allerdings durch den nicht immer idealen Editionszustand der Chronik selbst sowie durch die erheblichen Mängel der meisten verfügbaren Vergleichstexte erschwert. Die Untersuchungsmethode muß sich diesen Tatsachen anpassen. Luards Ausgabe der Chronica majora bietet bei den Kaiserbriefen gelegentlich nicht den Text von MS. B, sondern emendiert aus anderen Texten (vor allem Petrus de Vinea und die Drucke bei Huillard-Bréholles) oder bringt Konjekturen an, ohne all dies im einzelnen immer zuverlässig zu vermerken. Liebermanns Teiledition in MG SS 28 läßt zwar z. T. die autographen Marginalien des Chronisten aus und druckt ebenfalls nicht grundsätzlich den Wortlaut von B, vermerkt aber im Apparat alle Lesarten, so daß hier insgesamt ein besserer Text geboten wird. Bei Einzelproblemen wird man also den Luard-Text gelegentlich anhand der MGH-Ausgabe oder des MS. B überprüfen müssen; diese Probleme treten natürlich vor allem bei den in die Chronik inserierten Briefen auf, und weniger bei Matthaeus' eigenem Text.

Die bislang im Druck vorliegenden Ausgaben der Briefe Friedrichs II. sind gleichfalls oft nur wenig geeignet, um mit ihrer Hilfe den Zustand der Brieftexte bei Matthaeus Paris zu kontrollieren. So werden in der „Historia diplomatica Friderici Secundi" von Huillard-Bréholles die betreffenden Briefe zumeist in Mischfassungen präsentiert. Die Texte beruhen häufig auf der Vinea-Sammlung von Schard/Iselin oder verschiedenen französischen MSS., jedoch hat der Herausgeber auch die Chronik des Matthaeus Paris selbst zu Emendationen herangezogen [83], ohne dies im Druck im einzelnen anzumerken. Damit ist Huillard-Bréholles natürlich unbrauchbar zur Überprüfung von Matthaeus Paris. Einige der kaiserlichen Schreiben sind in MG Const. 2 oder bei Winkelmann gedruckt; wenn auch hier nicht immer von definitiven kritischen Ausgaben gesprochen werden kann, so stellen sie doch für unsere Zwecke gelegentlich einen wichtigen Vergleichsmaßstab dar, da der klare Apparat auch den Zustand einzelner MSS. hinter den Drucken erkennen läßt.

Die Schard/Iselin-Ausgabe der Vinea-Briefe stellt bekanntlich weder einen ordentlichen Text der Briefsammlung selbst dar, noch ist sie als Textedition der Briefe Friedrichs II. benutzbar [84]. Doch können wir hier auf eine Art sie uns zu-

folge aus einer „Close Roll 42–47 Henry III m. 15–14" genommen. In den gedruckten „Close Rolls Henry III" findet sich kein Hinweis darauf; eine Überprüfung an den Originalen blieb ergebnislos, und auch an anderer Stelle in den Beständen des PRO gelang es mir nicht, Rymers Quelle ausfindig zu machen; vgl. auch unten S. 73 und A. 101.

[83] Huillard-Bréholles benutzte die Ausgabe von Wats, die er im übrigen selbst ins Französische übersetzte, vgl. *Graves,* Nr. 2941.

[84] *S. Schard/R. Iselin,* Petri de Vineis judicis aulici et cancellarii Friderici II. Imp.

nutze machen: Bei Abweichungen zwischen den englischen Überlieferungsformen in CM und RB stützt im allgemeinen eine Lesart bei Schard/Iselin einen entsprechenden gleichlautenden Text, der von Vinea-Sammlungen aller Art unabhängig ist, wie dies sowohl CM als auch RB sind. In einem solchen Fall kann die Kongruenz von PdV und einem der englischen Texte eine abweichende Lesart in einem der anderen englischen Texte als verderbt oder interpoliert aufzeigen. Dies ist der Kern des Untersuchungsverfahrens für den Vergleich der Kaiserbriefe in CM und RB. Das Untersuchungsziel ist nicht eigentlich die editorische Aufbereitung der Texte, sondern lediglich, Einblick in die Arbeitsweise des Chronisten zu gewinnen, und darüber hinaus, die Rolle des Exchequer bei der Verbreitung von dokumentarischem Material zu erhellen. Da die Art der Fragestellung aber prinzipiell auf den ältesten (in England erhältlichen) Text gerichtet ist, ergeben sich auch Ausblicke, die für eine Editionsgestaltung möglicherweise von Belang sein können. Beim ersten Stück der CM und RB gemeinsamen Gruppe von Kaiserbriefen (BF 2910 = CM 3, S. 631–638 = RB fol. 172^r–173^r) beschränken sich die Unterschiede zwischen beiden Abschriften zumeist auf die Schreibung und einige kleinere Veränderungen der Wortstellung. Keine von ihnen kann direkt auf die andere zurückgehen. Statt richtig „marchionem Estensem“ haben beide jeweils verschiedene Fehler: so steht in RB hier „marchionem Ostensem“, in CM dagegen „marchionem extensam“ (vgl. CM 3, S. 635 Z. 19) [85]. Bemerkenswert ist ferner die folgende Stelle:

CM 3, S. 632 Z. 32–633 Z. 2	RB fol. 172^r
Tandem cum, post optentam	Tandem cum, post optentam
faciente Domino de	*favente* Domino de
Mediolanensium strage	strage *Medionalensium* [sic]
victoriam, prodesse sibi	victoriam, prodesse sibi
furtivas hujusmodi	furtivas hujusmodi
legationes et literas	*legiones* et litteras
non videret, . . .[86]	non videret, . . .

Epistolarum . . . Libri VI (1740). Zu den vielfältigen Problemen im Zusammenhang mit der Entstehung und Überlieferung der Briefsammlung grundlegend *H. M. Schaller*, Zur Entstehung der sogenannten Briefsammlung des Petrus de Vinea, in: DA 12 (1956), S. 114–159, dort auch Beschreibungen der wichtigsten MSS.

[85] Daß auch der Text im Bullarium Rommersdorf, vgl. *F. Kempf*, MÖIG Erg. Bd. 12, S. 525 Nr. 39 (= BF 2911) hier „extensem“ hat, vgl. MG Const. 2, S. 310, dürfte nach den Umständen eine rein zufällige Fehlerkongruenz sein.

[86] Nach MG Const. 2, S. 309 stützt Bull. Rommersdorf hier den Text von CM. Die mögliche Variante „favente“ (Lesart ?) erscheint in MG Const. gar nicht, obwohl Hargrave 313 zu den angeführten MSS. gehört; vermutlich hat Weiland aber hier nur Huillard-Bréholles verglichen, der die Variante ebenfalls nicht aufzeigt.

Und am Ende des Briefes hat CM nur die Ortsangabe „Viterbo“ ohne den Tag, während RB die Datierung „Viterbii xvi martii xiii indictione“ gibt [87]. Der Brief BF 3129 folgt im RB unmittelbar darauf, während er sich weder in CM noch in anderen MSS. aus St. Albans wiederfindet.

Das nächste Stück haben wieder beide gemeinsam (BF 3139 = CM 4, S. 65–68 = RB fol. 173v–174r = PdV I 34), und mit Ausnahme von kleineren Unterschieden der Schreibweise sowie einzelnen Versehen sind RB und CM hier identisch. Wie in BF 2910 wird wieder Markgraf Azzo von Este erwähnt: diesmal haben beide MSS. „Ostensem“ (vgl. CM 4, S. 67 Z. 21); auch die Datierung „Faventiae, xiii Septembris xiv indictione“ ist beiden gemeinsam [88]. In der Vinea-Sammlung hat dieser Brief (PdV I 34 „Infallibilis veritatis“) noch einen ersten Teil, der den englischen Versionen (Incipit: „Qualiter ad multam“) fehlt. Außerdem hat die Vinea-Fassung Einschübe und erhebliche textliche Verschiedenheiten gegenüber den beiden englischen Texten; letztere stimmen überein, so daß Liebermann feststellte, der Brief sei in dieser Form nach England gelangt [89]. Drei offensichtliche Kopierfehler in RB bzw. CM sind festzuhalten. Im ersten Satz „Qualiter ad multam instantiam Lumbardorum Romanae sedis antistes contra nos inconsulto calore *processerit,*“ (so CM 4, S. 65 Z. 27–29 und PdV) hat RB statt dessen das Verb „precesserit“. Auf der folgenden Seite in Luards Edition (CM 4, S. 66 Z. 31 f.) heißt es: „Lumbardos praedictos excellentiae nostrae inimicos“, während diesmal RB zusammen mit PdV anstelle von „inimicos“ das wohl richtige „bannitos“ gibt. Und schließlich schreibt Matthaeus Paris fälschlich (CM 4, S. 68 Z. 17 f.): „. . . omnibus terrae *primatibus* indecentissimum judicemus . . .“, während die anderen Überlieferungen „principibus“ geben.

Der vierte Brief (BF 3205 = CM 4, S. 126–129 = RB fol. 174rv = PdV I 9) hebt sich im Textvergleich deutlich von den Verhältnissen bei den vorigen Stükken ab. Die Überlieferungen bei Matthaeus Paris und im Red Book weichen z. T. erheblich voneinander ab, wobei PdV im allgemeinen bei Unterschieden die Variante von RB stützt und Texteinschübe in der CM-Version als Interpolation des Chronisten Matthaeus Paris deutlich macht. Dies kann deswegen nur für den zweiten Teil des Briefes nachgewiesen werden, weil PdV I 9 den ersten Teil

[87] Bull. Rommersdorf, MG Const. 2, S. 312 hat fälschlich „xii indictione“; alle englischen MSS. haben gemeinsam gegenüber der unabhängigen kontinentalen Überlieferung (BF 2911) einen veränderten Schluß; dies kann jedoch für den hier angestellten Textvergleich außer Betracht bleiben.

[88] Genauer „Datum in castris in obsidione Faventiae, . . . “ d. h. im Herbst 1240 während der Belagerung von Faenza, vgl. *Kantorowicz,* Kaiser Friedrich II., S. 492–499. Die Indiktionszahl ist richtig, da die kaiserliche Kanzlei ab 1218/19 auch außerhalb Siziliens die byzantinische Indiktion bevorzugt; dazu HB 1, S. XL–XLII; *H. Bresslau,* Handbuch der Urkundenlehre 2 (3. Aufl. 1958), S. 413; *Ficker,* in: Regesta Imperii V, Bd. 3 (= Abt. V), S. LXVI, LXXVI, LXXXII.

[89] MG SS 28, S. 197.

(„Hilari affectione“) nicht enthält und mit „Cum ad depopulationem“ beginnt[90]. Merkwürdigerweise weichen die Texte in CM und RB im zweiten, auch bei PdV erhaltenen Teil des Briefes viel stärker voneinander ab als im ersten, was vielleicht darauf zurückzuführen ist, daß sich der Inhalt des zweiten Teils mit dem Bericht über die Gefangennahme der Prälaten nach der Seeschlacht von Monte Christo besonders zur Interpolation in anti-kurialem Sinn eignete.

Wegen der großen Zahl der Varianten ist es zweckmäßig, den Text von dem bei PdV gegebenen Beginn an ganz wiederzugeben.

CM 4, S. 127 Z. 24–129 Z. 18	RB fol. 174v	PdV I 9[91]
... dum (a) ad depopulationem vicinae (b)		(a) cum
Bononiae nostrum verteremus propositum		(b) *ins.:* urbis
et affectum, praelatorum turbam, cum		
Praenestino episcopo, (RB *ins.:* magistro) (c)		(c) *l. var.* wie RB
Ottoneque Thoringo (d) Sancti Nicholai		(d) *deest*
in carcere Tulliano diacono cardinali (e),		(e) diaconi cardinalis
nostris adversaturam processibus, ex		
diversis provinciis congregatam, contigit		
suo infortunio Januam pervenisse. Ubi		
conveniente cum eis Gregorio (f) de		(f) G.
Romagna, addito legato legatis ut insimul		
ligarentur, et conspiratione cum		(g) *facta* umgestellt:
Januensibus rebellibus nostris facta (g),		conspiratione facta cum ...
quidam de regno Francorum	*galiarum copiam* (h)	
navalem exercitum copiosum		
congregantes piratas suos		(h) so PdV

[90] Der erste Teil des Briefes berichtet über die Kapitulation von Faenza im April 1241, der zweite Teil über die Aufbringung der Schiffe mit den zum angesagten Konzil von Genua nach Rom Reisenden, sowie die Gefangennahme der kirchlichen Würdenträger. Die Geschlossenheit der englischen Überlieferungsgruppe zeigt sich schon in der allen MSS. gemeinsamen Erwähnung des Überbringers Walter von Ocra: „... per magistrum Walterum de Ocra, dilectum nostrum notarium ac fidelem, plenarie respondemus, cui ea, quae vobis ore tenus ex parte celsitudinis nostrae dicet, indubitanter tanquam personae nostrae credatis“, CM 4, S. 126.

Derselbe Brief ist aus Hermann von Niederalteich, in: MG SS 17, S. 389 f., ebenfalls in der verkürzten Form bekannt, wie sie PdV I 9 bietet. Herm. Altah. hat als Incipit „*Dum* ad depopulationem“, was dieser Stelle in CM und den anderen englischen Überlieferungen entspricht. Demgegenüber erscheint das erste Wort bei PdV als Veränderung. Dem Kurztext von PdV und Herm. Altah. fehlt jede Arengenformel, und der Brief fängt völlig unvermittelt und unmotiviert mit der „Entvölkerung“ von Bologna an: „Dum (cum) ad depopulationem vicinae Bononiae nostrum verteremus propositum et affectum ...“.

[91] Die hier und an anderen Stellen bei Zitaten aus *Iselin* (Hrsg.), PdV gegebenen *lectiones variae* sind jene aus dem von Iselin gegenüber Schard zusätzlich herangezogenen MS. Bern 273, vgl. *Schaller,* DA 12, S. 116 und A. 5; siehe auch unten S. 122 und A. 6.

<table>
<tr><td colspan="2">armari fecerunt, cum quibus ad Papam</td><td>(i) Romam</td></tr>
<tr><td colspan="2">Romanum (i) pro majoris (j) causa</td><td>(j) majori</td></tr>
<tr><td colspan="2">discidii (k) conjuraverant advenire.</td><td>(k) *deest*</td></tr>
<tr><td colspan="2">Ad quorum impediendum (l) transitum</td><td>(l) impedimentum;</td></tr>
<tr><td colspan="2">et accessum,</td><td>*l. var.:*
impediendum</td></tr>
<tr><td>nostr*am* (m) diu ante</td><td>nostr*arum* (m) diu ante</td><td>(m) nos; *l. var.:*</td></tr>
<tr><td>praevis*am classem*</td><td>praevis*um* (n)[92]</td><td>nostrum</td></tr>
<tr><td colspan="2">convenire fecimus (RB: possumus) apud</td><td>(n) PdV anders,</td></tr>
<tr><td colspan="2">Pisas, victoriosum</td><td>vgl. A. 92</td></tr>
<tr><td>galliarum stollium *prae-*</td><td>stolium galliarum</td><td></td></tr>
<tr><td>*ponentes, qui cum quibusdam*</td><td></td><td></td></tr>
<tr><td>*nostris fidelibus,* eorum</td><td>*quod* eorum praecognita</td><td></td></tr>
<tr><td>praecognita motione, in</td><td>motione, in lacis</td><td>(o) locis et</td></tr>
<tr><td>lacis et port*ubus*</td><td>et port*ibus* (o)</td><td>portubus</td></tr>
<tr><td colspan="2">quos (RB: q latenter) (p) vel (q) alto mari</td><td>(p) quae latenter</td></tr>
<tr><td colspan="2">praeterire non poterant, velut obvia (r)</td><td>(q) *ins.:* in</td></tr>
<tr><td colspan="2">et (r) necessario navigabilia transituris</td><td>(r) *deest*</td></tr>
<tr><td colspan="2">(CM in MS. B: transitu) (s),</td><td>(s) transitura;</td></tr>
<tr><td>*ut* eis transeuntibus</td><td>eis transeuntibus</td><td>*l. var.:*</td></tr>
<tr><td>potenter occurr*eret,*</td><td>potenter occurr*it.*</td><td>transituris</td></tr>
<tr><td>*destinavimus.* Et aggress*us*</td><td>Et aggress*is*</td><td></td></tr>
<tr><td>galeis nostris galeias</td><td>galeis nostris galeas</td><td></td></tr>
<tr><td>eorum, *quas* praepotens</td><td>eorum, praepotens</td><td></td></tr>
<tr><td>Dominus, qui ex</td><td>Dominus, qui ex (t)[93]</td><td>(t) *ex – meditatus:*</td></tr>
<tr><td>alto videt et *dimicat,*</td><td>alto vidit et *dim dicat*[93a]</td><td>PdV anders,</td></tr>
<tr><td>aequitatem *dijudicans,*</td><td>aequitatem,</td><td>vgl. A. 93</td></tr>
<tr><td>*invias* vias eorum et</td><td>vias eorum et</td><td></td></tr>
<tr><td>excogitatam malitiam</td><td>excogitatam malitiam</td><td></td></tr>
<tr><td>*insatiabilemque cupiditatem*</td><td></td><td></td></tr>
<tr><td colspan="2">meditatus, in viribus et potentia nostra,</td><td></td></tr>
<tr><td colspan="2">quam effugere terra vel mari (CM: *deest* in</td><td></td></tr>
<tr><td colspan="2">MS. B) non poterant, Domino favente (u),</td><td>(u) faciente</td></tr>
<tr><td>legatos *ligatos* simul</td><td>legatos simul</td><td></td></tr>
<tr><td colspan="2">tradidit et praelatos. Et tribus</td><td>(v) immersis</td></tr>
<tr><td colspan="2">galeis eorum submersis (v), ac omnibus</td><td>in mari</td></tr>
<tr><td colspan="2">quae (w) vehebantur in ipsis,</td><td>(w) qui</td></tr>
<tr><td>*cum viris, qui ad duo*</td><td></td><td></td></tr>
<tr><td>milia aestimati sunt (x),</td><td></td><td>(x) *cum – sunt:*</td></tr>
<tr><td colspan="2">sine spe recuperationis amissis, viginti</td><td>PdV *deest*</td></tr>
<tr><td colspan="2">et duae galeae non sine magna navigantium</td><td></td></tr>
<tr><td colspan="2">caede cum personis et rebus,</td><td></td></tr>
</table>

[92] PdV: „diu ante praevisam (*l. var.* praevisum) convenire fecimus apud Pisas victoriosam classem (*l. var.* victoriosum stolium) galearum. Quae (*l. var.* quod) eorum . . .".

[93] PdV: „. . . de alto videt et judicat aequitatem, viam eorum et excogitatam malitiam meditatur".

[93a] So MS.; evtl. zu lesen als „dimicat" oder „diiudicat".

<table>
<tr><td>*divina sic volente*
providentia (y),</td><td></td><td>(y) *divina –*
providentia:
PdV *deest*</td></tr>
<tr><td colspan="2">victae sunt a galeis nostris et
triumphaliter (RB: triumphabiliter)
captae (z). In quibus tres dicti (a) legati.</td><td>(z) occupatae; *l. var.:*
captivatae
(a) praedicti</td></tr>
<tr><td>cum archiepiscop*is*,
episcopis, abbatibus,
et multis aliis praelatis,
nuntiis *quoque* praelatorum
et procuratoribus, qui
ultra centum
aestimantur, cum
ambaxiat*ionibus*</td><td>cum archiepiscop*o* (b),
episcopis, abbatibus,
et multis praelatis aliis,
nuntiis et praelatorum
procuratoribus (c),
ultra centum
ambaxat*oribus*</td><td>(b) – is

(c) *ins.:* et</td></tr>
<tr><td colspan="2">civitatum rebellium Lumbardiae (d), qui ad
praefixum ire concilium properabant,
quatuor milibus (e) Januensium (f),
exceptis specialibus et electis personis
de Janua quae galeis praeerant
et comitatui praelatorum, pro (g)[94]
ducendis et reducendis eisdem Januam,
sicut inter eos fuerat infortunate
conventum, ad manus nostras</td><td>(d) Lombardorum
(e) für *quatuor*
milibus: PdV
ac quatuor
milia
(f) Januensibus
(g) *pro – Januam:*
PdV anders,
vgl. A. 94</td></tr>
<tr><td>ligati pervenerunt,
Praenestino illo
qui summum contra nos
saepius incita*verat* odium,
divinum non defuisse

judicium arbitremur,
qui, sub latentis
lupi specie, in ovina
pelle et agni
clamide Deum inclusum
gerere non confidat,
et sciat *quia* Deus nobiscum
est, sedens super thronum
et dijudicans aequitatem,</td><td>pervenere ligati,
ut de Praenestino illo
qui summum contra nos
odium ubique (h) inci-
ta*bat et* (i)
divinum non defuisse
judicium arbitremur,
quod (j), sub latentis
lupi specie, in ovina
pelle et agni
clamide Deum inclusum
gerere non confidat (k),
et sciat Deum nobiscum
esse sicut cum diis
eorum</td><td>

(h) ubilibet
(i) *deest*

(j) qui

(k) formidat</td></tr>
<tr><td colspan="2">Qui non solum per sacerdotium, sed per
regnum et sacerdotium, mundi machinam
statuit gubernandam. Nos igitur (l),
suum nobis caelitus Domino reserante (m)
consilium et in plana tot aspera
convertente, sudores bellicos et
aestivos pulveres non vitantes, nostrum</td><td>

(l) ergo
(m) reservante</td></tr>
</table>

[94] PdV: „... pro ducendis Episcopis Romam, & Januam reducendis".

felix iter et (RB: *deest*) intentionem
omnimodam et conatus ad

Eum dirigamus, *Qui*	*ea* (n) dirigamus, *quae*	(n) *ins.:* semper
nobis et caeteris reg-	nobis et caeteris reg-	
nantibus exaltationis	nantibus exaltationis (o)	(o) exultationis
et gloriae *contulit*	et gloriae *afferant* (p)	(p) so PdV
incrementum. *Et nos*	incrementum, *ut vos* (q)	(q) so PdV
praedictorum principes	praedictorum nostrorum	
successuum nostrorum	(r) successuum	(r) so PdV
participes, *et vos*	participes,	(s) *et vos praecipue:*
praecipue (s), fieri	fieri	PdV *deest*
gratulamur, quos in	gaudeamus (t), quos in	(t) so PdV
omni successurae	omni successurae (u)	(u) *deest; l. var.:*
felicitatis eventu ex	felicitatis eventu ex	successivae
unanimitate qua *unimur*	unanimitate qua *ducimur*	
cupimus esse consortes.	(v) cupimus esse (w)	(v) *ex – ducimur:*
	consortes.	PdV *deest*
Date Faventiae, etc.	Datum (x) Faventiae,	(w) habere
	xviii maii xiiii	(x) *Datum – indic-*
	indictione.	*tione:* PdV *deest*

Im Red Book folgen dann – in anderer Tinte und auch paläographisch von dem Vorhergehenden unterschieden – zwei Eintragungen, die uns hier nicht berühren [95]. Die bisher erörterten Briefe stellen also im Red Book sichtbar eine Einheit dar, die unter überlieferungsgeschichtlichen Aspekten zu würdigen ist. Die vier Briefe (BF 2910, 3129, 3139, 3205 – Matthaeus Paris hat, wie erwähnt, den zweiten Brief dieser Gruppe nicht) sind in der Exchequer-Sammlung eindeutig in planmäßig gesammelter Form enthalten, und nicht etwa zufällig hintereinander kopiert. Das ergibt sich daraus, daß mit der Ausnahme des ersten Briefs die Intitulatio und Inscriptio nicht erhalten sind – auch nicht in verkürzter Form – sondern durch eine Rubrik „Idem imperator eidem regi" ersetzt sind.

Dabei blieb dem Herausgeber des Red Book, Hall, ein Fund unbekannt, den bereits G. H. Pertz während einer Bibliotheksreise durch England machte; dieselben vier Briefe finden sich mit denselben Rubriken und Datierungen wie im Red Book noch in zwei weiteren MSS.: BL Harley MS. 325 fol. 321–325 und BL Cotton MS. Cleopatra B xii fol. 45^r–52^r [96]. In beiden Fällen folgen die vier Briefe auf eine kleine 6-teilige Vinea-Sammlung in Schreiberhänden des 14. Jahrhunderts. Da beide MSS. im Anschluß an das Vinea-Briefbuch lediglich die vier

[95] Der englisch-schottische Vertrag von 1237, an dessen Zustandekommen der Legat Otto beteiligt war, sowie ein Brief des Schottenkönigs Wilhelm I. aus dem Jahre 1176, dessen Echtheit fragwürdig ist. vgl. *Hall* 1, S. CII.

[96] *Pertz,* Archiv 7, S. 959 f. Luard erwähnt CM 3, S. 631 A. 1 lediglich die Tatsache, daß BF 2910 auch in Harley 325 enthalten ist. Bei den übrigen Briefen wird nicht darauf hingewiesen. Auch *L. Weiland,* der Hrsg. von MG Const. 2, vgl. S. 308, 318, macht lediglich auf Pertz' Fund aufmerksam, ohne den Zusammenhang mit RB und Hargrave 313 zu erkennen.

Briefe enthalten, nicht aber die anderen Stücke aus der kaiserlichen Kanzlei, die im Red Book nur durch zwei Blätter von der ersten Gruppe getrennt sind, ist es wohl sicher, daß die erste Gruppe in der beschriebenen Form auch unabhängig vom Red Book bestanden hat und jedenfalls vor der Entstehung der Abschrift im Red Book zusammengestellt wurde. Damit wird von einer Mehrzahl verfügbarer Kopien in England auszugehen sein, die das Verhältnis von Matthaeus Paris und Exchequer nicht auf das Red Book einzugrenzen erlaubt.

Die Verhältnisse sollen versuchsweise durch den folgenden Stammbaum beschrieben werden, wobei eine Vereinfachung darin liegt, daß hier mehrere Briefe, die Matthaeus Paris vielleicht einzeln zur Kenntnis genommen hat, in einem Überlieferungsstrang zusammengefaßt werden.

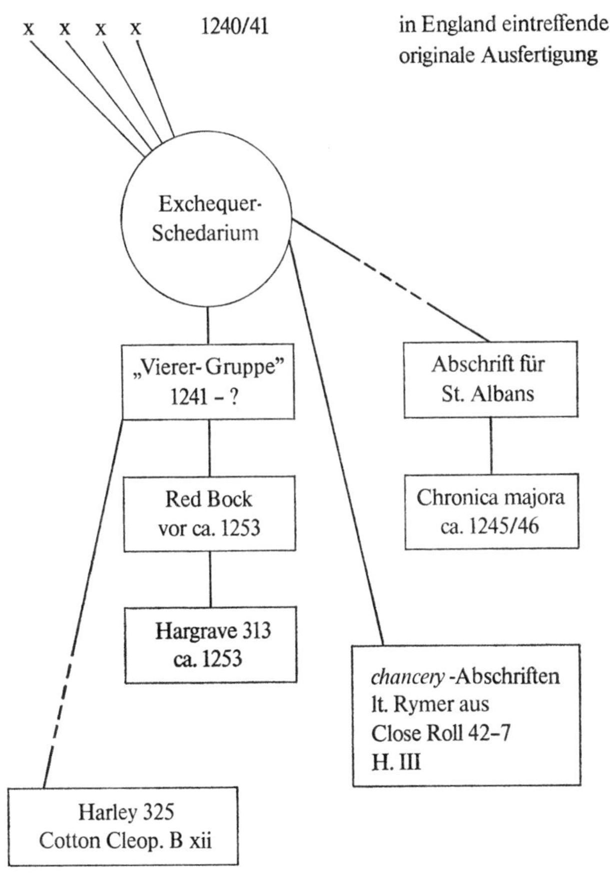

Daß die Briefe in RB und CM nicht unmittelbar aus den Originalen geschöpft sind, leuchtet ein; RB hat die Rubriken der „Vierergruppe", und bei CM macht die räumliche und zeitliche Distanz des Chronisten von dem Eintreffen der Briefabschriften im Exchequer bis zur Abfassung von B in St. Albans die Existenz einer Zwischenabschrift wahrscheinlich. Die im Exchequer liegenden Vorlagen, die zur Herstellung der „Vierergruppe“ benutzt wurden und auch abschriftlich in St. Albans bekannt wurden, waren aber nicht die nach England expedierten Originalausfertigungen der kaiserlichen Kanzlei. Das ergibt sich bereits daraus, daß sie schließlich dem eigentlichen Empfänger, König Heinrich III., zugeleitet werden mußten und vermutlich dort verblieben. Da mit sehr großer Wahrscheinlichkeit die politischen Manifeste Friedrichs II. offen gesiegelt versandt wurden [97], bestand die Möglichkeit, nach dem Eintreffen kaiserlicher Boten in London die Briefe zur Abschrift zu erhalten, bevor sie dem König zugeleitet wurden.

Matthaeus Paris hat aller Wahrscheinlichkeit nach die Briefe nicht in geordneter Form (Vierergruppe) erhalten, da er eines der vier Schreiben (BF 3129) nicht in der Chronik überliefert. Auch aus diesem Grunde ist ein Zwischenglied anzunehmen, das höchstwahrscheinlich nicht in der *chancery*, sondern im Exchequer anzusiedeln ist, und das ich deshalb „Exchequer-Schedarium“ nenne, ohne über dessen Form eine besondere Aussage machen zu wollen. Die Existenz dieser von mir „Exchequer-Schedarium“ genannten Zwischenabschriften läßt sich aus den Lesarten nur unzureichend nachweisen. Nur an einer Stelle spricht ein gemeinsamer Fehler, der aber nicht sehr aussagekräftig ist, für diese Theorie [98]. Außerdem scheint Matthaeus Paris weder die Originale noch das Exchequer-Schedarium direkt benutzt zu haben, weil in der Chronik die Datierungen von zwei Briefen fehlen. Es liegt nahe, daß Matthaeus Paris eine Abschrift von vermutlich fremder Hand zur Verfügung hatte (vielleicht von ihm selbst veranlaßt). So kommt es, daß der am 16. März 1240 geschriebene Brief BF 2910 dem Jahre 1239 zugeordnet wird, was vielleicht unterblieben wäre, hätte der Chronist eine datierte Abschrift gesehen [99]. Die erhaltenen Abschriften mögen dann direkt – oder wiederum abgeschrieben – dem Schedenmaterial in St. Albans einverleibt worden sein, von wo aus die Briefe dann in die Chronica majora übernommen wurden.

Auch die *chancery* scheint im Besitz von Abschriften kaiserlicher Briefe gewesen zu sein. Bei Rymer sind mit einem betreffenden Hinweis die Stücke BF 3139, 2532, 3129, 3205 gedruckt. Bis auf BF 2910 ist also der Bestand der „Vierergruppe“ vorhanden, wozu sich hier noch ein weiterer Brief fügt (BF 2532). Als Fundstelle gab Rymer an: Close Roll 42–7 Henry III, m. 15–14 [100];

[97] Von den Manifesten Friedrichs sind fast keine Originale erhalten; eine Ausnahme ist BF 2431 an den Erzbischof von Salzburg. Es ist offen und mit Wachs gesiegelt, vgl. unten S. 105 und A. 69, 70.

[98] BF 3139, CM 4, S. 67 „Ostensem“; daß dieser Fehler im Original stehen könnte, d. h. in der kaiserlichen Kanzlei unterlaufen wäre, ist immerhin recht unwahrscheinlich; vgl. unten A. 105.

[99] BF 2910, Viterbo 16. März, gehört aus Itinerargründen sicher nach 1240. Man sollte das Argument aber nicht überstrapazieren, da Matthaeus Paris gelegentlich auch bei ihm bekanntem Datum falsch inseriert.

[100] Gedruckt bei *Rymer* I, 1, S. 133–138; dort auch die beiden Briefe BF 2531, 3264,

dies erweckt jedoch schon dadurch Verdacht, daß für jedes der Jahre eine getrennte Close Roll geführt wurde, es also *eine* Close Roll für mehrere Jahre gar nicht gab. Auch in den gedruckten Regesten (Calendars of Close Rolls) findet sich keine Spur dieser Briefe, und eine Nachprüfung anhand der Originale im Public Record Office führte ebenfalls zu einem negativen Ergebnis [101]. Es muß demnach ungeklärt bleiben, auf welches MS. Rymer sich bezog und wie er zu der irreführenden Quellenangabe gelangte. Es kann sich in jedem Falle aber nicht um eine der bekannten Überlieferungen aus dem Exchequer oder aus Matthaeus Paris gehandelt haben, da dort BF 2532 nicht vorhanden ist. Die Archivalien der *chancery* sind im allgemeinen durch ihre äußere Beschaffenheit eindeutig in ihrer Provenienz erkennbar, vor allem wenn es sich um *rolls* handelte; diese hatten in der *chancery* ein für diese Behörde typisches Aussehen *(chancery mode)* [102].

Wenn Rymers Zuschreibung der nicht mehr auffindbaren Vorlage in den Bereich der *chancery* richtig ist, und auch seine Datierung nicht auf Erfindung beruht, so würde dies bedeuten, daß die Abschrift nicht vor dem 42. Regierungsjahr des Königs (beginnend am 28. Oktober 1257) [103] angefertigt wurde. In diesem Fall dürfte die *chancery* nicht schon zuvor die Kaiserbriefe als Einlauf archiviert besessen, sondern aus dem Exchequer bezogen haben. Zwar kann Rymers verlorenes MS. weder auf Matthaeus Paris noch auf die „Vierergruppe" zurückgehen (wegen der Anwesenheit von BF 2532), wohl aber auf eine den beiden letzteren gemeinsame Vorstufe, die nicht mit den Originalen, doch möglicherweise mit dem Exchequer-Schedarium identisch ist. Einige Lesarten aus BF 3139 mögen die Berechtigung dieser Hypothese verdeutlichen [104]:

- Rymer hat „marchionem Ostensem" (vgl. CM 4, S. 67 Z. 21) zusammen mit CM und RB [105].

die Rymer ohne Kenntlichmachung aus Matthaeus Paris entnahm, wie *Liebermann,* MG SS 28, S. 187 A. 7, 224 A. 3 erkannte.

BF 2532 „Si diligenter carissimi", 29. Oktober 1239 (= ind. xiii), bei Rymer ad 1238 mit der falschen Datierung „4° Kal. Nov., xi Indict.". Friedrich II. ermahnt darin die englischen Adligen, ihm nicht zu schaden und beglaubigt Hugo von Cambotto (Chalbaot) bei ihnen. Der vorher bei *Rymer* I, 1, S. 120–128 stehende Briefwechsel über den Heiratsvertrag für die Ehe Friedrichs mit der englischen Prinzessin Isabella berührt uns hier nicht.

[101] Spuren dieser Briefe finden sich weder in gedruckten „Close Rolls of the Reign of Henry III", noch in den MSS. der Close Rolls (PRO, signiert C. 53/. . .) selbst. Auch in der Sammlung verschiedener *membra disiecta* des PRO von *P. Chaplais* (Hrsg.), Treaty Rolls 1 (1955) findet sich kein Hinweis auf einen möglichen Fundort.

[102] Vgl. *Galbraith,* Introduction, S. 20.

[103] *Cheney,* Handbook of Dates, S. 19.

[104] Vgl. *Rymer* I, 1, S. 133 f.; ich zitiere hier mit der Seiten- und Zeilenzahl von CM, um den Vergleich zwischen Rymer, CM und RB zu ermöglichen.

[105] Die Lesart „Ostensem" zeigt, daß es sich bei CM und RB wohl nicht um zufällig parallel entstandene Fehler handelt. Daß drei englische MSS. diese Lesart haben, deutet entschieden auf eine gemeinsame Vorlage hin.

- Rymer hat richtig „Qualiter ad multam instantiam ... contra nos inconsulto calore *processerit*“ (vgl. CM 4, S. 65 Z. 29) gegen den Schreibfehler „precellent“ in RB.
- Rymer hat richtig „praedictos excellentiae nostrae *bannitos*“ mit RB gegen die falsche Lesart „inimicos“ in CM (4, S. 66 Z. 32).

Da es völlig unwahrscheinlich ist, daß Rymer hier aus den Chronica majora und dem damals ungedruckten Red Book emendierte, ergibt sich die oben ausgeführte Hypothese als die einzig überzeugende Möglichkeit, die mutmaßliche Vorlage von Rymers Druck textgeschichtlich einzuordnen.

Am Ende dieser Erläuterungen zur Verbreitung der erörterten Briefe in England und zu dem daraus gewonnenen Entwurf eines Stemma steht also die Bestätigung der Vermutung, daß Matthaeus Paris Zugang zu Exchequer-Materialien hatte, deren Form („Exchequer-Schedarium“) jedoch komplexer ist, als bisher angenommen wurde.

Wir müssen uns nun der zweiten Gruppe von ebenfalls vier Briefen zuwenden, die im Red Book (fol. 176^{v}–179^{v}) auf den erwähnten englisch-schottischen Vertrag und den Brief des Schottenkönigs Wilhelm I. folgen: BF 3551, 3579, 3495, 3541 [106]. Dabei sind im Red Book die beiden späteren Briefe zuerst eingetragen (BF 3551, 3579), und auch in den Chronica majora stehen beide unmittelbar hintereinander. Dies könnte ein Indiz für eine gemeinsame Überlieferung beider Stücke sein, doch sprechen andere Argumente dagegen, zunächst der Zeitabstand von über vier Monaten, der eine getrennte Expedition beider Briefe annehmen läßt. Wenn man die erhaltenen Versionen im Exchequer-Buch und bei Matthaeus Paris gegenüberstellt, ergibt sich, daß der Brief Walters von Ocra BF 3579, geschrieben nach dem 25. Juli 1246, bis auf die Schreibweise einer größeren Anzahl von – in England fremden – Eigennamen in beiden MSS. völlig textgleich überliefert ist. Auch rein kopistenbedingte Varianten sind nach Zahl und Bedeutung minimal, so daß wohl hier eine sehr nahe gemeinsame Vorlage anzunehmen ist. Bei dem kaiserlichen Schreiben BF 3551 liegen die Verhältnisse anders, wie gleich darzustellen sein wird. Der Brief berichtet über die (vermutlich päpstlich beeinflußte) Verschwörung gegen den Kaiser im Jahre 1246, in die vier kaiserliche Beamte verstrickt waren [107]. Dieselben Namen erscheinen auch in Walter von Ocras mehrere Monate späterem Brief, der die Eroberung der von den Abtrünnigen bis in den Sommer 1246 gehaltenen Burg von Capaccio zum Inhalt hat. Dieser sachliche Zusammenhang dürfte zu der ansonsten auf Zufall beruhenden identischen Abfolge beider Briefe in RB und CM geführt haben.

Die beiden Abschriften von BF 3551 weisen nämlich im Gegensatz zu dem

[106] Vgl. die Aufstellung oben S. 63.

[107] Es handelte sich um Tebaldus Franciscus, Jakob v. Morra, Pandulph v. Fasanella und Wilhelm v. S. Severino. Ausführliche Darstellung bei *Kantorowicz*, Kaiser Friedrich II., S. 577–580 und Erg. Bd., S. 235–238, 298–302.

Brief Walters von Ocra eine erhebliche Zahl von Varianten auf. Im allgemeinen handelt es sich dabei um typische Kopistenfehler, wobei ein Vergleich mit PdV II 10 zeigt, daß in den meisten Fällen (aber nicht immer) der Text, der den Weg in das Red Book gefunden hat, der fehlerhafte ist. Ein eindeutiger Kopierfehler, den beide englischen MSS. gemeinsam hätten und der so auf eine gemeinsame Vorlage schließen ließe, fällt im Vergleich mit dem PdV-Text nicht auf [108]. Hierzu nur einige Beispiele (sie stellen im übrigen nicht die Grundlage der nachfolgenden Argumente dar):

CM 4, S. 570 Z. 18 „ex *ipsorum* manibus" (RB: impiorum)
Z. 24 f. „quos laesa conscientia *stimulabat*" (RB: famulabat)
S. 572 Z. 20 f. „tanto sunt factae divitiae *largiores*" (RB: longiores)

In diesen Fällen wird der Text von CM durch PdV gestützt.
Anders bei dem folgenden Zitat:

CM 4, S. 572 Z. 3–6 „Ne ... omissum forte *credas* nostrum propositum vel aliquatenus *praetermissum*"
RB fol. 176^{v} „Ne ... omissum forte *credatis* nostrum esse propositum vel aliquatenus *intermissum*"
PdV „... *fore credatis — — — intermissum*".

Das Wort „fore" aus „forte" gelesen scheint bei PdV die Position des Infinitivs „esse" von RB innezuhaben. Im übrigen ergibt sich hier, daß RB die Stelle richtig überliefert hat. Der Lesartenvergleich führt insgesamt bisher zu dem Ergebnis, daß keiner der beiden Texte jeweils vom anderen abhängig sein kann. Dies wird noch zu beachten sein.

Die bemerkenswerteste Abweichung der verschiedenen Versionen findet sich am Schluß des Briefes.

CM 4, S. 574 Z. 18–575 Z. 3	RB fol. 177^{rv}	PdV II 10
... ultra *quinque* milia de rebellibus ipsis per fideles nostros captos carcer noster includit.	... ultra *quinque* milia de rebellibus ipsis per fideles nostros captos carcer noster includit.	... ultra *decem* millia de rebellibus ipsis, per fideles nostros captos, carcer noster includit.
Quae *omnia* tibi significamus ad gaudium, quem probabiliter credimus, *immo* scimus, nobis in adversitatibus compati, et in prosperitate successuum congaudere.	Quae tibi significamus ad gaudium, quem probabiliter credimus, *nunc* scimus, nobis in *nostris* adversitatibus compati, et in prosperitate successuum congaudere.	Nec tamen his terminis, nostram & *vestram* claudi laetitiam, prosperae fortunae *felicitas,* & nostrae justitiae debit*um per*miserunt. Octavo namque decimo die praesentis

[108] Wenn RB fol. 176^{r} und CM 4, S. 570 Z. 25 schreiben „una cum aliis sociis et *participibus*", während PdV „principibus" gibt, liegt der Fehler nicht bei den englischen MSS., sondern in der Vinea-Überlieferung, zumal sich noch in den großen 6-teiligen Sammlungen „participibus" findet (Mitteilung H. M. Schaller).

Nec tamen his terminis nostram et *tuam* claudi laetitiam prosperae fortunae *fertilitas* et nostrae justitiae debit*ae pro*miserunt; octavo decimo namque praesentis mensis Aprilis, civitas Capuacii, *qua* versus terram munitio cingebatur, celeriter ac viriliter extitit expugnata per fideles nostros regnicolas, ad infidelium necem, ob vindicandam non magis nostr*orum* quam ipsorum nativae regionis injuriam,	Datum Salerni xv. Aprilis, iiii indictione.	mensis Aprilis, civitas (a) Capuacii, *cujus* versus terram munitio *circum*cingebatur, (b) celeriter & viriliter extitit expugnata (c) per fideles nostros regnicolas, ad infidelium necem, ob vindicandam non magis nostr*am*, quam ipsorum nativae regionis injuriam, *& gentis* (d) *opprobrium*
rabie quadam furoris accensos; quo factum est, ut sic *prope,* sic undique nostra potentia pertingat obsessos, quin potius carceratos, ut *ab ultionis nostrae judicio* sola se valeant spontane*i* gladii morte subducere, vel excelsae rupis ex parte maritimae praecipitio liberare.		rabie quadam furoris accensos. Quo*d* factum est, ut sic *prospere,* sic undique nostra potentia pertingat obsessos, quin potius carceratos *detineat,* (e) ut sola se valeant spontane*a* gladii morte subducere, vel excelsae rupis ex parte maritimae precipitio liberare.
Datum Salerni xv. Aprilis, iv. indictione.		[Quae (f) vobis significamus ad gaudium, quos probabiliter credimus, imo scimus, nobis in nostris adversitatibus compati, & in prosperitatibus successuum congaudere.]
PdV *lectiones variae:* (a) castrum (b) circiter angebatur (c) expugnatum	(d) grande (e) *deest* (f) *quae – congaudere:* deest in einigen MSS.;	die lectiones bei PdV sind für diesen Satz hier nicht angegeben.

Dieser Spaltenvergleich führt zu überraschenden Konsequenzen. Um die Beschreibung zu vereinfachen, sollen zunächst die einzelnen Textteile wie folgt mit Buchstabensymbolen bezeichnet werden:

Q „. . . ultra – includit" Y „Nec – liberare"
X „Quae – congaudere" Z „Datum – indictione".

Danach ist der Text in den verschiedenen Fassungen so aufgebaut:

CM: QXYZ RB: QXZ PdV: QYX.

Teil Y, der in RB fehlt, ist also nicht in England, oder gar von Matthaeus Paris selbst angefügt worden, denn er ist in PdV II 10 ebenfalls enthalten. Y ist aber auch nicht vom Schreiber von RB oder dessen Vorlage weggelassen worden. Der Kopist hätte mit Y genau den Block ausgelassen, der sich bei PdV an anderer Stelle des Briefes eingeschoben befindet, nämlich vor X. Dies wäre ein so großer Zufall, daß eine andere Erklärung viel wahrscheinlicher ist: von der kaiserlichen Kanzlei gingen zwei Fassungen aus, von denen die eine den Weg in das Red Book, die andere in die Chronik von Matthaeus Paris fand.

Weiter verwundert, daß im Teil Y, der über die Eroberung der Stadt Capaccio berichtet, für diese Ereignisse das Datum 18. April genannt wird, während der Brief selbst (Z) mit dem 15. April datiert ist [109]. Da in RB dieser Teil fehlt, tritt das Paradox nicht auf, und bei PdV tritt die Unvereinbarkeit durch das Fehlen der Datierung am Ende ebenfalls nicht in Erscheinung. Ist es denkbar, daß in der kaiserlichen Kanzlei dieser Fehler bei der Ausfertigung unterlaufen wäre? Eine versehentliche Falschdatierung ist natürlich nicht mit der letzten Gewißheit auszuschließen, wäre aber bei einer expedierten Originalausfertigung doch äußerst unwahrscheinlich: der Kanzlist hätte einfach vom Kanzlei-Register oder Konzept abgeschrieben, hätte sich nicht des Tages versichert, und außerdem hätte der Diktator des „nachgeschobenen“ Teils Y diesen Irrtum nicht bemerkt. Schon in den „Regesta Imperii“ wird hierzu die Vermutung ausgedrückt, daß das Schreiben stückweise abgefaßt, und der Teil Y nachträglich hinzugefügt sei. Die Überlieferung ohne Y in RB war damals unbekannt. Konnte in BF noch geäußert werden, das Datum in CM sei zu verbessern, so ist dies jetzt nicht mehr möglich, da der Brief in RB ja ebenfalls das Datum des 15. April trägt.

Um die widersprüchliche Form und Zusammensetzung von BF 3551 bei Matthaeus Paris erklären zu können, ist es zunächst notwendig, von der Vorstellung einer reinen Empfängerüberlieferung abzugehen. Nur die in RB überlieferte Version beruht auf einer expedierten Briefausfertigung [110]. Die Fassung bei Matthaeus Paris geht dagegen auf Materialien der kaiserlichen Kanzlei zurück; der Zusatz Y mit dem Bericht über die Eroberung der Stadt Capaccio ist diesen Materialien später als der ursprüngliche Brief selbst hinzugefügt worden. Für eine „inoffizielle“ Kopie, die also auf den kopialen Materialien der kaiserlichen

[109] Die Stadt wurde im April 1246 erobert, die Burg erst im Juli; vgl. die Lit. bei A. 107.

[110] RB hat die volle Intitulatio und Inscriptio: „Frethericus dei gratia Romanorum Imperator semper Augustus Ierosolimarum et Scicilie rex Illustri Regi Anglorum H. dilecto sororio suo salutem et sincere dilectionis affectum“. CM 4, S. 570: „Frethericus etc. regi A. etc. salutem“ kann in dieser Form auch vom Chronisten ergänzt sein. Matthaeus schreibt nämlich unmittelbar vor der Abschrift des Briefes, das Schreiben sei an Heinrich III. und Richard von Cornwall gegangen, eine Information, die aus der Adresse des Briefes in keinem Fall zu entnehmen wäre.

Kanzlei beruhte, bei der die Einhaltung der Datierungsformalitäten unwichtig war, wurden die inhomogenen Bestandteile miteinander verbunden. Diese Hypothese wird auch dadurch gestützt, daß die Lesarten in RB und CM keinen gemeinsamen Überlieferungsweg des Briefes nahelegen. Erklärungsbedürftig bleibt, wie die von Matthaeus Paris abgeschriebene Version nach England kam. Es gibt hier eigentlich nur die eine sinnvolle Annahme, daß dies durch einen mit der Kanzlei in Verbindung stehenden Englandreisenden geschah, insbesondere durch einen Angehörigen des kaiserlichen Beamtenpersonals in einer Eigenschaft als Gesandter oder Bote. Dies wird im einzelnen noch in einem späteren Kapitel zu prüfen sein.

Die beiden letzten kaiserlichen Schreiben aus dem Red Book sind die berühmten Manifeste BF 3495 und 3541, mit denen der Kaiser auf die Lyoner Absetzungssentenz reagierte. Im Red Book folgen beide unmittelbar aufeinander, während sie in Matthaeus' Chronik voneinander getrennt sind. Das undatierte BF 3541 ist in den Chronica majora dem Jahre 1245 zugeordnet, während der durch den Schluß „Datum Taurini pridie [kalendas] Augusti iii. indictione" eindeutig auf 1245 datierbare Brief BF 3495 von Matthaeus Paris in die Erzählung des Jahres 1246 eingebettet wurde. Die Datierung von BF 3541 ist auch nicht aus anderer Quelle bekannt, so daß innere Merkmale zu ihrer Erschließung herangezogen werden müssen. BF datierte den Brief auf den Beginn des Jahres 1246, weil darin von einem bevorstehenden Vermittlungsversuch des französischen Königs im kaiserlich-päpstlichen Streit und vom kommenden Frühling die Rede sei [111]. Dieser bereits von Winkelmann [112] angezweifelte Datierungsversuch ist vollends unannehmbar geworden, seit sich durch die Arbeiten von Berger und J. Kempf herausstellte, daß eine bei Matthaeus Paris angedeutete – in BF offensichtlich als historisch vorausgesetzte – zweite Unterredung zwischen Ludwig IX. und Innozenz IV. nach der Begegnung in Cluny von Ende November 1245 nicht stattgefunden hat [113]. Auf der Grundlage dieser Feststellung beschrieb P. Herde den Zusammenhang zwischen BF 3495 und 3541 und dem kurialen Pamphlet „Eger cui lenia" BF 7584, das sich mit der Argumentation beider kaiserlicher Manifeste auseinandersetzt [114]. Die Entstehung dieser Antwort ist demnach spä-

[111] CM 4, S. 477: „Quantis viribus quot virorum, qualiter instructorum ad bella in hoc ipso vere quod instat, omnes illos, qui modo nos opprimunt, opprimere posse speremus ...". Der Hinweis auf den nächsten Frühling, d. h. die dann beginnende Feldzugssaison, erlaubt nicht die Datierung auf einen bestimmten Monat jenes Herbstes oder Winters, weil alles letztlich davon abhängt, wie nahe ein Zeitpunkt sein muß, um das Wort „instare" benutzen zu können.

[112] *Winkelmann,* Acta 2 Nr. 46, S. 51.

[113] *E. Berger,* Saint Louis et Innocent IV (1893), S. 161; dasselbe in *Berger* (Hrsg.), Les Registres d'Innocent IV, Bd. 2 (1887); *J. Kempf,* Geschichte des deutschen Reiches während des großen Interregnums 1245–1273 (1893), S. 269–273. *Schnith,* England, S. 113 und A. 280 macht dies nicht deutlich.

[114] Winkelmann hat bei seinen Ergänzungen zu BF 7584 bereits Fickers Datierung

ter als die kaiserlichen Sendschreiben anzusetzen; und da die in BF 3541 apostrophierte Vermittlung „per magnos mediatores" auf das Treffen zwischen Ludwig IX. und dem Papst in Cluny zu beziehen ist, muß die Abfassung dieses Briefes etwa um jene Zeit angenommen werden.

Die zwei Briefe BF 3495/3541 sind demnach jeweils um ein halbes bzw. dreiviertel Jahr eher versandt worden als die im Red Book vorausgehenden BF 3551 und 3579 (Frühjahr bzw. Sommer 1246). Das bedeutet, daß die Eintragung von BF 3495 und 3541 erst nach dem Eintreffen von BF 3579 in England, also frühestens im Herbst 1246 erfolgt sein kann. Diese Umstände sprechen wohl dagegen, der in das Red Book eingebundenen Sammlung eine Art Einlaufregister-Funktion zuschreiben zu wollen.

Die Überlieferungslage ist bei beiden Briefen recht unübersichtlich, so daß einem Textvergleich zwischen CM und RB einige Bemerkungen vorausgehen müssen. Der Text von „Etsi causae" (BF 3495) liegt mehrfach gedruckt vor, wobei die MGH-Ausgabe durch Spaltendruck drei Textklassen trennt [115]. Winkelmann [116] legte dem Druck eine auf der Vinea-Sammlung und ähnlichen MSS. (Ausfertigung an den König von Frankreich, Weilands Klasse B) basierende Textfassung zugrunde, die von allen englischen Texten so sehr unterschieden ist, daß nicht mehr von Ausfertigungen einunddesselben Schreibens gesprochen werden kann [117]. Die zweite große Gruppe stellen die als Ausfertigung an den englischen Klerus und Adel inskribierten MSS. dar (Weilands Klasse A) [118]:

1. Matthaeus Paris, CM 4, S. 538–544.
2. Chronica de Mailros (Melrose), hrsg. v. *Stevenson* (1835) S. 171–176; Faksimileausgabe durch *Anderson* (1936); MG SS 28, S. 441 gibt nur Incipit und Explicit.

von BF 3541 vermutungsweise korrigiert. *P. Herde,* Ein Pamphlet der päpstlichen Kurie gegen Kaiser Friedrich II. von 1245/46 (‚Eger cui lenia'), in: DA 23 (1967), S. 489 konnte daraufhin BF 7584 auf Ende 1245 datieren. In dem in Lyon begonnenen Briefbuch des Albert von Behaim stehen als erste Einträge die beiden Kaiserbriefe „Etsi causae" (BF 3495) und „Illos felices" (BF 3541), gefolgt von „Eger cui lenia" (BF 7584). Auf Herdes Argumentation, das Pamphlet BF 7584 sei als päpstliches Original nie ausgefertigt, kann ich hier nicht eingehen. Im Hinblick auf die Briefe bei Matthaeus Paris muß aber angemerkt werden, daß die DA 23, S. 487 gegebene (wenn auch dort nicht ausschlaggebende) Begründung für die Wahrscheinlichkeit der Nichtausfertigung, daß es nämlich auch Matthaeus Paris unbekannt geblieben sei, nicht verwendbar ist. Abgesehen von den üblichen Unwägbarkeiten eines *argumentum e silentio,* die Herde auch betont, hat sich herausgestellt, daß Matthaeus nicht, wie Herde meinte, sonst zu allen wichtigen Schreiben Zugang gehabt hatte. Wie am Beispiel von RB und den bei Rymer gedruckten Stücken zu sehen ist, fehlen bei Matthaeus gelegentlich auch Stücke, die mit Sicherheit in England in Umlauf waren.

[115] MG Const. 2 Nr. 262, S. 360–366.

[116] *Winkelmann,* Acta 2 Nr. 43, S. 44–47.

[117] Der Brief an den französischen König bei PdV = BF 3510.

[118] Nr. 1–5 entsprechen Weilands Numerierung A 1–A 5.

3. Albert Behaim, hrsg. v. *Höfler,* S. 81–85 aus clm 2574 b.
4.5. Paris BN lat. 2954 und Vat. Pal. lat. 953, beide fragmentarisch ohne Anfang und Ende.
6. RB fol. 177^{v}–179^{r}.

In MG Const. 2 ist zwar ein ausführlicher Fußnotenapparat enthalten, doch ist dieser zur Herstellung einer MSS. Filiation nur bedingt verwendbar. Bei Albert Behaim griff Weiland nämlich nicht auf das MS. zurück, sondern gibt die Varianten nach Höflers Ausgabe des Briefbuchs. Wie schon Folz vermutete [119], ohne dies anhand von Alberts Autograph zu verifizieren, hat Höfler für den Druck des Behaim-Briefbuchs auch Iselins Vinea-Ausgabe herangezogen und daraus „emendiert", ohne dies anzugeben. Sowohl bei BF 3495 als auch bei BF 3541 mußte ich feststellen, daß zwischen PdV und Behaim von den Lesarten her oft kein Zusammenhang besteht, wie er durch Höflers Editionsweise fälschlich entstehen muß [120]. In MG Const. 2 ist ferner der zur A-Klasse gehörende RB-Text nicht verwertet. Zwar hat Huillard-Bréholles das von letzterem abhängige Hargrave MS. 313 benutzt, doch gibt Huillard-Bréholles hier einen besonders schlechten, für Fragen der Textkritik völlig unbrauchbaren Druck [121], der auf PdV, weiteren ähnlichen französischen MSS., Matthaeus Paris und Hargrave 313 beruht und dabei die Unterschiede ohne Kennzeichnung einebnet. Die Erstellung eines wirklich kritischen Textes wäre also zweifellos wünschenswert, kann aber in diesem Rahmen nicht unternommen werden. Im Hinblick auf Matthaeus Paris ist jedoch die MSS.-Deszendenz innerhalb der A-Klasse zu klären. Nach einer Kollation aus Drucken und MSS. der A-Klasse ergab sich das folgende Stemma, wobei der später versandte Brief an den französischen König BF 3510, wie er aus PdV I 3 bekannt ist, unberücksichtigt bleibt.

[119] *A. Folz,* Kaiser Friedrich II. und Papst Innozenz IV., Ihr Kampf in den Jahren 1244 und 1245 (1905), Beilage II, S. 153–155. Folz ging aber Höfler selbst auf den Leim bei seinem Beispiel 1 auf S. 154, wo er mit dem Exordium einsetzt: „Etsi causae nostrae justitiam vulgaris famae praeloquium et *regiorum* veridica . . ."; PdV gibt statt „regiorum" die Variante „multorum"; die englischen Fassungen und Behaim MS. haben „regiorum" (Ausnahme: CM „regionum"), was von Höfler im Druck stillschweigend durch die PdV-Lesung „multorum" ersetzt wurde.

[120] Peter Herde, Würzburg, bereitet eine Neuedition von Alberts Briefbuch für die MGH vor. Ich danke Prof. Herde, der mir die Gelegenheit gab, Behaims eigenen Text anhand von Fotografien von clm 2574 b zu überprüfen, und der mir Materialien seiner entstehenden Edition zugänglich machte.

[121] HB 6, S. 332–337.

Stemma BF 3495 in der Ausfertigung an den englischen Klerus und Adel:

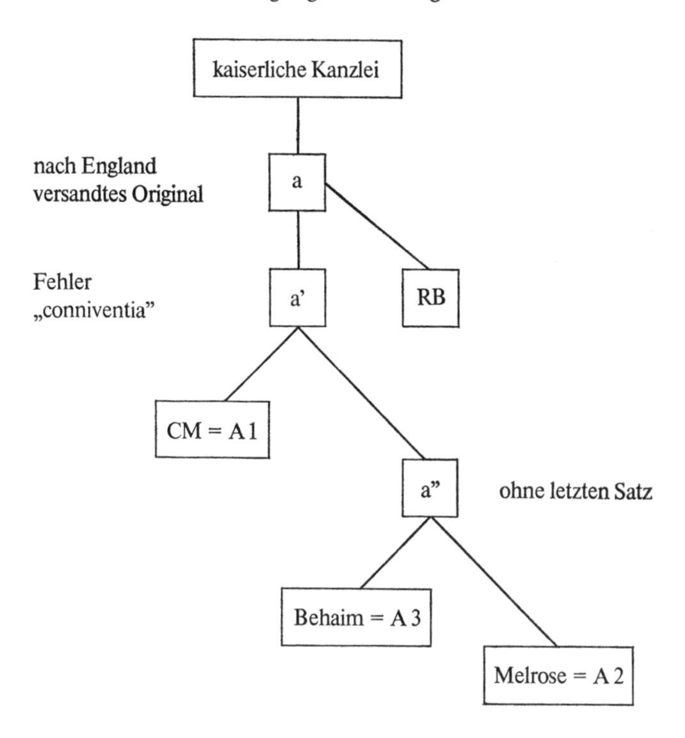

Diese Anordnung gründet sich auf die folgenden Beobachtungen:

- CM und RB haben keine erkennbare falsche Lesart gemeinsam; jedes MS. hat für sich einige Lesarten, die eine Abhängigkeit des einen Textes vom anderen ausschließen [122]. Besonders deutlich zeigt sich das Verhältnis beider MSS. zueinander anhand der folgenden Stelle:

CM 4, S. 539 Z. 1–10 = MG Const. 2, S. 361 Z. 43–S. 362 Z. 9

Ad cujus inspectionem plenariam et attentam, a tot temporibus et diebus nostris (a) negotiis *deputatos* (b) unum sufficiens tempus et diem nobis affectio vestra concedat, quo si licuerit *attente* (c) consilia vestra recte considerent, si fuerit in pontificibus nostris pontificalis rectitudinis zelus; si nobis tot et *tantis*	(a) PdV, RB: vestris (b) PdV, RB: deputatis (c) PdV: diligenter attendere; RB, Melrose, Behaim: diligenter attento

[122] CM 4, S. 538 Z. 28 f. hat „Segnius irritant animum demissa per aurem, Quam quae sunt oculis *demissa* fidelibus", während RB und alle anderen MSS. beim zweitenmal „subjecta" schreiben. Bei der Stelle CM 4, S. 539 Z. 21 „quod transferre pro libito possit *imperia*" fehlt in RB das letzte Wort.

Bei dem nachfolgenden Textvergleich sind die angegebenen Lesarten aus *Iselin*, PdV keineswegs vollständig.

(d) injuriis lacessitus (e) justa *debeat* (f) defensio denegari; si *demum* (g) Christi vicarii Christi vices impleverint, et si praedecessori Petri successores ejusdem imitentur exemplum.

(d) PdV: tantis, RB: tantas
(e) PdV: lacessitis; RB: lacerctas
(f) PdV, RB: debuerit aut debeat
(g) PdV: demum; RB: domum

– Auch eine direkte gemeinsame Vorlage von CM und RB ist ausgeschlossen, da CM, Behaim und Melrose (A 1, A 2, A 3) den folgenden Fehler gemeinsam haben:

CM 4, S. 542 Z. 9–12 = MG Const. 2, S. 364, Sp. AC, Z. 22–27

non expectato etiam magistro Walterio de Ocra, capellano, notario, et fideli nostro, qui de *conniventia* (a) summi Pontificis et quorundam de fratribus ad nos missus, . . .

(a) Behaim, Melrose: conniventia; RB: convenientia[123]

Man wird hinter dem gehäuften Auftreten der hier sinnlosen *lectio difficilior* „conniventia“ eine gemeinsame Vorlage vermuten müssen. Es ist unwahrscheinlich, daß es sich etwa um zufällig gleiche parallel entstandene Kopierfehler handeln könnte, da der Fehler konzentriert in den englischen Überlieferungen auftaucht. Matthaeus Paris gibt übrigens in seinem autographen MS. B am Rande neben „conniventia“ von eigener Hand die *lectio* „vel convenientia“, die in der Abschrift vom Kopisten des MS. C dann in den Text übernommen wird. Die von Matthaeus benutzte Vorlage hat also entweder beide Lesungen zugelassen, oder Matthaeus hat den sinnentstellenden Fehler selbst erkannt. A 2 und A 3 haben beide allein „conniventia“, und in beiden MSS. ist dies die paläographisch einzig mögliche Lesung.

– Bei A 2 und A 3 fehlt jeweils der letzte Satz, der den Überbringer Chalbaot in England beglaubigt. Im übrigen ist aus dem Lesartenapparat bei Weiland das Verhältnis von A 2 und A 3 nicht ganz eindeutig rekonstruierbar, was am Editionszustand beider für die MGH-Ausgabe benutzter gedruckter Texte liegt[124]. Ein Textvergleich anhand der MSS. ergab, daß mit großer Wahrscheinlichkeit keine der beiden Fassungen oder deren Derivate für die andere als Vorlage zu betrachten ist. Es ist also eine beiden gemeinsame Vorlage anzunehmen, wobei die Möglichkeit weiterer Zwischenstufen zwischen a' und A 2 bzw. A 3 bei der Erstellung des Stemma außer acht gelassen wurde.

[123] HB gibt ebenfalls „convenientia“, vermutlich aus Hargrave 313, da diese Stelle im PdV-Brief fehlt.

[124] Die Edition der Chronik von Melrose durch Stevenson ist nicht ohne Mängel, vgl. *Graves* Nr. 2824, so daß für Lesartenvergleiche die Faksimile-Ausgabe von *Anderson* (1936) heranzuziehen ist. Über den Zustand von Höflers Behaim-Druck vgl. oben S. 80.

Daß die in England vorgefundenen Kopien der A-Klasse mit der Inskription an den englischen Klerus und Adel (auf eine verlorene Ausfertigung zurückgehend) erhalten sind, fällt nicht weiter auf, wohl aber die Tatsache, daß auch bei Albert Behaim diese Adresse am Anfang steht. Die Frage, wie der Passauer Erzdiakon, der sich 1245/6 in Lyon aufhielt, in den Besitz dieses Textes kam, ist bisher unbeantwortet [125]. Aufgrund des Lesartenbefundes ist es wahrscheinlich, daß der in Lyon zur Verfügung stehende Text über England dorthin gelangt war. Nachdem a als die mutmaßliche Vorlage für das Red Book im Umkreis des Exchequer zu suchen ist, scheint auch der nach Lyon gelangte Text aus dieser Quelle gespeist.

Wie Matthaeus Paris zu dem Schreiben Zugang erhielt, läßt sich durch den Textbefund nicht darstellen. Der einzige Anhaltspunkt ist die Einordnung des richtig datierten Stückes zum Jahre 1246. Es erscheint damit etwa 70 Druckseiten nach dem mehrere Monate später geschriebenen BF 3541, während in RB die chronologische Reihenfolge beider Briefe gewahrt ist. Matthaeus hat möglicherweise also erst Kenntnis von dem Briefe erhalten, als er seine Darstellung der Ereignisse des Jahres (die 1246/7 abgefaßt wurde) bereits abgeschlossen hatte, so daß er deshalb BF 3495 zu 1246 nachtrug [126]. Als eine Gelegenheit zur Besorgung des Schriftstücks käme vielleicht das Magnatenkonzil in Westminster im Herbst 1247 in Frage, bei dem der Chronist selbst anwesend war [127].

Wir kommen damit zu dem Schreiben BF 3541 „Illos felices“, in dem Friedrich II. sich noch grundsätzlicher als in dem vorangegangenen mit Innozenz IV. auseinandersetzt. Die Überlieferungslage ist hierbei noch undurchsichtiger als bei dem vorigen Stück. Wenn man die Vinea-Überlieferung (PdV I 2) wieder außer Betracht läßt, sind folgende Texte zu berücksichtigen:

1. Matthaeus Paris, CM 4, S. 475–477.
2. RB fol. 179^{rv}.
3. Walter von Guisborough (Hemingburgh), hrsg. v. *Rothwell* [128] (1957), S. 179–181.
4. Albert Behaim, hrsg. v. *Höfler*, S. 79–81.

Der Druck bei Huillard-Bréholles ist wieder nicht benutzbar. Zum Vergleich heranzuziehen ist Winkelmann, der sich für seine Lesarten aus Albert auf das MS. stützt [129]. Die MSS. nennen als Adressaten „omnibus regibus et principibus

[125] Albert Behaim begann die Anlage seines Briefbuchs 1246 im Kreise der Kanzlisten Rainers von Viterbo, vgl. *Herde*, DA 23, S. 503–506.

[126] Angesichts der eindeutigen Datierung des Briefs bei Matthaeus Paris ist dies wohl eine plausiblere Hypothese als *Schnith*, England, S. 111 („irrtümlich zu 1246“) vorschlägt; der Bezug von BF 3495 auf die Absetzungssentenz war auch für die Zeitgenossen erkennbar.

[127] CM 4, S. 644 f.; der König forderte den Chronisten damals auf, das von ihm Miterlebte in seinem Werk festzuhalten.

[128] Hier ist auch die Edition von *Hamilton* (1848) zum Vergleich verwendbar, Bd. 1, S. 296–299, obwohl erst Rothwell die MSS. sauber klassifiziert hat.

[129] *Winkelmann*, Acta 2 Nr. 46, S. 49–51; dort ist zwar das Behaim MS. benutzt,

per universam christianitatem constitutis . . .", nur Matthaeus weicht ab mit „regi Angliae etc.". Da die folgende Kollation aber den unbestreitbaren Zusammenhang zwischen CM und anderen Überlieferungen zeigt, bleibt als Erklärung nur übrig, daß die Veränderung der Adresse auf Matthaeus Paris selbst zurückgeht. Besonders deutlich zeigt sich das Verhältnis der MSS. zueinander im Exordium des Manifests.

CM 4, S. 475

Illos felices describit antiquitas, quibus ex alieno praestatur cautela periculo. Status *enim* (a) sequentis (b) *firmatur* (c) ex principio praecedentis. Et ut impressionem cera recipit ex sigillo, sic humanae vitae formatur *mortalitas* (d) ab exemplo. Hanc utinam (e) felicitatem *vestra* (f) serenitas (g) anticipasset (h); et qua (i) cautelae sollertia (j) vobis, o Christiani reges (k), ex nostrae majestatis nimia laesione relinquimus, nobis (l) *potius* (m) alii (n) reges et principes laesi humiliter (o) reliquissent.

(a) RB, Guis., PdV, Behaim: namque
(b) PdV: sequens
(c) RB, Guis., PdV (richtig): formatur; Behaim: firmatur[130]
(d) RB, Guis.: mortalitas; PdV, Behaim: moralitas (welches allein sinnvoll)[130]
(e) RB: vitam
(f) RB, Guis., Behaim MS., PdV: nostra
(g) RB: severitas
(h) CM MS. B in marg.: vel praeoptasset; RB, Guis., Behaim MS.[131]: praeoptasset; PdV: praegustasset
(i) RB: qua; Guis., Behaim: quam; PdV: ut
(j) RB, Guis., Behaim, PdV: solertiam; PdV ins.: quam
(k) PdV ins.: et principes
(l) RB: vobis
(m) PdV, Behaim: potius; RB, Guis.: prius
(n) PdV: Christiani
(o) RB: humiliter; Guis., Behaim: similiter[132]; PdV *deest*

aber die Lesungen sind nicht unbedingt zuverlässig, vgl. S. 49 Z. 50 „precipicio" – Behaim ist hier wie alle anderen MSS. auch als „principio" zu lesen.

[130] Prof. Schaller macht mich darauf aufmerksam, daß diese Falschlesungen auch anderswo in der Überlieferung wiederkehren; es handelt sich schließlich um naheliegende Lesarten für einen Kopisten, der sich nicht um Verständnis des Textes bemüht. (So findet sich z. B. in BL Harley 325, einer kleinen 6-teiligen PdV-Sammlung, fol. 210v in PdV I 2 die Lesart „mortalitas", aber bei der Korrektur expungiert.) Es finden sich beide Lesarten in Wilhering 60/Wien 590, vgl. unten S. 128 und A. 29; zwischen diesen MSS. und der englischen Überlieferung besteht allerdings ein im einzelnen noch zu klärender Zusammenhang. Auf jeden Fall kann das gehäufte Auftreten dieser Lesarten in England in den Einzelüberlieferungen nicht auf den Zufällen von Kopistenirrtümern beruhen.

Anzumerken ist ferner, daß auch Vat. Pal. lat. 953, das Briefbuch Rainers von Viterbo, diese Lesarten bietet.

[131] *Höfler*, S. 79 hat hier gegen das MS. aus PdV „praegustasset" „emendiert".

[132] Hamilton vermerkt, daß eines der Guisborough MSS. hier „humiliter" gibt – zu

Der Lesartenvergleich zeigt durch gemeinsame Varianten, daß sich RB und Guisborough nahestehen [133]. An anderen Stellen des Briefes beweisen Auslassungen sowie eigentümliche Versionen, daß beide Textformen nicht gegenseitig voneinander abhängen können, sondern auf eine gemeinsame Vorlage zurückgehen [134]. Matthaeus Paris hat zwar an einigen Stellen gegenüber solchen Fehlern, die RB und Guisborough gemeinsam sind, den ursprünglichen Text [135], doch enthält CM auch eine Reihe von verderbten Lesarten [136], die bei den anderen nicht vorgefunden werden. Der am wenigsten durch solche Mängel beeinträchtigte Text steht bei Albert Behaim; dessen Fassung läßt sich hier nicht stemmatisch in die englischen MSS. einordnen. Nur eine (bei Behaim eindeutige) Lesart macht zunächst stutzig (c) [137], doch wenn man hieraus einen Zusammenhang zwischen Behaim und CM erkennen will, so würde dies wegen der Variantenverteilung im Vergleich mit (d) die Annahme erfordern, daß die erhaltenen Abschriften auf Überlieferungskontamination zurückgehen – eine Behauptung, die man auf diese eine

fragen ist allerdings, ob es sich dabei tatsächlich um eine Lesart handelt. Wenn das „s" mit langem Schaft geschrieben ist, sind beide Wörter vom Schriftbild unter Umständen nicht zu unterscheiden.

[133] Vgl. *lectio* (m); ein ähnliches Beispiel CM 4, S. 476 Z. 22 „se *praebent* obnoxios"; hier haben RB und Guis. „praestent"; ebenso CM 4, S. 477 Z. 29 „*modicis* rebus contenti" – RB und Guis. haben „mediocribus". Der Vergleich mit PdV zeigt jedesmal, daß CM die korrekte Form gibt.

Ähnlich auch CM 4, S. 476 Z. 23 f. „tanto non solum manus, sed etiam *cubitos avidius* apprehendunt"; dagegen RB: „sed pedes cupidos avidius"; Guis. „sed etiam pedes avidius"; PdV „sed etiam manus & cubitos avidius". Offenbar hat bereits der Kopist der Vorlage von RB und Guis. das Wort „cubitus" nicht verstanden; vgl. *Du Cange*, s. v. cubitus = versura, flexus.

[134] Z. B. Guis., hrsg. v. *Rothwell*, S. 180 Z. 19 f.: „O. O. O. si vere credulitatis simplicitas a scribarum et phariseorum fermento"; ähnlich auch RB, dagegen CM 4, S. 476 Z. 9 f.: „O si vestrae . . .". Anschließend fehlt dann bei RB der bemerkenswerte Satz: „Apud vos Christiani mendicant, ut apud nos Paterini manducent". Auch Guis. hat Auslassungen, besonders auffallend vgl. CM 4, S. 476 Z. 30–477 Z. 4 „Quid – machinetur", vgl. Guis. hrsg. v. *Rothwell*, S. 181 A. 1.

[135] Vgl. oben A. 133.

[136] Vgl. *lectiones* (h), (j); weitere Beispiele: CM 4, S. 475 Z. 18 f. „donatorum" nur bei Matthaeus Paris; CM 4, S. 476 Z. 19 f.: „Sic de vestris *decimis et* elemosinis . . ." hat Matthaeus die hervorgehobenen Worte interpoliert. Ferner CM 4, S. 476 Z. 30 f.: „Quid super *imperatione* conceperimus *obligando*", während RB gleichlautend mit PdV richtiger gibt: „quid super imperatore conceperimus eligendo"; Guis. *deest.*
Ein weiterer Fehler bei Matthaeus Paris CM 4, S. 476 Z. 13 f.: „quas honestas et pudor prohibet *recitare*"; Guis. ebenfalls verderbt „quas honestas et pudor affari nos prohibet in presenti"; auch PdV entstellt: „quas inhonestas & pudor prohibet nos effari"; RB „quas honestas et pudor prohibet nos affari" erscheint richtig. An diesem Beispiel zeigt sich, wie verwickelt, schwer entscheidbar und manchmal sogar unentscheidbar die Überlieferungslage ist.

[137] Für dies und das Folgende: *lectiones* (c), (d), (m), vgl. oben S. 84.

Lesart sicher nicht gründen wird. Außerdem war bekanntermaßen „Illos felices“ in Frankreich verbreitet [138], so daß nicht anzunehmen ist, daß Behaim hier auf dem Umweg über England an den Text kam. Der CM, RB und Guisborough gemeinsame sinnentstellende Fehler (d) – er kann kaum ein zufälliger Parallelfehler sein, denn er kommt in allen drei englischen Überlieferungsformen vor – läßt auf einen gemeinsamen Hyparchetyp schließen. Die Filiation stellt sich demnach wie folgt dar:

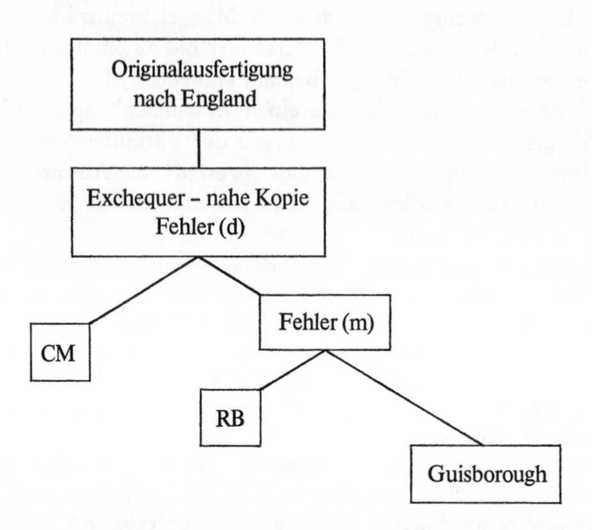

Bei der Bedeutung des Schreibens als „Reformmanifest“ gegen die Kirche [139] ist ein breites Interesse in England nicht verwunderlich; dort herrschte seit den Jahren Gregors IX. Unwillen vor allem gegen die Steuereinhebungspraktiken der Kurie in England [140]. Bei Matthaeus Paris ist „Illos felices“ unmittelbar im Anschluß an die päpstliche Absetzungsbulle und die Konstitutionen von Lyon sowie vor dem (gekürzten) Brief Potth. 11873 an das Generalkapitel der Zisterzienser eingereiht. Die Überlieferungsumstände der Lyoner Konzilstexte bei Matthaeus Paris (siehe dazu die Darstellung im VIII. Kapitel) sprechen aber dagegen, daß Matthaeus bereits eine dossierartige Sammlung erhielt. Die Zusammenstellung der Dokumente über das Lyoner Konzil geht auf ihn selbst zurück.

[138] O. *Vehse,* Die amtliche Propaganda in der Staatskunst Kaiser Friedrichs II. (1929), S. 199.

[139] Vgl. *Vehse,* S. 114 f., 179 f.

[140] Vgl. oben S. 61 A. 74; *L. Dehio,* Innozenz IV. und England (1913), S. 4–7; *Lunt,* Financial Relations, S. 206 ff. Schon 1240 brachte der englische Adel Klagen gegen die Kurie vor, CM 4, S. 39–43 = *Powicke/Cheney,* Councils and Synods II, pt. 1, S. 288–292. 1245/46 wurde erneut Beschwerde geführt, ebd., S. 391–397; die Dokumente waren auch Matthaeus Paris bekannt, CM 4, 441–444, 527 f.

An dieser Stelle ist auch erneut das Problem des Übermittlungswegs der kaiserlichen Schreiben berührt. Ob die Exchequer-Beamten die Originalausfertigungen zur Abschrift erhielten, ist bei BF 3541 wie bei allen anderen Kaiserbriefen des Red Book letztlich nicht endgültig beweisbar. Denkbar wäre auch, daß der Exchequer im einen oder anderen Fall selbst nur der Empfänger von bereits in England hergestellten Kopien gewesen sein könnte, und daß die Verteilungsfunktion anderswo lag. Es wäre nicht völlig von der Hand zu weisen, daß Kleriker etwa am Rande einer Reichsversammlung die Kopien herstellten oder daß z. B. die erzbischöfliche Kanzlei die Vervielfältigung übernommen haben könnte. Für die letztere Annahme spräche, daß die beiden kaiserlichen Manifeste des Jahres 1245 in England noch in anderen monastischen Überlieferungsformen erscheinen: BF 3541 in der Chronik des Augustinerpriorats Guisborough, BF 3495 in der Chronik des schottischen Zisterzienserklosters Melrose. Gegen die Annahme von kirchlichen Instanzen als primären Schaltstellen spricht allerdings, daß BF 3495, wie aus dem letzten Satz in CM und RB hervorgeht, von dem kaiserlichen Boten Chalbaot nach England gebracht wurde; es ist wohl anzunehmen, daß dieser sich – zumal zu jenem Zeitpunkt – mit seinen Mitteilungen zunächst an die weltlichen Großen Englands wandte.

Wenn bei der Abwägung aller denkbaren Möglichkeiten doch nur Wahrscheinlichkeitsüberlegungen zugunsten einer Exchequer-nahen Berührungsstelle den Ausschlag geben können, dann spiegelt sich darin auch eine bei der Erforschung mittelalterlichen Briefguts typische Schwierigkeit: die weitaus meisten Originale sind verloren, da sie ja im Gegensatz etwa zu einer Chronik (die als Codex einen Wertgegenstand darstellte) nach einiger Zeit für den mittelalterlichen Besitzer oft keinen Wert mehr besaßen und unbeachtet zugrunde gingen [141]. Meist ist es nicht möglich, den Text des Originals nach den in Briefbüchern vorgefundenen bearbeiteten (und oft kontaminierten) Überlieferungen zweifelsfrei zu rekonstruieren. Um so wertvoller sind für die Erforschung dieses Schriftguts jene relativ seltenen Fälle, bei denen man wie hier (besonders im Fall der „Verergruppe" von CM und RB) den Originalen gleichsam zum Greifen nahe kommt [142].

Die Untersuchung der Abhängigkeitsverhältnisse der Kaiserbriefe bei RB und CM hat insgesamt immerhin erbracht, daß in den verschiedenen Fällen zwar unterschiedliche Umstände vorliegen, daß diese sich aber zumeist mit einiger Genauigkeit beschreiben lassen. Die bisherige *communis opinio*, Matthaeus Paris habe sich *die* bzw. *eine* Vorform von RB zunutze gemacht, muß damit einer differenzierteren Betrachtungsweise weichen, die vor allem die Existenz von nicht näher bestimmbaren schedenförmigen Zwischenstufen, aber auch andere Um-

[141] Vgl. auch die Bemerkungen von *R. Schieffer* und *H. M. Schaller*, Briefe und Briefsammlungen als Editionsaufgabe, in: Mittelalterliche Textüberlieferungen und ihre kritische Aufarbeitung (1976), S. 60–70; aus der Sicht des früheren Mittelalters *H. Hoffmann*, Zur mittelalterlichen Brieftechnik, in: FS Braubach (1964), S. 149 f.

[142] Vergleichbares entdeckte Schaller bei Richard von San Germano, der Briefe über den Abt von Monte Cassino bezog.

stände, in Rechnung stellen muß. Ferner erbrachten die Kollationsbefunde, daß in einigen Fällen Matthaeus Paris einen verderbten Text bietet; die Änderungen sind dabei zum Teil auf die tendenziösen Absichten des Chronisten zurückzuführen. In der Gegenüberstellung mit RB und weiteren Überlieferungen ist es aber fast stets möglich, so zu emendieren, daß auf dem Weg über Matthaeus Paris ein kritischer Editionstext erstellt werden könnte. Schließlich ist angesichts der generellen Überlieferungslage für die Briefe Friedrichs II. noch einmal ausdrücklich hervorzuheben, daß der Verlauf der Untersuchung ganz nahe an die Originale herangeführt hat. Es hat sich gezeigt, daß der Chronist nicht aus Briefsammlungen, also in aller Regel bearbeiteten Textformen, schöpfte, sondern – in einigen Fällen feststellbar – einen nur durch eine oder zwei Abschriften vom Original entfernten und nicht durch Kanzleibedürfnisse (Formularbehelfe, Register etc.) veränderten Text bietet.

Schließlich sind noch die weiteren Überschneidungen zwischen CM und RB zu behandeln. Der bekannte Brief Bischof Grossetestes von Lincoln an „magister Innocentius", einen Namensvetter und Schreiber des Papstes, aus dem Jahre 1253 [143] ist in beiden MSS. jeweils mit einigen Umstellungen überliefert. Bei der großen Zahl von bekannten MSS. dieses Briefes und der weiten Verbreitung ist es von vornherein wenig wahrscheinlich, daß Matthaeus sich hier Exchequer-Materials bediente, und auch ein Textvergleich liefert hierfür wenig Anhaltspunkte. Allerdings wurde hier nicht die gesamte Überlieferung miteinbezogen, was angesichts des Zustands der Edition der Grosseteste-Briefe umfangreiche Untersuchungen erfordern würde. Auch zu der von A. L. Smith ausgelösten Echtheitsdiskussion kann hier nicht Stellung genommen werden. Einige Indizien sprechen indes dafür, daß die Verbreitung dieses Briefes von Lincoln ihren Ausgang nahm. So sind nach den Angaben Luards, der die Grosseteste-Briefe edierte, in den MSS. gewöhnlich die Pfründenprovision (in England) Innozenz' IV. für einen italienischen Neffen und die darauf gerichtete Antwort durch Robert Grosseteste zusammen enthalten [144]. Abgesehen davon liegt das, wenn auch exempte, St. Albans im Gebiet der Diözese Lincoln, behandelt der Brief einen kirchenrechtlichen Vorgang von allgemeinem Interesse in England, und muß von daher die leichte Beschaffbarkeit des Briefes durch den Chronisten angenommen werden, wie dies die große Zahl von MSS. dieses Briefes außerhalb der eigentlichen Grosseteste-Briefsammlung nahelegt.

Bei der Exkommunikationsdrohung „sententia lata" 1253 [145] gegen die Miß-

[143] Vgl. oben S. 50 und A. 26; RB fol. 179v–180r; CM 5, S. 389–392; weitere Abschriften in den MSS. von Matthaeus Paris HA 3, S. 140–144, LA fol. 117v. Die Meinung von *A. L. Smith,* Church and State in the Middle Ages (1913), S. 110 f., der Brief sei womöglich gefälscht, erweist sich schon wegen der breiten zeitgenössischen MSS.-Überlieferung als nicht haltbar.

[144] Der Brief Innozenz' IV. z. B. in LA fol. 117r = CM 6 Nr. 115, S. 229–231; auch bei *Luard* (Hrsg.), Roberti Grosseteste ... Epistolae, S. 432 f. A. 1.

[145] CM 5, S. 376 f.; RB fol. 184r.

achtung von Bestimmungen der Magna Carta haben CM und RB sehr ähnliche Texte, doch dürfte die „Sententia lata" nach ihrer Promulgation durch den Erzbischof von Canterbury vor den Magnaten des englischen Königsreichs auf getrennten Wegen an die verschiedenen Empfänger gelangt sein. Die beiden kurzen Beschreibungen im Red Book [146] (an anderer Stelle des Buches) über die Krönung von Heinrichs III. Frau Eleonore im Jahr 1236 und die Hochzeit von deren Tochter Margaret mit dem Schottenkönig Alexander II. Ende 1251 sind nach Hall [147] ebenfalls bei Matthaeus Paris in kürzerer bzw. im zweiten Fall in ausführlicherer Form vorhanden [148]. Zur Beschreibung der Krönung Eleonores vermerkt Matthaeus sogar ausdrücklich in einer Marginalrubrik, die Darstellung sei noch vollständiger im Exchequer zu finden [149]. Gerade die Formulierung „in consuetudinario" bei dieser Notiz, im „Buch der Gewohnheiten", läßt an eine, damals bekannte, Sammlung des Exchequer, und zwar in geschlossener Form (Buch oder Hefte) denken. Es scheint auf den ersten Blick, als ob hier endlich zu zeigen wäre, daß Matthaeus Paris womöglich doch das Red Book gekannt und vielleicht selbst in die Hand genommen hat. Doch im Red Book sind der Bericht über die Krönung der Eleonore und der folgende über die Hochzeit der Margaret (Weihnachten 1251/2) in derselben Hand, mit einer Tinte und ohne Unterbrechung geschrieben, also frühestens 1252, so daß aus chronologischen Gründen eine Benutzung des Red Book durch Matthaeus hier ebenfalls nicht in Frage kommt.

Dennoch scheint diese Bemerkung auf eine Kenntnis einer wie immer gearteten Sammlung des Exchequer hinzuweisen; es könnte sich um eine Vorstufe unseres Red Book handeln, von der aus in den erhaltenen Codex transsumiert wurde. Da aber gleichzeitig bereits erste Teile des Red Book bestanden, zumindest in einzelnen Lagen, wie die sukzessive Eintragung der Papst- und Kaiserbriefe zeigt, scheint im Exchequer ein Nebeneinander verschiedener zum Red Book führender Textstufen bestanden zu haben. Und unsere Untersuchung über das Verhältnis zwischen Matthaeus Paris und dem Exchequer hat auch an diesem letzten Beispiel mehr neue Fragen aufgeworfen als alte beantwortet.

[146] RB fol. 232r.

[147] *Hall* 1, S. CXVIII.

[148] CM 3, S. 337–339; 5, S. 266–270.

[149] CM 3, S. 338 *in marg.:* „Haec omnia in consuetudinario Scaccarii melius et plenius reperientur".

IV. Matthaeus Paris und Richard von Cornwall

1. Die Beziehungen Richards von Cornwall zu St. Albans und dem Chronisten

Eine weitere augenscheinlich zusammenhängende Gruppe in der Chronik stellen fünf Briefe Kaiser Friedrichs II. an Richard von Cornwall, den Bruder des englischen Königs, dar. In der Literatur sind die engen Beziehungen zwischen Richard und dem Kloster St. Albans und auch dem Chronisten Matthaeus Paris mehrfach betont worden. Richard Vaughan nannte den Grafen von Cornwall einen der Hauptinformanten des Chronisten [1], und es erscheint gerechtfertigt, auch die Überlieferung der fünf Briefe des Kaisers in diesen Zusammenhang zu stellen und zum Anlaß für eine nähere Überprüfung der Beziehungen zwischen Richard und Matthaeus zu nehmen.

Einen Aufenthalt des Grafen im Kloster St. Albans erwähnt die Chronik für den Zeitraum bis 1250 nur einmal: vor dem Beginn seines Kreuzzuges kam Richard im Frühjahr 1240 nach St. Albans, um am Grab des Märtyrers zu beten [2]. Darin wird man wohl nicht nur Ehrfurcht vor dem Heiligen zu sehen haben, sondern auch eine gewachsene Beziehung zwischen Richard von Cornwall und der Benediktinerabtei. Matthaeus reiht diesen Bericht nicht nur gegen Anfang des Jahres 1240 ein, sondern erinnert daran im folgenden Jahr, während der Schilderung von Richards Erlebnissen auf der Reise, noch einmal ganz ausdrücklich [3]. Auch vom Itinerar her ist Richards Anwesenheit in St. Albans außer diesem einen Mal vor dem Antritt seines Kreuzzuges während des gesamten Zeitraums von 1235 und 1250 niemals belegt [4]. Doch klaffen in Richards Itinerar mehrfach Lücken von jeweils etlichen Monaten, und außerdem war es von seinen Besitzungen im Westen und Nordwesten Londons (Wallingford, Isleworth, Berkhamstead) [5] nicht weit ins Zentrum von Hertfordshire nach St. Albans. Die

[1] *Vaughan*, Matthew Paris, S. 13.

[2] CM 4, S. 43; möglicherweise hielt sich Richard von Cornwall öfters in St. Albans auf, ohne daß dies aus den Quellen ersichtlich ist.

[3] CM 4, S. 146.

[4] Die urkundlichen Aufstellungen bei BF geben nicht das vollständige bekannte Material; mehr Angaben zum Itinerar bei *F. R. Lewis*, Richard, Earl of Cornwall, King of the Romans (1257–1272), (masch. M. A. Diss. 1934), S. 439–453.

[5] *Denholm-Young*, Richard of Cornwall (1947), S. 165, 168, 170. So könnte der Bericht über Richards Gründung des Zisterzienserklosters Hayles, Glos., CM 4, S.

bekannten späteren Kontakte zwischen Richard oder Mitgliedern seines Haushaltes und den Mönchen von St. Albans [6] können hier nicht mit in Betracht gezogen werden, da Matthaeus seine Chronik bis 1250 bereits kurz nach dem Ende jenes Jahres abgeschlossen hatte.

Auch der prominente Platz, den der Chronist dem Grafen Richard innerhalb seiner Aufzeichnungen zur innerenglischen Geschichte einräumte, kann nicht unmittelbar zum Beweis eines häufigen direkten Kontaktes verwandt werden, denn die herausgehobene Stellung Richards geht nicht vorrangig auf den Blickwinkel des Chronisten zurück, sondern entspricht auch der tatsächlichen politischen Bedeutung dieses nach dem König wichtigsten Mannes in England [7]. Matthaeus' Wissen über Richards Politik, auch Aussagen wie jene über Richards deutliche Verärgerung angesichts König Heinrichs Expedition nach Poitou und in die Gascogne 1242/3, müssen sich nicht zwingend auf ein persönliches Gespräch stützen.

Über den Ablauf der Ereignisse während Richards eineinhalbjähriger Reise ins Heilige Land hat Matthaeus nach Vaughans Urteil ohne Zweifel von Richard von Cornwall selbst erfahren. Dafür sprechen die teilweise sehr detaillierte Beschreibung [8] der Reiseroute und die Art, in welcher Richard in den Mittelpunkt gerückt ist: insbesondere bei einer Gelegenheit wie Richards vergeblichem Vermittlungsversuch zwischen Kaiser und Papst [9], von dem ja nicht jedermann wissen konnte. Auch in der einem Augenzeugenbericht ähnlichen Schilderung eines Festaufzugs in Cremona, bei dem unter anderem ein Elefant vorgeführt wurde [10], spiegeln sich unmittelbare Eindrücke. Neben einer persönlichen Erzählung durch den Hauptbeteiligten dürften sich möglicherweise auch fortlaufende Notizen eines der Mitreisenden vermuten lassen, von denen Matthaeus Paris später Gebrauch machte; denn einen Großteil der Erzählung nehmen die äußeren Umstände der Reise ein, die Reiseroute, während politische Motive und Aktivitäten zeitweilig in den Hintergrund treten [11].

An dieser Stelle ist auf einen Aspekt von Matthaeus' kartographischer Arbeit

562 f., 569 zu 1246 auf eine unmittelbare Erzählung zurückgehen. 1247 bezahlte das Kloster St. Albans eine Kreuzzugsabgabe an Richard, CM 6, S. 138.

[6] Richard war 1251 bei der Einweihung des von ihm gestifteten Klosters Hayles; dorthin war auch Matthaeus Paris zu den Feiern gekommen, CM 5, S. 262. Das Itinerar bei Lewis weist ferner einen Aufenthalt Richards in St. Albans am 9./10. September 1254 nach.

[7] Dies zeigt schon der Blick in andere zeitgenössische Quellen, z. B. die Klosterchroniken in Ann. mon.; auch moderne Darstellungen (Powicke, Denholm-Young) betonen die herausgehobene Stellung Richards.

[8] CM 4, S. 44–47, 71, 79 f., 138–148, 167, 177–180.

[9] CM 4, S. 147 f.

[10] CM 4, S. 167.

[11] Zu Richards Kreuzzug: *R. Röhricht,* Die Kreuzzüge des Grafen Theobald von Navarra und Richard von Cornwallis nach dem heiligen Lande, in: FDG 26 (1886),

hinzuweisen. Matthaeus hat allen seinen großen historischen MSS. einen „Kartenteil" beigegeben [12]. Das in vier Formen erhaltene Itinerar von London nach Italien weist ebenso wie die Kartendarstellungen des Heiligen Landes auf eine Verbindung des Chronisten zu einem Reisenden hin, der den Mittelmeerraum selbst besucht hatte. Die in den Zeichnungen angegebenen Reiserouten, Tagesetappen, die Lokalisierung der Städte haben bereits eine eingehende Untersuchung erfahren [13], ohne daß es dabei gelungen wäre, für diese Itinerarkarten ein Stemma zu erstellen, ihre Herkunft zu klären oder die von Matthaeus Paris benutzten Quellen zu beschreiben. Sowohl Vaughan als auch G. B. Parks betonen ausdrücklich, daß die Frage noch völlig ungeklärt sei, inwieweit sich Matthaeus bei seinen Itinerarkarten irgendwelcher Vorlagen bediente [14]. Ebenso vertreten beide die Auffassung, daß für die Herstellung der Reisekarten ein konkreter Anlaß zu suchen ist: Parks zeigt sich überzeugt, ohne dafür einen Beweis zu erbringen, daß die Aufzeichnungen von einem Italienreisenden diktiert oder sogar selbst angefertigt wurden. Vaughan weist auf eine denkbare Beziehung zu dem 1253 von Papst Innozenz IV. an Richard von Cornwall gemachten Angebot hin, mit der sizilischen Krone belehnt zu werden; dies könnte man aus einer noch zu erörternden Bemerkung des Chronisten in einer der Itinerarkarten entnehmen [15].

Es wird einleuchten, daß dieser hier angedeutete Zusammenhang unter dem Gesichtspunkt eines Kontaktes zwischen Matthaeus Paris und Richard von Cornwall einer genaueren Betrachtung wert ist. Dabei fallen folgende Tatsachen ins Gewicht:

1. Die Legenden der Itinerare sind in Matthaeus' eigener Handschrift geschrieben, und weitere Anzeichen (z. B. die typische Einrahmung von Städtenamen mit Wellenlinien, wie Matthaeus auch sonst bei Rubriken es machte) sprechen ebenfalls für seine Urheberschaft bei den Zeichnungen.

S. 67–102; *Denholm-Young*, Richard of Cornwall, S. 40–44; *S. Painter*, in: *K. Setton* (Hrsg.), A History of the Crusades 2 (2. Aufl. 1969), S. 463–485.

[12] Vgl. *Vaughan*, Matthew Paris, S. 235–250 zu Matthaeus als Kartographen; eine Liste aller seiner Karten dort S. 241 f.; die MSS. A, B, R haben jeweils ein Itinerar von London bis Italien, eine Palästinakarte und eine Zeichnung Großbritanniens (letztere in A offenbar verloren). Die Legenden sind, vgl. *Vaughan*, Matthew Paris, S. 238, sämtlich in Matthaeus' eigener Hand geschrieben und untermauern – zusammen mit der Tatsache, daß keine Karte der anderen gleicht und jeweils Veränderungen vorgenommen wurden – die Theorie, daß Matthaeus auch der Zeichner war.

[13] *F. Ludwig*, Untersuchungen über die Reise- und Marschgeschwindigkeit im XII. und XIII. Jahrhundert (1897), S. 122–129; *Parks*, The English Traveler to Italy 1 (1954), S. 179–185.

[14] *Vaughan*, Matthew Paris, S. 238 f.; *Parks*, S. 179 stellt die Singularität dieser Itinerare in England heraus.

[15] Das Angebot an Richard: CM 5, S. 346 f.; zu der Bemerkung von Matthaeus auf der Itinerarkarte vgl. unten S. 93.

2. Die MSS. A, B, R und LA enthalten jeweils ein solches Itinerar [16]. Die Reihenfolge der Herstellung dieser Itinerare ist nicht lückenlos geklärt, doch hat Vaughan wahrscheinlich gemacht [17], daß die Zeichnung in LA als eine nachgeordnete Fassung zu betrachten ist. Dort ist der durch Süditalien führende Teil an das eigentlich nur bis Rom reichende Itinerar in gleicher Art hinzugefügt, während die anderen MSS. in einem deutlich vom eigentlichen – bis Rom reichenden – Itinerar abgesetzten Diagramm den Weg nach Apulien fortsetzen.

3. Parks hat diesen Apulien-Teil anhand von R eingehend untersucht [18] und darauf hingewiesen, daß das Apulien-Diagramm nicht als Streckenkarte gezeichnet ist, sondern klar erkennbar etwa für den Abschnitt von Foggia nach Süden die Umrisse der Küste zeigen will. Es ist also möglicherweise damit zu rechnen, daß beide Teile unterschiedlichen Quellen entstammen.

4. Daß ein Itinerar London–Rom in seiner ursprünglichen Form nur den Zwekken eines englischen Reisenden gedient haben kann, bedarf keiner Erläuterung; unterstrichen wird dieser erkennbare praktische Zweck auch dadurch, daß die Legenden alle in der französischen (anglo-normannischen) Sprache geschrieben sind, also dem Idiom der in England heimisch gewordenen normannischen Oberschicht.

5. An zwei Stellen finden sich Hinweise auf eine mögliche Beteiligung Richards von Cornwall, wie schon Vaughan darstellt [19]: die Landung Richards in Trapani 1241 bei der Rückkehr aus dem Heiligen Land wird außer in der Chronik auch in einer Skizze Siziliens vermerkt, und in das Apuliendiagramm findet sich senkrecht eingeschrieben der Hinweis, daß der Papst im Jahre 1253 dem Grafen Richard dieses Reich anbot [20].

6. Vaughan argumentierte [21], daß der Wortlaut dieser Anmerkung darauf schließen lasse, damals sei der Papst (Innozenz IV.) bereits tot gewesen, diese Karte sei also frühestens 1254 entstanden. Parks benutzte im Gegenteil die ausdrücklich genannte Jahreszahl 1253 als Indiz dafür, das Itinerar sei in jenem Jahr entstanden [22]. An anderer Stelle weist Vaughan zu Recht darauf hin, die Karten

[16] Wenn Matthaeus den Kartenvorspann in ähnlicher Form mehreren MSS. voranstellte, dann wird auch die Absicht des Chronisten deutlich: dem Benutzer die Orientierung zu erleichtern. Ferner unterstreicht dies den Bestand von eindeutig getrennten Codices im Bewußtsein von Matthaeus Paris.

[17] *Vaughan,* Matthew Paris, S. 242, 248.

[18] *Parks,* S. 182; die Zeichnung MS. R fol. 5ʳ abgebildet bei *Parks,* Tafel 8 b.

[19] *Vaughan,* Matthew Paris, S. 239; CM 4, S. 144 f. Richards Ankunft in Trapani 1241.

[20] MS. R fol. 5ʳ.

[21] *Vaughan,* Matthew Paris, S. 248.

[22] *Parks,* S. 180 A. 1.

seien nach Ausweis der Eigentümlichkeiten der Schrift „relativ spät" in Matthaeus' Leben entstanden, um 1245 [23].

7. Ein paläographischer Vergleich ergibt, daß diese letzte Datierungshypothese auch für das Itinerar in R richtig sein dürfte. Die dortigen Legenden erscheinen früher geschrieben als der Anfang der in R folgenden, um 1250 begonnenen Historia Anglorum [24].

8. Der Hinweis auf das dem Grafen Richard 1253 gemachte Angebot in R ist später in die Zeichnung eingefügt. Bei der geringen Textmenge ist dies zwar paläographisch schwer zu beweisen; es ergibt sich aber schon daraus, daß diese Notiz senkrecht in die Zeichnung eingetragen ist, weil nur so der benötigte Raum zur Verfügung stand.

Alle diese Umstände – Herstellung des Itinerars vor 1250, anglo-normannische Sprache der Notizen, Verbindung der Karte in Matthaeus' Bewußtsein mit Richard von Cornwall, sprechen dafür, daß bei Richard oder seinem Umkreis zumindest für den Süditalienteil die Quelle zu suchen ist. Dies würde auch die Vermutung einer nach 1242 erneuerten Beziehung Richards zu den Mönchen von St. Albans erhärten.

Nur einer Kuriosität verdanken wir einen weiteren Hinweis auf eine tatsächlich enge Verbindung Richards zu dem Kloster, die wohl nur durch einen Besuch nach dem Kreuzzug zu erklären ist. Im Spätmittelalter ist eine Kapelle der schon bei Matthaeus Paris erwähnten St. Peterskirche im Ort St. Albans unter dem Namen „Cornwall Chapel" bekannt gewesen. Diese Kapelle – wahrscheinlich an der Westseite der Kirche – war dem Heiligen Kreuz geweiht [25]. Zwar fehlt ein ausdrücklicher Bezug auf den Grafen Richard, und der Lokalhistoriker Morgan schreibt sogar: „Cornwall was no doubt the name of the founder of the Chapel, but I have not been able to find any record of him" [26]. Morgan dachte dabei (sein Saxon Genitive „Cornwall's Chapel" an einer Stelle ist nur so zu verstehen) offenbar an einen bürgerlichen Familiennamen; und hier mußte ihn seine Hauptquelle – Testamente des 15. Jahrhunderts – freilich im Stich lassen. Doch zitiert er selbst aus der letzten Verfügung eines John Purchas aus dem Jahre 1459, der sich zur Grabstätte einen Platz wünschte „near the Chapel of the Cross, called the Rood of Cornwaile" [27]. Der Zusammenhang zwischen dem Namen „Corn-

[23] *Vaughan,* Matthew Paris, S. 242.

[24] R. Vaughan teilt mir mit (27. 6. 1978), daß er die Karten für vor 1250 geschrieben hält und meine Ansicht einer späteren Einfügung der senkrechten Legende teilt.

[25] *W. Carey Morgan,* St. Peter's Church, St. Albans, in: St. Albans and Hertfordshire Architectural and Archaeological Society. Transactions N. S. 1, pt. 2, für 1897 & 1898 (1899), S. 135–173; vgl. S. 136–139.

[26] *Morgan,* S. 137.

[27] Das Wort „rood" bedeutet das Kreuz (Christi), oder einen Teil desselben, der als Reliquie verehrt wurde (vgl. Holyrood Palace, Edinburgh). Das Mitbringen von

wall" und der Kreuzzugsreliquie ist also unbestreitbar, und es kann niemand anders gemeint sein als der Graf Richard. Merkwürdig ist allerdings, daß die Chroniken diese für St. Albans bedeutsame Tatsache nirgends festhalten, während sonst sogar die vergleichsweise unbedeutende Tatsache erwähnt ist, daß in der Peterskirche um 1258 eine Anachoretin hauste [28]. Einen sicheren Beleg für das Alter des Namens „Cornwall Chapel" gibt es also nicht, lediglich eine gewisse Plausibilität, daß die Reliquie als Dank bald nach dem Kreuzzug nach St. Albans gelangte – da ja Richard dort auch vor seiner Reise gewesen war und sich unter den Schutz des Heiligen Albanus gestellt hatte.

Der eigentliche Zweck dieser Erforschung der Bindungen zwischen Richard von Cornwall und St. Albans – eine Erhellung der Umstände, unter denen Matthaeus Paris das auf Richard zurückgehende Material seiner Chronik erhielt – kann vielleicht noch auf einem anderen Weg verfolgt werden: zwar sind die zweifellos einst vorhandenen schriftlichen Aufzeichnungen aus Richards Haushalt in England allesamt verloren, doch ist aus anderen Quellen der Haushalt Richards mit seinen Besitzungen und Bediensteten, Lehensabhängigen und Klerikern verhältnismäßig gut dokumentiert [29]. Es lassen sich über mehrere Jahrzehnte Kleriker in Richards Dienst nachweisen, und ein an die Kurie gesandter Beauftragter war sicher auch in der Lage, Schriftverkehr zu führen [30]. Daneben verfügte Richard über eine Reihe weiterer enger Vertrauter, die ihm als *treasurer, steward* etc. dienten, oder die er, wie Robert Twenge [31], als Verhandlungspartner zu Friedrich II. entsenden konnte.

Spuren einer eigenen Kanzlei (im Sinne eines stetigen geordneten Geschäftsgangs) gibt es nicht, trotz der allgemein hohen Schriftlichkeit der Verwaltung in England [32]. Auf seinem Kreuzzug scheint Richard nicht über entsprechendes

vermeintlichen Holzsplittern des Kreuzes Christi war schon während des 1. Kreuzzuges zur Mode geworden, die sich lange fortsetzte. Die Hl. Blut-Reliquie von Hayles hat eine andere Geschichte, vgl. *Denholm-Young*, Richard of Cornwall, S. 174.

[28] Gesta Abbatum 1, S. 388.

[29] *Denholm-Young*, Richard of Cornwall, *passim.*

[30] Richard hatte 1246 einen Prokurator in Rom, vgl. ebd., S. 52, 57 A. 2.

[31] Ebd., S. 42.

[32] Der Hinweis bei *Denholm-Young*, The Cursus in England, in: FS Salter (1934), S. 84 = *Denholm-Young*, Collected Papers (2. Aufl. 1969), S. 56: „The large and highly organized household of Earl Richard [1969: Richmond!] of Cornwall included a secretarial staff at whose head was a prothonotary, and the earl's letters frequently betray the expert touch", ist irreführend und bezieht sich offensichtlich auf Richards Reichskanzlei unter Protonotar Arnold von Holland nach 1257, vgl. *Denholm-Young*, Richard of Cornwall, S. 95 f.

Es gibt erhaltene Briefe Richards in England, auch Originale, doch ist die Frage unentscheidbar, ob sie in einer Reichsbehörde oder durch eigene Schreiber des Grafen gefertigt wurden. Drei Originale bei *P. Chaplais* (Hrsg.), Diplomatic Documents vol. I 1101–1272 (1964) Nr. 166, 181, 218, die alle in der künstlichen Dokumentenklasse der

Kanzleipersonal verfügt zu haben, denn seinen 1241 auf der Rückkehr in Trapani geschriebenen Brief [33] ließ er offensichtlich von einem einheimischen Diktator abfassen. Wie Kantorowicz anmerkt [34], ist der Text weitgehend rhythmisiert, so daß nur ein des *cursus* Mächtiger als Verfasser in Frage kommt. In England selbst hatte sich die Beherrschung dieses Stilmittels damals noch nicht durchgesetzt, wobei Matthaeus Paris' (literarische) Verwendung des *cursus* eine Ausnahme darstellt. Im Verlaufe dieser Untersuchung werden sich noch Anzeichen für die Existenz eines Briefbuchs oder einer wie immer gearteten Sammlung in der Umgebung Richards ergeben, doch beim Stand der Dinge ist es unmöglich festzustellen, ob sich im Haushalt Richards ein ständiger Kanzlist befunden hat. Es ist also auch ungewiß, ob der Einlauf an Schriftstücken generell in ein Briefbuch oder eine ähnliche kopiale Aufbewahrungsart einging; damit stellt sich die Frage, ob nicht Matthaeus Paris bei den an Richard von Cornwall adressierten Kaiserbriefen zumindest in einigen Fällen die Originale benutzt hat. Diese Hypothese gründet sich auf die folgenden Beobachtungen:

– Die fünf an Richard von Cornwall gesandten und bei Matthaeus Paris erhaltenen Kaiserbiefe finden sich sämtlich in keiner weiteren englischen MS.-Überlieferung – weder archivalisch, noch in Chroniken. Es scheinen demnach keine Abschriften zirkuliert worden zu sein, die etwa klösterlichen Chronisten andernorts in die Hände kamen. Dieses *argumentum e silentio* hat natürlich nur eine gewisse Plausibilität und ist für sich kein Beweis.
– Die fünf Briefe sind bei Matthaeus Paris alle mit kompletter Datierung überliefert, während die Datierungen bei den anderen, meist an Heinrich III. gerichteten – Kaiserbriefen im Rahmen der Chronik manchmal verkürzt wiedergegeben oder überhaupt weggelassen sind.
– An zwei Stellen gibt Matthaeus Auskunft über die äußere Beschaffenheit der Kaiserbriefe (BF 2291, 2431), erweckt also den Eindruck, selbst die Originale vor Augen gehabt zu haben.

Angesichts der Tatsache, daß bei allen fünf Briefen englische Paralleltexte fehlen, kann hier nicht im Wege des Textvergleichs festgestellt werden, ob Matthaeus ein nach England expediertes Schriftstück richtig wiedergegeben hat. Auch der Vergleich mit der Vinea-Sammlung erwies sich als wenig aussagekräftig.

Ancient Correspondence des PRO erhalten sind, so daß ihre Provenienz nicht erschließbar ist.

[33] CM 4, S. 138–144.

[34] *Kantorowicz,* MÖIG 51, S. 58 A. 47.

2. Briefe Friedrichs II. an Richard von Cornwall in den Chronica majora

Matthaeus Paris hat insgesamt fünf Briefe des Kaisers an seinen Schwager Richard von Cornwall, alle aus den Jahren 1237 bis 1245, in seine Chronik aufgenommen. Es handelt sich dabei um die nachstehenden Stücke:

BF	Incipit	HB	PdV	andere Drucke [35]	CM
2291	Quantae audaciae quantaeque	5, S. 132 – 134	II 50		3, S. 442 – 444
2312	Generalis terrae commoditas	5, S. 164 f.			3, S. 471 f.
2316	Rem iocundam et	5, S. 166 f.		Eingang zu Stilübung verwandt bei *Baerwald* (Hrsg.), Baumgartenberger Formelbuch, S. 220	3, S. 474 f.
2431	Levate in circuitu	5, S. 295 – 307	I 21	*Winkelmann,* Acta 2 Nr. 31, S. 29–36; MG Const. 2 Nr. 215, S. 290–299	3, S. 575 – 589
3460	Vox in Rama	6, S. 254 – 259		*Dupuy,* Hist. des Templiers, S. 152 – 155 (aus CM)	4, S. 300 – 305

Der Bericht über die Schlacht von Cortenuova (BF 2291) ist in Empfängerüberlieferung nur aus Matthaeus Paris bekannt; die in den Chronica majora vorhergehende Schilderung der Ereignisse aus Matthaeus' eigener Feder [36] hat diesen Brief bereits als Vorlage gehabt, wie Liebermann anhand einer fast gleichlautenden Formulierung feststellte [37]. Ein Textvergleich zwischen Matthaeus Paris und dem Vinea-Brief bei Iselin (II 50) ist hier nur von sehr eingeschränktem Wert, weil kein geeignetes *tertium comparationis* zur Verfügung steht. Die bei einem durchgeführten Vergleich dieser beiden Textformen zutage getretenen Varianten dürften in den allermeisten Fällen auf Bearbeitungen und Kopierfehler innerhalb der Vinea-Überlieferung zurückgehen. Nur in einigen wenigen Fällen scheint der Text bei Matthaeus Paris der fehlerhafte zu sein. Die einzigen Beurtei-

[35] Einige nicht in Drucken erfaßte MSS., die im folgenden noch erörtert werden, sind in dieser Aufstellung nicht enthalten.

[36] CM 3, S. 407–410.

[37] MG SS 28, S. 139 A. 5.

lungskriterien waren in diesem Fall die grammatische Richtigkeit und der Sinnzusammenhang [38, 39]. Auf dieser Grundlage ist es nicht sinnvoll, die Überlieferung des Briefes bei Matthaeus durch einen Lesartenvergleich darzustellen.

Manche Verschiedenheiten lassen sich auch ohne weiteres aus den Eigenheiten der Überlieferungsform erklären, so etwa der abweichende Schluß des Briefes. In der Ausfertigung an Richard von Cornwall wird am Ende der Empfänger noch einmal persönlich angesprochen („... quod tibi duximus intimandum"), während in der Briefsammlung ein anderer Schluß substituiert ist [40]. Nur ein Unterschied zwischen beiden Fassungen fällt wirklich ins Gewicht: die Schilderung des Kampfgeschehens bei Cortenuova enthält in CM einen ganzen Absatz mehr; diese in PdV nicht enthaltene Passage setzt mitten im Satz ein, der vorhergehende Nebensatz erscheint in unterschiedlicher Form. Theoretisch ist in diesem Fall von drei Möglichkeiten auszugehen:

- in PdV ist die Passage ausgelassen, obwohl sie in der entsprechenden Kanzleivorlage enthalten war;
- in PdV konnte die Passage nicht enthalten sein, weil sie im Konzept für diesen (möglicherweise auch an andere versandten) Brief nicht stand, und die detaillierten Angaben über den Verlauf der Schlacht zur Information des kaiserlichen Schwagers Richard eigens hinzugefügt worden waren;
- der Chronist Matthaeus Paris versuchte, den Brief auf seine Weise „auszuschmücken".

Daß die letztere Möglichkeit nicht ganz als hypothetisch von der Hand zu weisen ist, zeigt der von Matthaeus Paris diesem Brief um einige Seiten vorgeschaltete erzählende Abschnitt [41], in dem die Kampfhandlungen völlig faktenwidrig ausgemalt werden [42], so daß der Inhalt von BF 2291 dadurch weitgehend konterkariert wird [43]. Daher muß dieser Absatz genauer untersucht werden.

[38] Der Apparat von Liebermann ist hier nutzlos, da er lediglich auf Huillard-Bréholles zurückgeht, der seinerseits seinem Text als Leitfassung die Matthaeus Paris-Ausgabe von Wats zugrundelegte.

[39] Die einzigen eindeutig feststellbaren Fehler in CM sind die beiden von *Luard*, CM 3, S. 443 A. 1 und 2 bereits erkannten und emendierten Stellen.

[40] Der Schluß von PdV II 50 hat Ähnlichkeit mit dem Schluß des in gleicher Sache an den Erzbischof von York gerichteten Briefs BF 2293 = HB 5, S. 134 f.; im übrigen ist BF 2293 aber ganz anders formuliert und kürzer als PdV II 50. Über das Verhältnis zwischen diesen beiden Stücken und dem von der Sache (Cortenuova) ebenfalls verwandten PdV II 35 vgl. *W. Meyer,* Zur Korrespondenz Kaiser Friedrich des II., in: FDG 19 (1879), S. 76–80.

[41] CM 3, S. 407–410.

[42] Dies ergab der Vergleich des Briefes und der Erzählung durch *H. Oelrichs,* Untersuchung der Glaubwürdigkeit des Matthäus Parisiensis für die Jahre 1236–1241 ..., (masch. Diss. 1922), S. 26–30.

[43] M. E. geht dies auf den vermutlich von Heinrich von Huntingdon übernommenen Typus der fiktiven Schlachtenbeschreibung zurück, vgl. *H. Lamprecht,* Untersu-

PdV II 50	CM 3, S. 443 Z. 17–34
Et dum auxiliares acies,	et dum auxiliares acies,
& post eas nos cum nostrorum	et post eas nos cum nostrorum
agminum robore, gressibus	agminum robore gressibus
festinatis, *ne iis* qui in	festinatis, qui in
levi manu praecesser*unt*	levi manu praecesser*ant,*
necessario cursu succurrere	necessario cursu succurrere
deberemus,	*crederemus; quos adversariorum*
	pugnantium viribus credebamus arceri,
	equorum absque sessoribus cursitantium
	undique, praecipitatorum militum et
	occisorum stragibus stratas invenimus
	impeditas; erectis tamen et ligatis in terra
	jacentibus, qui vivebant, per armigeros
	militum qui dominos sequebantur, ad
	carrochium tandem, qui juxta muros
	municipii Curtis novae fossatorum vallis
	circumdatum, et immensa militum copia,
	et suorum omnium peditum mira defen-
	sione pugnantium munitum invenimus
	applicantes, ad expugnationem et cap-
	turam ipsius memorabili militum stre-
	nuitate perstitimus; adeo quod, superbo
	fossati supercilio superato,
usque ad themonem fere	usque ad temonem fere
Carocii ex nostris	carrochii ex nostris
aliquos vidimus pervenisse.	aliquos vidimus pervenisse.

Der Einschub (bzw. die Auslassung) erweist sich als inhaltlich und stilistisch unverdächtig; allenfalls könnte man die Authentizität des etwas gewählten Bildes am Schluß („superbo fossati supercilio superato") in Frage stellen. Matthaeus spielt oft mit derartigem rhetorischem Aufwand, ohne sich immer durch geschmackvolle Anwendung auszuzeichnen [44]. Doch Wortspiele ähnlicher Art gehörten zum Allgemeingut [45], und auch aus der Kanzlei Friedrichs II. gibt es ähnliche Beispiele [46], so daß die (vielleicht nur für den heutigen Zeitgeschmack) weniger geglückte Figur für sich allein keine konkreten Echtheitszweifel begründet [47]. Im vorliegenden Falle eignet sich noch ein weiteres Kriterium zur Nach-

chungen über einige englische Chronisten des zwölften und beginnenden dreizehnten Jahrhunderts (1937), S. 29 ff.; siehe dazu unten S. 138 und A. 41.

[44] *Vaughan,* Matthew Paris, S. 38–40, 126 f. mit Beispielen.

[45] *L. Arbusow,* Colores rhetorici (2. Aufl. 1963), S. 42 f.

[46] Vgl. *Schaller,* Die Kanzlei Kaiser Friedrichs II. Ihr Personal und ihr Sprachstil, Zweiter Teil, in: AfD 4 (1958), S. 299 A. 193.

[47] Über die Problematik derartiger Beweise aufgrund des Sprachstils ebd., S. 264 f.

prüfung der Echtheit der zitierten Passage: da Matthaeus einige Seiten zuvor die Schlacht von Cortenuova schon einmal, wie erwähnt, mit seinen eigenen Worten und von der Sache her z. T. abwegig beschrieben hatte, bietet sich die Möglichkeit, beides zu vergleichen. Dabei würden Formulierungsähnlichkeiten oder -gleichheiten mit Matthaeus' Bericht, in dort faktisch unglaubwürdigem Zusammenhang, hier zu Zweifeln an der zitierten Stelle aus BF 2291 bei Matthaeus Paris führen [48]. In der Tat findet sich aber an dieser Stelle keinerlei Formulierungsanklang, was umgekehrt hier uneingeschränkt als Echtheitsindiz gewertet werden darf.

Matthaeus Paris stellt dem Brief eine Bemerkung voraus, der Kaiser habe gegen Jahresende (1237) an Richard von Cornwall den Brief mit einem goldenen Siegel versandt [49]. Dies scheint darauf hinzuweisen, der Chronist habe das Original gesehen. Was aber stutzig machen muß, ist die Goldbulle für ein – im übrigen recht kurzes – Schriftstück rein informierenden Wertes, ohne jede Rechtsbedeutung. Dazu veranlaßt auch die durch Satzstellung und durch das gewählt klingende „apex“ [50] von Matthaeus beabsichtigte stilistische Gespreiztheit. Und der Nebensatz „ut moris habet“ verkehrt hier die Wirklichkeit eigentlich genau ins Gegenteil. Bei aller Beschränktheit unseres Wissens über die wirklichen Gründe und Anlässe zu Goldbullierung ist es doch unstreitig, daß die Besiegelung mit Gold nicht die Regel, sondern – auch in staufischer Zeit – die Ausnahme darstellte, die bei Urkunden mit der Entrichtung einer Besiegelungszahlung verbunden war [51]. Man kann aber nicht ausschließen, daß die kaiserliche Kanzlei hier einmal gegen sonstige Gewohnheit mit Gold siegelte, auch ohne entsprechenden Hinweis im Text, weil vielleicht auf Reisen das Wachssiegel gerade in jenem Augenblick nicht zur Verfügung stand, oder weil sich der Kaiser zu besonderer protokollarischer Zuvorkommenheit veranlaßt sah [52]. Ein solcher Grund für Friedrich, die enge

[48] Ein solches Verfahren scheint bei Matthaeus Paris erlaubt, der in ähnlichem oder identischem Kontext immer wieder zu ähnlichen Wendungen greift; vgl. *Galbraith*, Roger Wendover and Matthew Paris, S. 33 in verwandtem Zusammenhang: „... that a like mental stimulus has, so to speak, produced a like reaction ...“; Galbraiths Beispiele hierzu bezwecken, zur Frage der Feststellung der Autorschaft der jüngeren Flores Historiarum Formulierungsgleichheiten mit CM aufzuzeigen, die nicht Kopistenabschrift sind (S. 45 f.).

[49] CM 3, S. 441 f.: „... Frethericus, auro sigillatos, ut moris habet, Ricardo comiti Cornubiae ... apices imperiales sub hac forma destinavit“.

[50] *Niermeyer*, Lexicon minus, s. v. „apex“ etwa: Brief einer hochgestellten Persönlichkeit. Matthaeus gebraucht dieses Wort gewöhnlich nicht.

[51] *Bresslau* 2, S. 566 f.; zu bemerken wäre, daß in der älteren Diplomatik die Briefe und Manifeste in keiner Weise als Sonderfall behandelt werden. Das liegt auch am Verlust praktisch aller Originale.

[52] Zu möglichen Gesichtspunkten für die Goldbullierung äußert sich *A. Eitel*, Über Blei- und Goldbullen im Mittelalter (1912), S. 36 und rechnet u. a. „Würde und Reichtum des Empfängers“ zu den Gründen. Doch Eitels Darstellung bezieht sich ebenfalls

Verbundenheit mit seinem englischen Schwager Richard auch auf diese Weise zum Ausdruck zu bringen, könnte der Wunsch des Kaisers nach englischer Unterstützung im Lombardenkrieg gewesen sein [53]. Tatsächlich kämpfte 1238 ein englisches Ritterkontingent auf der Seite des kaiserlichen Heeres [54].

Es wäre also nicht gerechtfertigt, Matthaeus' Aussage über die Goldbullierung für völlig unglaubwürdig zu halten – auch wenn eine gewisse Vorsicht am Platz erscheint, so daß die anderen denkbaren Möglichkeiten ebenfalls in Erwägung gezogen werden müssen. Matthaeus Paris könnte das Original in Wachsbesiegelung gesehen haben und zur Hervorhebung der Bedeutung des Schreibens von der Wahrheit abgewichen sein. Dafür spräche aber lediglich die erwähnte preziöse Formulierung bei der vorausgehenden Beschreibung des Briefes; dagegen wäre zu halten, daß es sich um den ersten Kaiserbrief im selbständigen Teil der Chronik handelt [55], so daß Matthaeus mit etwas für ihn Neuem konfrontiert war, und sich daraus auch der gewählte Stil erklären ließe [56]. Zudem dürften Matthaeus Paris zu diesem Zeitpunkt noch die Kenntnisse und Vergleichsmöglichkeiten gefehlt haben, die erforderlich wären, hätte er seine Angaben über die Goldbullierung an dieser Stelle frei erfunden. Nicht auszuschließen wäre auch, daß das Siegel bereits fehlte, oder daß Matthaeus eine Abschrift erhielt, wobei dem Chronisten dann unzutreffende Angaben über die Beschaffenheit des Siegels gemacht worden wären [57].

Daß diese Überlegungen nicht einfach als Hyperkritik angesichts einer eindeutigen Aussage des Chronisten abgetan werden können, zeigt ein anderes, ähnliches Beispiel, aus dem hervorgeht, daß man Matthaeus' Zeugnis nicht ohne weiteres akzeptieren kann, sondern daß die von ihm hergestellte Beziehung zwi-

nur auf die Urkunden und erwähnt die Gattung der Briefe als diplomatischen und sphragistischen Spezialfall nicht.

[53] Über Friedrichs Kontakte mit dem englischen Hof vgl. *H. Liebeschütz,* Die Beziehungen Kaiser Friedrichs II. zu England seit dem Jahre 1235 (masch. Diss. 1920), besonders S. 13 ff.; *Kantorowicz,* Kaiser Friedrich II. Erg. Bd., S. 185 mit den Belegen.

[54] *Kantorowicz,* Kaiser Friedrich II., S. 422 und Erg. Bd., S. 186; *Liebeschütz,* S. 18 f.; CM 3, S. 491 f.

[55] Mit der Ausnahme von BF 2160 = CM 3, S. 563–565. Zur zeitlichen und sachlichen Einordnung dieses Stücks vgl. den Exkurs am Ende des Kapitels.

[56] Bis zum Zeitpunkt der Abfassung des entsprechenden Teils von MS. B vergingen allerdings noch einige Jahre, während derer Matthaeus immer wieder mit kaiserlichen Briefen in Berührung kam; es ist unwahrscheinlich, daß er seine einleitenden Bemerkungen (durch welche die Aufmerksamkeit gegenüber dem Besonderen hindurchscheint) erst für die Niederschrift in B formulierte. Schon in Matthaeus' Scheden sind diese Worte also wohl enthalten gewesen.

[57] Schon bei Wendover, vgl. CM 3, S. 173 findet sich eine ähnliche Bemerkung über Goldbullierung, siehe unten S. 102 und A. 63. Vielleicht hat Matthaeus auch nur in Analogie die vorgefundene Formulierung übernommen.

schen Text und Siegel nicht ganz stimmt. BF 2291 ist, wie erwähnt, der erste Kaiserbrief im selbständigen Teil von CM; aber davor hat Matthaeus schon u. a. das Jerusalemmanifest des Kaisers vom März 1229 (BF 1738) [58] von Wendover übernommen. Matthaeus Paris schreibt diesen Text ab und zeichnet darunter in die Textspalte eingesetzt eine kaiserliche Bulle von beiden Seiten [59]. Dazu schreibt er (das meiste quer in beide Spaltenränder) den folgenden erläuternden Text, der nicht bei Wendover steht [60]:

(Rubrik in der Spalte:) Bullae imperatoris aureae.
(quer am rechten Rand:) Ex una parte bullae imperialis imago regia et scriptum in circuitu: Fretherícus Dei gratia Romanorum imperator et semper augustus. Ex alia parte bullae insculpitur quaedam civitas, scilicet Roma, et scribitur in circuitu: Roma caput mundi tenet orbis frena rotundi. Erat autem bulla aliquantulum major bulla papae.
(quer am linken Rand:) Ex una parte regalis imaginis, scilicet super dextrum humerum, scriptum est: REX IERUSALEM; ex alia parte regalis imaginis, scilicet super sinistrum humerum, inscriptum est: REX SICILIE.

Matthaeus hat fraglos seinen Text von BF 1738 aus der Wendover-Chronik bezogen und keine andere Überlieferung benutzt. So übernimmt er auch von Wendover die falsche Datierung 17. März, die nicht stimmen kann, weil im Manifest selbst von der Krönung am 18. März die Rede ist:

... noveritis quod die Sabbati, xvii die mensis Martii hujus secundae indictionis, cum peregrinis omnibus qui nobiscum fideliter Christum Dei Filium sunt secuti, intravimus sanctam civitatem Jerusalem; et statim tanquam catholicus imperator, adorato sepulchro Dominico reverenter, sequenti die coronam portavimus [61].

Die von Matthaeus auf die Ränder geschriebene Beschreibung der Kaisergoldbulle findet sich nicht in den heute bekannten Wendover MSS. O, W. Demnach fehlte sie auch in Wendovers Original, denn welche Veranlassung hätte Matthaeus gehabt, an den Rand zu schreiben, wenn diese Sätze bereits in der Vorlage enthalten gewesen wären. Die Zeichnungen beider Bildflächen der Bulle finden sich in O, W ebenfalls nicht; in beiden MSS. sind die betreffenden Stellen völlig unauffällig [62].

Davon zu trennen ist die Frage, ob die Zeichnungen selbst von Matthaeus eingeschoben wurden oder bereits bei Wendover vorhanden waren. Wendover (und danach Matthaeus) stellt den Brief BF 1738 so dem Leser vor:

Sed hujus gratiae divinae beneficium ut legenti clarius illucescat, literas legat Romani imperatoris auro bullatas, quas Henrico Anglorum regi in haec verba direxit [63].

[58] CM 3, S. 173–176.

[59] MS. B fol. 72^v; in MS. C: runde Löcher mit Marginalhinweis „hic debent fieri sigilla imperatoris", vgl. CM 3, S. 176 und A. 2.

[60] CM 3, S. 176, MS. B fol. 72^v.

[61] CM 3, S. 175.

[62] Vgl. Wendover, hrsg. v. *Coxe*, Bd. 4, S. 189.

[63] CM 3, S. 173.

Dieser Satz besagt natürlich nur, daß Wendover über die Bullierung dieses Manifests in Gold Bescheid wußte und womöglich das Original gesehen hatte, nicht aber, daß die Zeichnungen bereits in seiner Chronik enthalten waren. Doch liefert das MS. B von Matthaeus Paris versteckte Hinweise, die es als sicher erscheinen lassen, daß die beiden Zeichnungen der Goldbulle bereits in Wendovers Original vorhanden waren. Demnach übernahm Matthaeus sie aus dieser Vorlage, während sie in den erhaltenen Wendover MSS. nur deswegen fehlen, weil sie in einer zwischen dem Original und O, W liegenden Textstufe ausgelassen wurden.

Während das Bild des thronenden Kaisers in CM dem von der kaiserlichen Kanzlei verwandten Typ des Siegels völlig gleicht, entspricht die symbolische Darstellung der Stadt Rom auf der Umseite keiner der bekannten Wachssiegel- und Goldbullenarten. Ein Vergleich mit den Abbildungen in den einschlägigen Tafelwerken von Posse und Philippi [64] führte zu keiner Identifizierung; die Zeichnung in CM hat im unteren Teil einen kräftigen Querbalken, der den Siegeln fehlt. Weil Matthaeus an anderer Stelle [65] die Romdarstellung auf der Kaisergoldbulle richtig nachzeichnete, ist zu fragen, warum er hier hätte anders verfahren sollen, gingen die Zeichnungen zu 1229 auf ihn und nicht auf Wendover zurück.

Fraglich ist auch, ob die Rubrik „Bullae imperatoris aureae" auf fol. 72^{v} auf einmal entstanden ist. Das letzte Wort steht außerhalb der Spalte auf dem Rand und ist möglicherweise nicht zum gleichen Zeitpunkt wie die beiden anderen

[64] O. *Posse*, Die Siegel der deutschen Kaiser und Könige von 751–1806, Bd. 1 (1909); *F. Philippi*, Zur Geschichte der Reichskanzlei unter den letzten Staufern ... (1885).

[65] In MS. B fol. 126^{r} im Anschluß an den Brief BF 2431, vgl. CM 3, S. 589 A. 8. Wenn die ursprüngliche Rubrik CM 3, S. 176 nur „bulle imperatoris" hieß, so könnte dies bedeuten, daß Matthaeus nicht eindeutig eine Goldbulle damit verband, sondern möglicherweise ein Wachssiegel; der Sprachgebrauch von „bulla" im Mittelalter läßt sich nicht eindeutig auf die Bedeutung „Metallbulle" festlegen, vgl. *W. Ewald*, Siegelkunde (1914), S. 144, der *Du Cange*, s. v. bulla zitiert. Dem widerspräche nicht, daß Wendover vor dem Brief den Besiegelungsstoff Gold erwähnt; dies war Matthaeus vielleicht nicht in Erinnerung.

Daß Wendovers Vorlage eine Goldbulle war, erkennt man aber aus einem ikonographischen Detail (weil ja die Größe der Abbildung keinen Schluß auf die Größe der Vorlage erlaubt): Der Kaiser hält in den Siegeln das senkrechte Szepter in der rechten Hand, wobei bei dem Wachssiegel die Szepterspitze aus der eigentlichen Bildfläche nach oben herausragt und in den Umschrift-Ring hineinreicht; bei der Goldbulle dagegen, und so auch bei der nach BF 1738 folgenden Zeichnung reicht das Szepter nicht in den Schriftring hinein. Wie *W. Erben*, Rombilder auf kaiserlichen und päpstlichen Siegeln des Mittelalters (1931), S. 19 zeigte, ergibt sich bei den im April 1229 aus Jerusalem datierten Diplomata des Kaisers eine auffällige Häufung von Goldbullierung. Allein 11 Stücke dieses Monats sind nach der Liste bei *Erben*, S. 91 f. mit Gold gesiegelt, die Nr. BF 1741–1751 durchgehend. BF 1738 ist bei Erben nicht erwähnt.

Wörter geschrieben, sondern später hinzugesetzt. Wahrscheinlich ist eine solche Annahme auch deswegen, weil „aureae“ eine dünnere rote Umrandung hat als die anderen Wörter und weil diese in der Spalte bis hin zum Rand in gewöhnlicher Breite geschrieben sind. Matthaeus Paris schreibt seine Rubriken gewöhnlich nicht über den Spaltenrand hinaus und hätte ohne Schwierigkeit die Buchstaben etwas enger zusammenrücken können, wäre die Rubrik als ganzes gleichzeitig geschrieben. Gegenüber den Buchstaben der beiden ersten Wörter erscheint dann „aureae“ auf dem Rand vergleichsweise gedrängt.

Die Zeichnungen auf fol. 72ᵛ und ein Teil des senkrecht an den Rand geschriebenen Textes stimmen sachlich nicht überein. Während die Bildfelder keinerlei Beschriftung tragen, erläutert Matthaeus am Rande, im Bildfeld der Bulle seien über dem rechten bzw. linken Arm des thronenden Kaisers die Titel des Königs von Jerusalem bzw. Sizilien zu lesen. Dazu schreibt Matthaeus, die Kaiserbulle sei im Vergleich mit der päpstlichen „aliquantulum major“. Eine solche Aussage konnte der Chronist natürlich nur anhand einer Bulle selbst machen und nicht aufgrund einer vorgefundenen Zeichnung.

Matthaeus hat also einmal eine kaiserliche Goldbulle im Original gesehen, jedoch nicht an einer Ausfertigung des Schreibens BF 1738, sondern an einem anderen Brief; von daher übertrug er seine in Autopsie gewonnenen Kenntnisse [66] an den Rand der Zeichnung zu 1229, ohne diese entsprechend zu korrigieren. Auf diese Weise erklären sich die Widersprüche zwischen Text und Bild.

Dieses Ergebnis wirft von selbst die Frage auf, wann wohl Matthaeus Paris eine Goldbulle vor Augen hatte, und führt damit zurück zu der bereits untersuchten Bemerkung des Chronisten über Goldbullierung im Zusammenhang mit BF 2291. Es müssen aber auch die weiteren Siegelabbildungen in B (fol. 126ʳ) mit in die Überlegungen einbezogen werden. Dort hat Matthaeus auf dem unteren Rand der Seite drei Siegelabbildungen in unterschiedlichem Format gezeichnet. Die eine Zeichnung, unter der linken Textkolumne, reicht mit ihrem oberen Segment noch in den Textraum hinein, wo der entsprechende Platz frei-

[66] Matthaeus' Interesse am Aussehen des Siegels könnte durchaus aktuellen Impulsen entspringen. England war im 13. Jahrhundert als Fälscherparadies des Abendlands bekannt, was die Nachahmung päpstlicher Originale betrifft, vgl. *Herde*, Beiträge zum päpstlichen Kanzlei- und Urkundenwesen im dreizehnten Jahrhundert (2. Aufl. 1967), S. 81. Zwar war die englische Königskanzlei durch die umfangreiche Registerführung hervorragend abgesichert, doch scheint auch mit Urkunden kirchlicher und weltlicher privater Aussteller in England in großem Maße Mißbrauch getrieben worden zu sein. So sah sich der Legat Otto auf dem Londoner Konzil im November 1237 veranlaßt, in die von ihm promulgierten Konstitutionen eine Bestimmung aufzunehmen, nach der fast alle Urkundenaussteller im kirchlichen Jurisdiktionsbereich (u. a. wegen des Fehlens eines Notariatsinstruments) zur Verwendung eines eigenen Siegels angehalten werden. CM 3, S. 438 f.; vgl. *Bresslau* 1, S. 718 f. und A. 4. CM 3, S. 317 beschreibt Matthaeus ähnlich die Form eines päpstlichen Schreibens (Bestätigung des gewählten Abts für St. Albans): „Impetratis autem his literis cum aliis sub bulla clausis, ...“.

gelassen ist. Die Einfügung der Zeichnung war also bereits geplant, als der Brief in B eingetragen wurde. Diese Siegelabbildung ist (auf den Durchmesser bezogen) etwa doppelt so groß wie die beiden danebenstehenden (unter sich gleich großen) Zeichnungen. Es handelt sich bei der größeren eindeutig um das Kaiserwachssiegel [67], das Matthaeus Paris hier darstellen will. Der Brief, zu dem er die Abbildung bringt, ist das berühmte Manifest BF 2431 „Levate in circuitu" vom 20. April 1239, mit dem der Kaiser zu seiner Exkommunikation durch Gregor IX. Stellung nimmt [68]. Es ist in den Chronica majora in der Ausfertigung an Richard von Cornwall enthalten, und die besprochene Siegelabbildung deutet daraufhin, daß Matthaeus in diesem Fall das Original zur Abschrift erhielt. Auch die Tatsache, daß das Schreiben mit einem Wachssiegel ausgestattet war, findet sich anderweitig bestätigt: „Levate in circuitu" ist – einer der für die kaiserlichen Manifeste ganz seltenen Fälle [69] – im Original (Ausfertigung an den Erzbischof von Salzburg) erhalten; dieses Original ist ebenfalls mit Wachs besiegelt [70].

Neben dem Wachssiegel hat Matthaeus Paris in B beide Seiten der Kaisergoldbulle gezeichnet [71], die also nicht von BF 2431 stammen kann, sondern die Matthaeus an einem anderen Brief gesehen haben muß. Die Zeichnung der Goldbulle ist hier übrigens – abgesehen von der Umschrift – durch Matthaeus Paris im Bildfeld nur mit „Rex Sicilie" beschriftet, während die originalen Bullen dazu spiegelbildlich angeordnet auch den Titel eines Königs von Jerusalem tragen (in seiner Marginalie zu 1229 hatte Matthaeus dies korrekt beschrieben). Andererseits enthält Matthaeus' Wiedergabe des Wachssiegels im Bildfeld sowohl den Titel des Königs von Jerusalem als auch den sizilischen Königstitel; in Wirklichkeit findet sich auf diesem Siegel nur der – nach der Krönung Friedrichs in Jerusalem hinzugefügte – Zusatz „REX IERLM" [72].

Könnte man im Falle der Goldbulle argumentieren, Matthaeus habe eben eine vor 1229 hergestellte gesehen, so macht der zweite Fehler bei der Zeichnung des Wachssiegels diese Annahme wenig wahrscheinlich. Man wird davon ausgehen müssen, daß dem Chronisten eine Verwechslung unterlief, zumal er ja nicht von den echten Siegeln direkt in sein MS. B abzeichnete, sondern zunächst für sein Schedenmaterial eine Zwischenstufe anfertigte. Dort waren vielleicht beide Siegel ebenfalls zusammen abgezeichnet, so daß bei der Übernahme in B der Chro-

[67] Vgl. *Philippi*, Tafel VIII 4; Die Zeit der Staufer 1 Nr. 50, S. 34; Bd. 3, Abb. 20. Ikonographisch zeigt sich dies daran, daß beim Kaiserwachssiegel (und ebenso hier in der Zeichnung von Matthaeus) das Szepter in den Umschriftkranz hineinreicht.

[68] *Vehse*, S. 72; *Schaller*, Die Antwort Gregors IX. auf Petrus de Vinea I, 1 „Collegerunt pontifices", in: DA 11 (1954/55), S. 144.

[69] Vgl. *Sybel/Sickel*, Kaiserurkunden in Abbildungen, Textband (1891), S. 136 f.

[70] Wien, Haus-, Hof- und Staatsarchiv, vgl. Die Zeit der Staufer 1 Nr. 19, S. 12; die Abbildung des Schreibens bei „Kaiserurkunden in Abbildungen" Lieferung VI, Tafel 16 zeigt das Siegel nicht.

[71] Vgl. *Philippi*, Tafel VIII 5, 6.

[72] Die Zeit der Staufer 1, wie oben A. 67.

nist die Zeichnung der Goldbulle nicht mehr einem bestimmten Text zuordnen konnte.

Das Ergebnis dieser zunächst scheinbar in die Irre führenden sphragistischen Untersuchung sagt schließlich doch einiges zu der eigentlichen Fragestellung aus – dem Verhältnis des Chronisten Matthaeus Paris zu dem Grafen von Cornwall. In mindestens zwei Fällen bekam Matthaeus also kaiserliche Originale zu Gesicht, einmal mit Gold, ein andermal mit Wachs besiegelt. Im Falle von BF 2431 mit der anschließenden Abbildung des Wachssiegels ist der Zusammenhang von Text und Zeichnung völlig unzweideutig; Matthaeus hat hier demnach das Original des an Richard von Cornwall gerichteten Manifests in der Hand gehabt. Das zu der ebenfalls im Anschluß an BF 2431 gezeichneten Goldbulle gehörende Schreiben wird auch unter denjenigen zu suchen sein, die an Richard adressiert sind. Damit sind wir erneut auf Matthaeus' diesbezügliche Bemerkungen zu dem Cortenuova-Brief BF 2291 verwiesen, und es ist nicht mehr von der Hand zu weisen, daß der Chronist diesen im Original, und tatsächlich mit Goldbulle ausgestattet, von Richard von Cornwall überlassen erhielt. Nur zwei verbleibende Widersprüche lassen sich nicht beseitigen:

1. Im Falle von BF 2431 läßt sich der Zeitraum, binnen dessen Matthaeus von dem Brief Kenntnis erhielt, mit großer Wahrscheinlichkeit bestimmen. „Levate in circuitu" trägt das Datum vom 20. April 1239, traf also vor der Jahresmitte in England ein. Richard von Cornwall hielt sich zu Anfang 1240 in St. Albans auf; wenn nicht schon eher, hat der Chronist also zu diesem Zeitpunkt das Stück erhalten. Sollte Matthaeus nun andere an Richard gerichtete kaiserliche Briefe gleichzeitig zur Einsicht bekommen haben? Dafür spräche die zusammenhängende Abzeichnung der Siegel, dagegen aber die ausführlich erörterte Bemerkung „auro sigillatos, ut moris habet ..."; hätte Matthaeus dies so gesagt, wenn er gleichzeitig ein längeres, viel repräsentativeres Schreiben in Wachsbesiegelung gesehen hätte? Wir wissen es nicht und können also nicht sagen, ob Matthaeus Paris die drei vor BF 2431 liegenden Stücke BF 2312, 2316, 2291 von Richard von Cornwall schon vor 1240 erhielt.

2. Im Jahre 1240 war die Niederschrift der Annale 1229 in B wohl noch nicht begonnen. Aus welchem Grund hat also Matthaeus die Bemerkungen zu der Siegelzeichnung bei BF 1738 nicht gleich in den Text eingefügt (da er über das entsprechende Wissen bei der Abfassung schon verfügte), sondern an den Rand geschrieben? Wir wissen es nicht und können nur vermuten, daß Matthaeus erst nach der Fertigstellung jener Seiten auf seine Notizen stieß, die er sich 1239/40 über das Aussehen der kaiserlichen Bulle gemacht hatte, den Zusammenhang erkannte und die Marginalie zu 1229 nachtrug.

Bei BF 2431 ergibt sich durch die Vergleichsmöglichkeit mit der erhaltenen Originalausfertigung an den Erzbischof von Salzburg eine besonders gute Gelegenheit, die Qualität von Matthaeus' Abschrift zu beurteilen. Der Druck Weilands richtet sich nach jenem Original, dessen paläographische und orthographische Besonderheiten auf eine Vervielfältigung durch Schreiber nach Diktat zurückgehen [73]. Die von Matthaeus transsumierte Fassung an Richard von Cornwall enthält demgegenüber zwar keinen grundsätzlich anderen Text, aber doch einige Veränderungen und Zusätze, die die Frage aufwerfen, ob hier an Richard von Cornwall ein von der allgemeinen Diktatvervielfältigung unterschiedener Brief geschickt wurde, oder ob die Abweichungen auf Eingriffe des Chronisten zurückgehen.

Weiland hat in seiner Edition des Briefes im Rahmen der „Constitutiones et acta" die Varianten in übersichtlicher Form dargestellt, so daß eine erneute ausführliche Textvergleichung nicht erforderlich ist. Der Editionsapparat, der vor allem die drei erhaltenen auf Empfängerüberlieferung beruhenden Texte (Original an den Erzbischof von Salzburg, Transsumpt des Briefes an den Trierer Erzbischof im Romersdorfer Bullarium, Brief an Richard von Cornwall bei Matthaeus Paris) erfaßt, zeigt, daß Matthaeus häufiger als jede der beiden anderen Überlieferungsformen von dem Text abweicht, den die beiden jeweils anderen MSS. haben. In den meisten dieser Fälle handelt es sich um typische Kopierfehler, die beim flüchtigen Abschreiben von einer Vorlage entstehen [74]. Nachdem Matthaeus offenbar das Original des Schreibens an Richard von Cornwall erhalten hatte, liegt hier die Verantwortung für die zahlreichen Falschlesungen im Scriptorium von St. Albans, also entweder bei Matthaeus selbst, oder bei einem von ihm beauftragten Schreiber. Man ist geneigt, letzteres zu vermuten, weil Matthaeus bei anderen Briefen eine derartige Häufung trivialer Schreibfehler nicht unterlaufen ist. An diesem Beispiel kann man sich die Bedingungen

[73] MG Const. 2, S. 290; *Philippi,* in: Kaiserurkunden in Abbildungen. Textband, S. 136; *Winkelmann,* Acta 2, S. 36 (Hörfehler beim Diktat, die später korrigiert wurden; der Platz für Inscriptio und Datierung wurde freigelassen und erst später ausgefüllt – dies ist aber in den Abbildungen nicht erkennbar).

[74] Die Art der Abweichungen schließt aus, daß es sich um Hörfehler etwa bei der Diktatvervielfältigung handeln könnte.

MG Const. 2			CM
S. 291	Z. 26	edixerat	eduxerat
	Z. 31	varians	renovans
S. 292	Z. 27	occasiones fingens	occasione significans
	Z. 32	itineribus	itinerantibus
	Z. 36	respirantibus	inspirantibus
S. 293	Z. 5	oportuisset	oportuit
	Z. 7	nobis inrequisitis	non requisitis
	Z. 14	delinimenta	deliramenta
		(Hier hat Weiland in MG Const. 2 die Version von CM gegen das Zeugnis aller anderen MSS. ohne Grund in den Text übernommen.)	
S. 294	Z. 12	reducendis	reducendo
	Z. 24	retroacte	introacte
S. 295	Z. 16	divina potentia	divina clementia

ausmalen, unter denen der Chronist unter Umständen arbeiten mußte: Richard von Cornwalls Haushalt hielt sich für kurze Zeit in St. Albans auf; in Eile mußte der sehr lange Brief auf ein Blatt abgeschrieben werden, wobei Flüchtigkeitsfehler unterliefen und manches schlecht lesbar oder völlig unleserlich geriet, so daß der Chronist nach einigen Jahren bei der Zusammenstellung von MS. B nur eine unvollkommene Vorlage besaß. Ob er selbst oder ein subalterner Schreiber dies verursachte, läßt sich natürlich nicht nachweisen.

Daß Matthaeus (ob bei der ersten Abschrift oder bei der Übernahme in B) gelegentlich in den Text außerdem eingriff, wird durch Stil und Tendenz mancher Zusätze klar. Matthaeus liebt Wortspiele [75], die zwar in ähnlicher Weise im Mittelalter allgemein beliebt waren und auch von der kaiserlichen Kanzlei benutzt wurden, die aber von Matthaeus Paris hier sinnwidrig, nur um der vermeintlichen Wirkung des Stilmittels willen, eingefügt sind [76]. Und an einer Stelle konnte er dem Reiz anscheinend nicht widerstehen, die Anschuldigungen des Kaisers gegen Gregor IX. aus dem eigenen Vorrat an Polemik zu bereichern, und zwar völlig gegen die Argumentationsweise des Manifests (dort ist von „Geld“ nie die Rede):

MG Const. 2, S. 297 Z. 35–298 Z. 2	CM 3, S. 587 Z. 14–23
Nec minus illa probabili	Nec minus illa probabili
ratione turbamur, quod iste	ratione turbamur, quod iste
rector ecclesie, qui deberet	rector ecclesiae, qui deberet
esse virtutum quarumlibet,	esse virtutum quarumlibet
set constancie maxime,	*et* constantiae maximae,
	sine maculo (a) *cupiditatis,*
vas electum,	vas electum, *ne error majorum*
	in subditos propagaretur
	cum aucmento,
contra promissionem suam	contra promissionem suam
litteris suis de fratrum	literis suis de fratrum
consilio nobis factam, per	consilio nobis factam, per
quas in restaurandis imperii	quas in restaurandi imperii
iuribus non deesse nobis set	juribus non deesse nobis, sed
adesse promisit consilio,	adesse promisit auxilio,
auxilio et favore, preter	consilio, et favore, praeter

[75] Adnominatio, vgl. *Arbusow,* S. 41 f.; solche Beispiele bei Matthaeus Paris vgl. *Vaughan,* Matthew Paris, S. 47, 127.

[76]

MG Const. 2	CM
S. 292 Z. 1 ammoniti	muniti vel amoniti
S. 295 Z. 31 expetita	expetitis et expectatis.

Die hier und im folgenden Beispiel gezeigten Textvarianten könnten theoretisch dem an Richard von Cornwall gesandten Original entstammen. Die stilistischen und inhaltlichen Umstände sprechen indes für eine Interpolation.

persone nostre blasfemiam	personae nostrae *infamiam,*
ius imperii nititur	*nedum* blasphemiam jus imperii
conculcare;	nititur conculcare;

(a) Weiland/Liebermann: maculo. CM ed. Luard: macula

Dagegen erscheinen jene Stellen, an denen Friedrich II. seinen Schwager Richard abweichend von den übrigen Ausfertigungen persönlich anspricht und dabei gelegentlich die 2. Person Singular verwendet, unverdächtig [77]. Der Kaiser hat Richard von Cornwall auch in anderen Schreiben so angeredet [78]. Eine dieser Formulierungen hat aus anderen Gründen zu Zweifeln geführt [79]; Luard [80] vermutete dahinter eine von Matthaeus Paris nach Richards Wahl zum deutschen König interpolierte „Prophezeihung" *post factum,* doch kann dies im Rahmen der Chronologie der Entstehung von CM unmöglich richtig sein. Die betreffende Stelle im MS. B ist – in Matthaeus' Hand – völlig unauffällig im Text integriert und zeigt keinerlei Spuren späterer Veränderung [81]. Die sich daran knüpfende Diskussion ist im Zusammenhang mit der Chronologie von B schon einmal kurz erwähnt worden [82]. Sir Maurice Powicke versuchte, diese Stelle als Beleg für seine Theorie zu verwenden, der erhaltene Codex B sei eine frühestens 1257 (nach Richards Wahl zum deutschen König) hergestellte Kopie von Matthaeus' Original, doch fußte diese Anschauung auf Powickes inzwischen durch Vaughans Forschungen widerlegter Überzeugung, die Handschrift in B sei nicht diejenige des Chronisten Matthaeus selbst. V. H. Galbraith zeigte, daß diese Annahme zudem auf einem mutmaßlichen Übersetzungsfehler beruht: die form „profuture" muß korrekterweise von dem Verbum „prodesse" (nützen) abgeleitet werden, kann aber nicht die Bedeutung „zukünftig" tragen. Trotzdem gibt die Stelle noch keinen rechten Sinn; Galbraith zog in Erwägung, daß das Wort „profuture" eine verderbte Lesart im MS. B darstellt, hält aber auch die von Liebermann vorgenommene Verbesserung von „princeps" zu „principibus" für möglich. Eine Verbesserung ist nicht unter Zuhilfenahme der anderen Überlieferungen von BF 2431 möglich, weil ja hier abweichend von ihnen Richard von Cornwall direkt angesprochen wird. Der korrekte Text läßt sich nicht erschließen, aber gerade die Fehlerhaftigkeit ist ein Indiz dafür, daß diese Stelle nicht von

77 MG Const. 2, S. 298 Z. 7 f. = CM 3, S. 587 Z. 31–588 Z. 2;
S. 299 Z. 6 = S. 589 Z. 23–25.
Ähnlich auch die Matthaeus eigentümliche Wendung „in affinitatem nostram affectuose rogamus", MG Const. 2, S. 298 Z. 13 = CM 3, S. 588 Z. 10 f.

78 BF 2312, 2316.

79 CM 3, S. 587 Z. 31–588 Z. 2 „Tu igitur, dilecte, cum tibi dilectis, princeps orbis terrae profuture, non nobis solum, sed ecclesiae, quae est omnium Christi fidelium congregatio, condole".

80 CM 3, S. XI, 587 A. 3.

81 MS. B fol. 126r.

82 Vgl. oben S. 28 und die Lit. dort A. 32, 33.

Matthaeus (etwa in der von Powicke vermuteten Absicht) interpoliert ist. Es handelt sich mit großer Wahrscheinlichkeit um einen Abschriftfehler, nicht um bewußte Verfälschung, denn dann hätte Matthaeus Paris ja wohl eine grammatikalisch sinnvolle und korrekte Passage interpoliert. Der Text von BF 2431 bei Matthaeus lehrt somit vor allem, mit welchen Fehlermöglichkeiten ungünstigenfalls zu rechnen ist, selbst wenn Matthaeus nach Ausweis seiner Siegelzeichnung offenbar das Original gesehen hat.

Die drei weiteren an Richard von Cornwall gerichteten Kaiserbriefe in der Chronik (BF 2312, 2316, 3460) sind nach den Angaben der Böhmer-Ficker Regesten nur von dorther bekannt [83]; in keinem Falle wird man deswegen Zweifel an der Authentizität der Briefe haben, schon weil die sämtlich erhaltenen Datierungen in das kaiserliche Itinerar passen. Aber nach den bisherigen Erfahrungen, wie soeben am Fall von BF 2431, muß damit gerechnet werden, daß sich die Texte bei Matthaeus Paris nicht immer im Urzustand präsentieren. Eine Durchsicht des von Pertz [84] gesammelten Materials zu den Briefen Friedrichs II. ergab jedoch bereits, daß diese drei Stücke (und noch einige weitere an Heinrich III. gerichtete) in mehreren „Vinea"-MSS. zumindest dem Incipit nach vorhanden sind. Bei diesen MSS. handelt es sich um solche des Typs „große 6-teilige Sammlung" und der von Ladner [85] als „Klasse B" bezeichneten Gruppe (Andreas von Rode-Sammlung) [86].

BF 2312 „Generalis terrae" mit der Bitte des Kaisers um Aufschub des 1238 geplanten Kreuzzugs (und der Aufforderung an Richard von Cornwall, in die später anzutretende Reise einen Besuch in Sizilien einzuplanen) ist zwar in dieser Form nur aus Matthaeus Paris bekannt, doch druckt Huillard-Bréholles ein in großen Teilen identisches Schreiben an die in Frankreich bereits versammelten Kreuzfahrer [87]. Natürlich fehlt in BF 2297 der letzte Absatz des Briefes an Richard von Cornwall, in dem der Graf in das *regnum Siciliae* eingeladen wird; der Kaiser sah andererseits wohl Unruhe unter den französischen Kreuzfahrern voraus, so daß er ihnen ausdrücklich mitteilt, dies sei der letzte Aufschub der Reise, und diese Versicherung durch eine Goldbulle bekräftigt (die an der entsprechenden Stelle im Kontext und nochmals am Ende erwähnt wird).

Huillard-Bréholles hat seinen Text von BF 2297 aus drei MSS. des Typs „große 6-teilige Vinea-Sammlung" ediert [88]; eine Kollation erbrachte [89], daß

[83] Auch *P. Zinsmaier,* Nachträge zu den Kaiser- und Königsurkunden der Regesta Imperii 1198–1272, in: ZGO 102 (1954), S. 188–273 bringt nichts dazu.

[84] Archiv 5 (1824), S. 353–447; 7 (1839), S. 890–981.

[85] *Ladner,* MÖIG Erg. Bd. 12, S. 149 f.

[86] Dazu zuletzt *D. Hägermann,* Studien zum Urkundenwesen Wilhelms von Holland (1977), S. 145 ff.

[87] BF 2297 = HB 5, S. 140–142; darauf macht *Vehse,* S. 65 aufmerksam.

[88] Paris, BN lat. 13059 (St. Germain-Harlay 455) pars III Nr. 67 = fol. 38r; Paris, BN lat. 4042 (nach HB: fol. 125v, nicht eingesehen);
MGH Phillipps 8390, pars III Nr. 70 = fol. 37r.

Huillard sich weitgehend an den Wortlaut von BN lat. 13059 hielt, aber gelegentlich die anderen MSS. heranzog, ohne dies in Fußnoten anzugeben. Damit ist Huillards Text zur Überprüfung von BF 2312 nicht geeignet, sondern es wird der Rückgriff auf die MSS. erforderlich. Die Schlußteile weichen (bedingt durch die unterschiedlichen Empfänger) völlig voneinander ab, doch sind BF 2297 und 2312 über zwei Drittel der Textlänge bis auf unterschiedliche Anreden etc. fast identisch [90]. Ein Vergleich von CM mit Huillards Druck (oder mit BN lat. 13059) ergibt eine Reihe von Varianten, die die Qualität einer der Texttraditionen in einem fragwürdigen Licht erscheinen lassen. In einigen Fällen zeigt sich dann aber, daß Matthaeus' Variante in einer jener großen 6-teiligen Vinea-Sammlungen Bestätigung findet. Die Konsequenz daraus ist einmal, daß Matthaeus' Text an jenen Stellen nicht als verderbt anzusehen ist, und zum zweiten, daß die „richtigen" oder vermutlich originalen Lesarten auch in den Vinea-Überlieferungen anfangs vorhanden waren, die Fehler sich dort also erst im Wege des weiteren Kopierens und Redigierens einschlichen. Der folgende Textvergleich kann also nicht nur über den Brief BF 2312 bei Matthaeus Paris Aussagen machen, sondern auch über den Zustand der herangezogenen großen 6-teiligen Sammlungen.

CM 3, S. 471 f. = BF 2312

BN lat. 13059 fol. 38^{r} = BN
BL Add. MS. 25439 fol. 91^{rv} = BL
MGH Philipps 8390 fol. 37^{r} = Ph . BF 2297

Generalis Terrae commoditas Sanctae (a), quae (b) a cruce signatorum executione dependet, nos frequenter inducit (c), ut de (d) prorogatione passagii cruce (e) signatorum in Regno Franciae et aliis partibus orbis terrae (e) usque ad praefinitum (f) treugarum tempus (g), videlicet a primo (h) venturo mense Augusti usque ad sequentem annum completum, apud (i) ipsos monitis

(a) BN, BL, Ph: sancte commoditas
(b) Ph: qui
(c) BN, BL, Ph: induxit
(d) BN, BL, Ph *ins.:* vestri
(e) BN, BL, Ph *deest: cruce – terrae*

(f) BL: prefixum; BN, Ph: wie CM
(g) BN, BL, Ph: tempus treugarum
(h) HB druckt: „Proximo"
(i) BN, BL, Ph *ins.:* universitatem vestram; *deest: ipsos*

[89] Zusätzlich wurde verglichen BL Add. MS. 25439 fol. 91^{rv}. Nach der von *Schaller*, DA 12, S. 121–124 und DA 15, S. 243 f. erarbeiteten Einordnung der MSS. gelangt man etwa zu der folgenden schematischen Zuordnung:

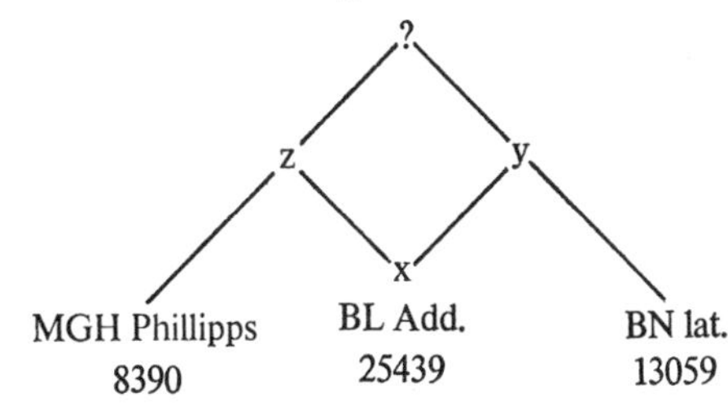

[90] Bis CM 3, S. 472 Z. 26.

et precibus instaremus (j), expedire videntes illius terrae (k) subsidio, necnon profectui transeuntium et honori, si a proximo festo beati (l) Johannis Baptistae, usque ad diem (m) sequentis (n) anni festum, transitus tam strenuae multitudinis ordinatae fiat tempore opportuno. Nec debuimus silentio praeterire negotium et onus, quod prae caeteris mundi principibus ad ejusdem terrae liberationem (o) humeris nostris (p) incumbit, pro qua tenemur opem (q) et opes effundere, quin praemissa deliberatione (r) consilii, ipsis (s) ad Christi servitium potenter accinctis (t), totius causae circumstantiis (u) plenarie ponderemus, contingentibus non omissis (v). Illi (w) autem qui (x) corda et corpora sua (y) crucis obsequiis deputarunt (z), et utile cupiunt (a) exhibere servitium Crucifixo, per nuntios (b) et literas nostras exinde requisiti, consultationi nostrae consulte (c) ac provide responderunt (d) se (e) usque ad praedictum completum treugarum terminum (f) executuros (g) efficaciter preces nostras. (h) Super quo dignis gratiarum actionibus (i) approbavimus provisum ipsorum (j) deliberationis consilium et responsum (k).

(j) Ph: *deest*
(k) BN, BL, Ph *ins.:* sancte
(l) BN, BL, Ph: sancti
(m) BN, BL, Ph: idem
(n) BN, BL: sequens
(o) BL: subventionem
BN, Ph: wie CM
(p) Ph (sicher!): vestris
(q) HB druckt: „opera"
BN, BL, Ph: opem
(r) BL: deliberatione
BN: liberatione
Ph: predeliberatione
(s) BN, BL, Ph: vobis
(t) Ph: accinctis
BN: a cunctis
BL: a cunctis, *durchstrichen, darüber:* accintas
(u) BN, BL, Ph: circumstantias, so auch in CM emendiert
(v) Ph: amissis
(w) BL, BN, Ph: vos
(x) BL: que
(y) BN, BL, Ph: vestra
(z) BN, BL, Ph: deputastis
(a) BN, BL, Ph: cupitis
(b) statt *nuntios – requisiti:* BN, BL, Ph: Giraldum (so BL; Gerardum Ph; G. BN) de aquis triscamerarium nuntium et fidelem nostrum
(c) Ph: *deest*
(d) BN, BL, Ph: respondistis
(e) BN, BL, Ph: vos
(f) Ph: *deest*
(g) BN, BL, Ph: executores
(h) BN, BL, Ph ins.: si patentes (BN: potentes) vobis litteras indulximus (BN: indulxerimus) aurea bulla munitas per quas certificari (BN: certificati) petitis quod per nos (Ph: vos) ad ulteriorem terminum non debetis (BN: debeatis) ulterius sollicitari precibus vel moveri.
(i) BN: actoribus
(j) BN, BL, Ph: vestre
(k) statt *consilium et responsum:*
BL, Ph: consilium precibus responsum / affectui ...
BN: consilium et responsum / affectui ...
hier endet der gemeinsame Teil von BF 2297 und 2312.

Wenige Wochen nach diesem Brief schrieb der Kaiser an Richard von Cornwall erneut, diesmal, um die Geburt eines Sohnes anzuzeigen, den Isabella geboren hatte. Der Brief (BF 2316 „Rem jocundam et") ist in dieser Form ganz offensichtlich nur nach England gegangen; die italienischen Untertanen wurden durch ein anders abgefaßtes Zirkular davon unterrichtet [91]. Es wäre also nicht verwunderlich, wenn der nach England gelangte Brief BF 2316 außer in den Chronica majora nirgendwo erhalten wäre. Die Böhmer-Ficker Regesten geben auch keine Nachweise für weitere Fundorte, vermerken jedoch, daß das Exordium des Briefes anderweitig bekannt ist: aus dem Baumgartenberger Formelbuch [92]. Dort ist der Brief allerdings in der Art einer Stilübung sehr weitgehend umgearbeitet, und nur der erste Abschnitt entspricht dem Text bei Matthaeus Paris recht genau [93]. Es ist merkwürdig, daß sich Spuren dieses wohl nur nach England gegangenen Briefes hier ausgerechnet in MSS. finden, die mit Ladners Klasse B in enger Verbindung stehen. Bei der Zusammenstellung der „Regesta Imperii" sind die von Pertz angefertigten Beschreibungen der Vinea-MSS. nicht voll ausgewertet worden, sonst hätte es den Bearbeitern kaum entgehen können, daß der Brief sich in zwei der von Pertz beschriebenen MSS. ebenfalls befindet: Wilhering 60 und Wien 590 [94], zwei MSS. der Klasse B (Andreas von Rode-Sammlung). Zwar ist die Adresse dort verkürzt, und die Datierung fehlt ganz, aber sonst ist der Text des Briefes in dieser Sammlung vollständig enthalten – und von der Adresse sind bemerkenswerterweise die Worte „comiti Cornubiae" erhalten. Ein Vergleich zwischen CM und Wien 590 zeigt, daß keines der beiden MSS. bei diesem Brief gegenüber dem anderen Einschübe bzw. Kürzungen erfahren hat, es handelt sich um denselben Brieftext. Damit kann der Brief in der bei Matthaeus Paris überlieferten Form uneingeschränkt als authentisch gelten; die gut ein Dutzend Abweichungen von Wien 590 gegenüber CM erweisen sich sämtlich als Textverschlechterungen, die zumeist den (eindeutigen) Sinn des Briefes entstellen.

Einige Jahre später hat Matthaeus Paris noch einmal einen an Richard von

[91] BF 2317 = PdV III 70 an die Palermitaner = HB 5, S. 167 f. Noch ein dritter Brief gleichen Inhalts, aber unterschiedlicher Formulierung ist bekannt: BF 2318 = HB 5, S. 169 f. aus BN lat. 13059 pars III Nr. 58 sowie BN lat. 4042, der sich dort an Ezzelino da Romano gerichtet findet.

[92] *H. Baerwald* (Hrsg.), Das Baumgartenberger Formelbuch (1866), S. 220 f.

[93] Eine weitere (vom Baumgartenberger Formelbuch völlig unabhängige) Stilübung mit diesem Exordium findet sich in MSS. der großen 6-teiligen Sammlung: Wolfenbüttel, Aug. 4° 13, 3, vgl. Archiv 5, S. 402, und BL Add. MS. 25439. Nach Auskunft von Prof. Schaller ist in dieser zusammenhängenden MSS.-Gruppe, zu der auch Vat. Ottob. lat. 1778 gehört, das Londoner MS. im allgemeinen das beste. Dort fol. 87^{v} findet sich das Exordium von BF 2316 mit der Rubrik „Fridericus regi anglie super eodem" (zuvor der Brief an Ezzelino).

[94] Wilh. 60 fol. 163^{rv}, vgl. Archiv 7, S. 904 Nr. B 66. Wien 590 (*olim* Philol. 305, Theol. 310) fol. 125^{rv}, vgl. Archiv 7, S. 912 f.

Cornwall gerichteten Kaiserbrief in seine Chronik übernommen: BF 3460 „Vox in Rama" vom 26. Februar 1245, in dem der Kaiser die Hiobsbotschaft über die Aufreibung der christlichen Ritter durch die Khorasmier (Oktober 1244) verbreitet [95]. Man mag es kaum glauben, daß dieser Brief nicht an eine größere Zahl von Empfängern gegangen sein sollte, doch sind die Spuren spärlich genug [96]. Nur in den beiden eben schon herangezogenen österreichischen MSS.[97] findet sich eine – nur wenige Zeilen umfassende – Stilübung unter Verwendung des Exordium von BF 3460, die zur Kontrolle des Textes bei Matthaeus Paris aber unbrauchbar ist [98]. Doch ist am Textzustand bisher keine generelle Kritik geübt worden; es fehlen auch alle Anhaltspunkte dafür, daß der Text in bedeutsamer Weise entstellt sein könnte.

3. Richard von Cornwall als mögliche Quelle für Matthaeus Paris

Außer den untersuchten Briefen des Kaisers an Richard von Cornwall, die Matthaeus von dem Grafen erhalten hat, sind sicherlich eine Reihe weiterer wichtiger Informationen aus dieser Quelle nach St. Albans gelangt, schriftliche ebenso wie mündliche. Bei mündlichen Berichten ist, sofern der Informant nicht ausdrücklich genannt wird, eine Identifizierung in der Regel kaum möglich, vor allem für die Masse der Berichte zur innerenglischen Politik. Dasselbe gilt auch für Schriftstücke, bei denen mit einer weiteren Verbreitung in England zu rechnen ist, die also auch etwa über eine Versammlung der Magnaten in die Hände der Mönche von St. Albans gelangt sein können [99]. Unter dem bisher die Unter-

[95] Vgl. *Vehse,* S. 108. Das bei HB gegebene Datum 27. Februar ist falsch.

Der Kaiser hatte zuvor schon im Herbst alle Fürsten von der Erstürmung Jerusalems unterrichtet, BF 3447, vgl. *Vehse,* S. 107. Der Druck bei *Dupuy,* Histoire des Templiers (2. Aufl. 1751), S. 152–155 stellt keine weitere Überlieferung dar, sondern ist aus Matthaeus Paris geschöpft, genauso HB 6, S. 254–259. Mit diesem Exordium greift die kaiserliche Kanzlei übrigens eine Formulierung auf, die schon Gregor IX. 1241 verwandte, vgl. *Schaller,* Das letzte Rundschreiben Gregors IX. gegen Friedrich II., in: FS Schramm 1 (1964), S. 309–321.

[96] In dem Rubrikenverzeichnis einer verlorenen Briefsammlung in Vall. I. 29 findet sich das Initium von BF 3460 an Konrad IV., vgl. *Schaller,* DA 12, S. 136.

[97] Wilh. 60 fol. 169r; Wien 590 fol. 129rv.

[98] Der Apparat von *Liebermann,* MG SS 28, S. 236–238 geht nur auf die früheren Drucke aus Matthaeus Paris zurück, vermittelt also lediglich ein Bild über die Emendationsbemühungen der Hrsg.

[99] So etwa die schriftliche Reaktion des Klerus gegen die Steuerforderungen des Legaten auf dem Treffen in Reading im Mai 1240, CM 4, S. 38–43 („Responsiones rectorum ecclesiarum in Bercsire ..."), die als „Responsiones Cleri Angliae" zu 1244 auch in den Annalen von Burton, Ann. mon. 1, S. 265–267 enthalten sind.

suchung beherrschenden Gesichtspunkt, die Arbeitsmethoden des Chronisten zu erfassen, ist es vielleicht zu verschmerzen, daß sich die Art der Weitergabe von Texten und Nachrichten im allgemeinen nicht so genau beschreiben läßt wie bei den Kaiserbriefen, denn diese stellen als eine nicht jedem englischen Zeitgenossen vertraute Materie ein besonders eindrucksvolles Zeugnis von Matthaeus' Sammeltätigkeit und der Breite seines Horizonts dar, demgegenüber die Abschrift manch anderen Dokuments als chronikalische Pflichtübung erscheinen mag.

Doch stellen die Chronica majora für weite Strecken der Regierungszeit Heinrichs III. die herausragende und häufig exklusive chronikalische Quelle dar; die Machtkämpfe zwischen König und Adel in den dreißiger Jahren, die Legation des Kardinals Otto 1237–1241 oder die mißglückte Gascogne-Expedition Heinrichs III. 1242/43 sind in dieser Ausführlichkeit in keiner anderen Quelle wiedergegeben. Immer war auch Richard von Cornwall an den englischen Auseinandersetzungen beteiligt, der je nach Lage Anführer der Adelsopposition, Stütze seines königlichen Bruders oder Vermittler zwischen beiden Seiten war. Für die quellenkritische Beurteilung wäre es wertvoll zu wissen, inwieweit Matthaeus' Darstellungen auf Richards Berichten beruhen und aus dessen jeweiligem Blickwinkel gestaltet sind. Bei Matthaeus Paris finden Richard von Cornwalls politische Initiativen in den dreißiger und vierziger Jahren eine im allgemeinen uneingeschränkt positive Würdigung [100], doch unterscheidet sich dies nicht erheblich vom Tenor anderer klösterlicher Annalenwerke. Im Vergleich dazu übt Matthaeus immer wieder Kritik am Vorgehen des Königs [101]; ob dies in erster Linie auf eigener Einschätzung beruht, oder ob sich darin die Meinung des Grafen Richard widerspiegelt, ist nicht entscheidbar [102].

Nur an einigen wenigen Beispielen läßt sich zeigen, daß Richard oder Per-

[100] CM 3, S. 475 f. bei Richards Opposition gegen die Heirat Simons von Montfort mit seiner (und des Königs) Schwester Eleonore; CM 3, S. 532 zu 1239 zitiert Matthaeus, der König habe nach Kritik gegen Neubauten im Londoner Tower auf ähnliche Bauten seines Bruders verwiesen, „quem fama me prudentiorem praedicat"; CM 4, S. 228 f. Richards Kritik an Heinrichs Gascogne-Expedition und Verlassen des königlichen Heeres.

[101] Oft sogar wird diese Kritik von Richard „ausgesprochen"; CM 3, S. 411 zu 1237 wird Heinrich wegen seiner schlechten Regierungsführung getadelt. CM 4, S. 228 f. ist ein noch deutlicheres Beispiel.

Um 1248, als Richard mit dem König zusammenarbeitete, traten solche Bemerkungen in den Hintergrund; aber von 1252 bis 1255 war das Verhältnis wieder schlecht, vgl. CM 5, S. 292, 520.

[102] Ein Hinweis auf eine enge Beziehung von Richard zu Matthaeus ist es vielleicht, daß vor 1235 (dem Beginn von Matthaeus' selbständigem Teil) nur wenig von ihm die Rede ist; selbst seine prominente Beteiligung an den bewaffneten Aufständen des Adels ab 1231 wird bei Wendover verschwiegen, nur seine Rückkehr auf die Seite des Königs wird CM 3, S. 248 erwähnt.

sonen seines Haushalts in St. Albans weiteres Material zur Verfügung gestellt haben. Zu 1239 reiht Matthaeus Paris ein undatiertes Schreiben Gregors IX. an Richard und die englischen Barone ein [103]. Darin bestätigt der Papst das zuvor durch päpstliche Provision durchbrochene Präsentationsrecht des Laienpatrons einer Kirche in Yorkshire [104], widerruft die betreffende Anordnung und bestätigt die zukünftige Beachtung der Rechte weltlicher Kirchenherren in ähnlichen Fällen. Darüber hinaus erhält der päpstliche Legat in England, der Kardinaldiakon Otto von St. Nikolaus in carcere Tulliano, die Anweisung, für die Durchführung des päpstlichen Willens zu sorgen [105]. Dieser päpstlichen Entscheidung war eine Petition zugunsten des betroffenen Kirchpatrons Robert Twenge vorausgegangen, die von den „devoti ... de Cestria et de Wyncestria" nach Rom gesandt worden war [106]. Luard hat darunter sicher zu Recht die beiden entsprechenden Grafen verstanden [107] und darauf hingewiesen, daß der Graf von Chester, John le Scot, schon 1237 gestorben war [108]. Wenn es sich nicht um einen Fehler bei Matthaeus handelt, ist der Fall schon 1237 ins Rollen gekommen; die Antwort Gregors kann ebenfalls schon in der zweiten Jahreshälfte 1237 oder 1238 erfolgt sein, denn der Legat hielt sich seit Ende Juni 1237 in England auf [109]. Aus einem unerklärbaren, aber wahrscheinlich bedeutungslosen Grund schrieb Matthaeus diese Petition später an den Rand [110], nachdem die beiden päpstlichen Mandate bereits in B eingetragen waren. Der Kirchenpatron Robert Twenge [111], um dessen Rechte [112] es bei der Auseinandersetzung ging, gehörte zu den Rittern in Richard von Cornwalls Umgebung. Der nach Rom gesandte Petitionsbrief und die Antwort des Papstes an den Grafen Richard sind ganz offensichtlich aus einer

[103] CM 3, S. 612 f. = Potth. 10835.

[104] CM 3, S. 613: „... quod quidam praedicti regni miles in ecclesia de Luhune, Eboracensis diocesis, quam olim cuidam de partibus nostris clerico, ignorantes quod praesentatio ad laicum pertineret, contulisse dicimur, jus optinet patronatus ...".

[105] CM 3, S. 613 f. = Potth. 10836.

[106] CM 3, S. 610–612.

[107] CM 3, S. 610 A. 6.

[108] CM 3, S. 394: der Graf sei von seiner Frau vergiftet worden. Die Grafschaft Chester blieb vakant und kam schließlich an das Königshaus, *Powicke,* King Henry III, S. 788 f. und *Powicke,* The Thirteenth Century, S. 197 A. 1.

[109] CM 3, S. 395.

[110] MS. B fol. 128r; zum Zeitpunkt der Abfassung des betreffenden Teils von B war das Dokument in St. Albans schon bekannt, denn Matthaeus Paris resümiert CM 3, S. 609 den wichtigsten Teil des Inhalts – die Petition an den Papst.

[111] 1240/41 war Twenge mit Richard auf der Kreuzfahrt, vgl. *Denholm-Young,* Richard of Cornwall, S. 42.

[112] Die Patronatsrechte wurden vom Adel als Besitzansprüche nachdrücklich gewahrt, vgl. die allerdings nur Klöster einbeziehende Diss. von *S. Wood,* English Monasteries and their Patrons in the Thirteenth Century (1955); das Präsentationsrecht des Patrons war kirchenrechtlich kaum umstritten, vgl. *P. Landau,* Jus Patronatus (1975), S. 145–155.

Hand nach St. Albans gelangt, und dabei kann es sich nur um Richard selber oder Mitglieder seiner Begleitung handeln.

Unter dem Jahr 1250 findet sich noch einmal ein an Richard von Cornwall gerichteter Brief in der Chronik: ein gewisser „J. cancellarius" berichtet über den wenig rühmlichen Ausgang der Operationen des Kreuzfahrerheers unter Ludwig IX. vor Mansurah [113]. Dieser Brief ist noch im selben Jahr nach St. Albans gelangt, wie sich aus der Chronologie der Entstehung von B ergibt; Matthaeus' Eintragungen zum Jahre 1250 weisen auch sonst mehrfach auf Kontakte mit Richard von Cornwall hin, welche aus den erwähnten chronologischen Gründen vor der von Matthaeus miterlebten Einweihung der von Richard gegründeten Klosterkirche Hayles 1251 liegen müssen. Zu Richards Reise nach Frankreich Anfang 1250 erwähnt Matthaeus Paris den großen Aufwand und die dem Grafen erwiesenen Ehren [114]. Dann werden die Rückkunft im April und ein Gespräch mit dem Papst vermerkt [115], wobei die Beschreibung der äußeren Umstände, wie etwa der dem Grafen durch Innozenz IV. in Lyon erwiesenen Ehrungen, auf Richard von Cornwall oder dessen Haushalt als Quelle des Berichts hindeutet. Der unmittelbar darauf erwähnte Kauf des zu St. Denis gehörenden Priorats Deerhurst, Glos., durch Richard bestätigt diesen Eindruck [116]. Doch wenn Richard persönlich der Informant gewesen ist, so war er diesmal nicht besonders mitteilsam. Matthaeus wiederholt die Notiz von der Rückkehr Richards aus Frankreich noch einmal wenig später [117] und verbindet damit Spekulationen über den Zweck der Reise. Dabei bietet er drei Überlegungen an: der Papst habe Richard das *Imperium Romanum* übertragen wollen, Richard habe weitere Kreuzfahrer vom Aufbruch abhalten sollen, oder er sei zum Papst wegen des geplanten Kaufs von Deerhurst gereist. Matthaeus Paris bezeichnet dies jeweils als die ihm zu Ohren gekommenen Meinungen („aliquorum fuit opinio", „aliorum fuit sententia", etc.). Er hatte also offensichtlich keine Gelegenheit, den Hauptbeteiligten, Richard von Cornwall selbst, hierüber zu befragen [118].

[113] CM 5, S. 165–169; der Brief beginnt „Reverendo domino suo R[icardo] comiti Cornubiae suus J. cancellarius, etc.". Es kann sich hier nicht um einen Kanzlisten Richards handeln, sondern lediglich um einen dem Grafen gut bekannten Mann (daher die Stellung von „suus"), der sich im Gefolge des englischen Kreuzzugskontingents befand. Jedenfalls kann daraus nicht auf die Existenz einer Kanzlei Richards geschlossen werden – er hätte ja seinen Schreiber dann auch nicht über Jahre ins Ausland schicken können.

[114] CM 5, S. 97.

[115] CM 5, S. 110–112.

[116] Obwohl Matthaeus zufolge der Papst die Transaktion genehmigte, haben sich die Absichten doch wieder zerschlagen; Deerhurst gehörte bis ins 15. Jahrhundert zu St. Denis, vgl. *Knowles/Hadcock*, S. 64; *Denholm-Young*, Richard of Cornwall, S. 74 A. 2.

[117] CM 5, S. 117 f.

[118] CM 5, S. 147: „Die vero sancti Kenelmi, videlicet kalendis Augusti, comite Ri-

Der Brief an Richard über das Schicksal der Kreuzfahrer in Ägypten erreichte seinen Empfänger am 1. August [119]. In der Chronik folgt auf diese Mitteilung eine lange Erzählung über die Kämpfe in Ägypten, an die sich dann erst der Brief selbst anschließt. Matthaeus' Erzählung, geschmückt von Reden und Dialogen, verwendet fast ausschließlich die auch in dem Brief enthaltenen Fakten und behält auch die Reihenfolge des Ablaufs bei, wie sie aus dem Brief zu ersehen ist; demnach hat Matthaeus Paris den vorangestellten Bericht unter Benutzung des Briefs geschrieben [120]; hinzugefügt sind außer den rhetorischen Ausschmückungen vor allem einige Namen und Mitteilungen, welche die englischen Teilnehmer betreffen [121]. Es ist kaum zu entscheiden, ob diese Nachrichten zusammen mit dem Brief über Richard von Cornwall nach St. Albans kamen oder einen anderen Verbreitungsweg in England nahmen.

Was dieses letzte Beispiel vor allem lehrt: selbst hier, wo nach Ausweis des an Richard gerichteten Briefes die Verbreitung der Nachrichten aus Ägypten von dem Grafen ausgegangen ist, läßt sich kaum beschreiben, wie der Chronist davon Kenntnis erhielt. Und diese Überlegung wird bei der Interpretation von nicht anderweitig belegten Nachrichten in CM häufig eine Rolle spielen müssen: immer wieder muß damit gerechnet werden, daß Graf Richard, Matthaeus' „Hauptinformant", die Darstellung in der einen oder anderen Weise mitgeprägt hat, ohne daß dies in der Regel ausdrücklich in Erscheinung tritt oder erschließbar ist.

Exkurs: Zur Einordnung von BF 2160

BF 2160, zu Recht von BF zu 1236 datiert, ist Matthaeus Paris offenkundig erst später (1239?) bekanntgeworden, denn er reiht den (undatierten) Brief in die Ereignisse um die Exkommunikation Friedrichs ein. Matthaeus bringt den Brief ausdrücklich mit dem folgenden Vorgang in Verbindung: Auf PdV I 7, I 6

cardo existente Londoniis et ad scaccarium sedente, venit ad ipsum nuntius quidam festinus et tristis, rumorum et literarum bajulus teterrimarum, hujus sententiae continentium".

[119] CM 5, S. 147; über die Kämpfe S. 147–165; dann folgt der an Richard gerichtete Brief.

[120] Die Richtigkeit des Berichts im wesentlichen wird in der Literatur kaum bezweifelt, vgl. *S. Runciman,* A History of the Crusades 3 (1954), S. 264 ff., der die Darstellung großenteils auf Matthaeus stützt; *H. E. Mayer,* Geschichte der Kreuzzüge (1965), S. 237 f.

[121] CM 5, S. 153 der Tod von Wilhelm Longépée und Robert de Vere; CM 5, S. 156 heißt es, Alexander Giffard sei der einzige Überlebende eines Kampfes vor Damiette gewesen.

folgt CM 3, S. 551–562 der Bericht der Bischöfe von Würzburg, Worms, Vercelli und Parma über ihre Unterhandlungen mit dem Kaiser Ende 1238 (BF 2401); darauf dann CM 3, S. 562 die nachstehende Rubrik: „Querimonia imperatoris quod contemptus est tam a rege Anglorum quam a domino Papa. Scribit igitur comiti Cornubiae R[icardo] sororio suo prolixam epistolam, et principibus aliis, mutatis tantum titulis".

Die im Text darauf folgende Schilderung betrifft aber zunächst die Reaktion des Papstes nach Erhalt von BF 2401 – der Papst soll darauf die Exkommunikation des Kaisers durch öffentliche Proklamation beschlossen haben. Dies wiederum habe den Kaiser veranlaßt, BF 2160 zu verbreiten. Der Brief ist bei Matthaeus Paris nicht adressiert, und die von *Oelrichs*, S. 10 getroffene Feststellung, der Brief sei an Richard von Cornwall gerichtet gewesen, ist doch sehr zweifelhaft. Der Zusammenhang der Nennung von Richards Namen in der Rubrik mit einer „prolixa epistola" (dies ist Oelrichs' einziges Beweisstück) deutet eher auf BF 2431. Daß die Rubrik sich auf einen größeren Abschnitt und nicht auf das unmittelbar Folgende beziehen könnte, geht auch daraus hervor, daß nach BF 2160 die Verkündung der Exkommunikationssentenz durch den Legaten Otto u. a. in St. Albans berichtet wird, gefolgt von der diesbezüglichen Anweisung Gregors IX. an Otto (CM 3, S. 569–573 = Potth. 10724 = Auvray 5093). (Matthaeus dürfte dieses Mandat von Otto zur Abschrift erhalten haben.) Darauf folgt dann in CM das wirklich außerordentlich lange Manifest BF 2431. Auf welche Weise es zur Verknüpfung von BF 2160 mit den Ereignissen von 1239 kam, ist nicht feststellbar, doch geht die Einbettung des Briefs durch überleitende Erzählungen zweifelsohne auf Matthaeus zurück, der hier (Fehlen von Adresse und Datum) sicher kein Original gesehen hat.

V. Weitere Kaiserbriefe in England. Eine englische Briefsammlung in der Reichskanzlei des Interregnum?

Die Arbeitsweise und die Wege der Materialbeschaffung des Chronisten Matthaeus Paris konnten anhand von zwei Fallstudien ins einzelne gehend dargestellt werden; dies war möglich, weil beidesmal (Exchequer, Richard von Cornwall) eine Überlieferungsnahtstelle in England beschrieben werden konnte. Dieses Verfahren setzte voraus, daß die untersuchten Stücke vorab einem Empfänger oder Überlieferungsort zugeschrieben werden konnten: Richard von Cornwall als Empfänger einer Gruppe von Briefen stand nach Ausweis der Inskriptionen fest, und die am Ende bestätigte Vermutung eines Kontaktes zwischen Matthaeus Paris und dem Exchequer war auf die parallele Überlieferung bestimmter Briefe gegründet. Diese Methode ist nicht anwendbar, wenn zunächst konkrete Anhaltspunkte für den Verbreitungsweg eines Briefes in England fehlen – also in der Mehrzahl aller Fälle bei den in den Chronica majora erscheinenden Briefen und Dokumenten. Die Produkte der staufischen Kanzlei stellen unter ihnen eigentlich nur eine Minderheit dar [1]. In dieser Untersuchung stehen sie – abgesehen von ihrer politischen Bedeutung – deswegen im Vordergrund, weil sich mit den Kaiserbriefen speziell die Frage verbindet, auf welche Weise sich Matthaeus Paris über die Ereignisse außerhalb seines Heimatlandes ins Bild setzen konnte. Wie die Kaiserbriefe in der Exchequersammlung sind noch etliche weitere an König Heinrich III. gerichtet; die englischen Texte gehen demnach auf Empfängerüberlieferung zurück. Von den nachstehend aufgelisteten Stükken sind alle außer PdV I 6, I 7 an den englischen König gegangen; dies geht aus den Adressen hervor, nur bei dem Komplex BF 3399/3422/3423 ist der Empfänger nicht aus dem Kontext, sondern lediglich aus einer Rubrik in CM vor BF 3399 zu ersehen.

Die beiden Manifeste vom Frühjahr 1239 an die Kardinäle sowie an den Senator und das Volk von Rom sind von der kaiserlichen Kanzlei in einer großen Zahl von Abschriften verbreitet worden. Beide Stücke finden sich in zahlreichen – wohl zu einem erheblichen Teil auf Empfängerüberlieferung beruhenden – „ungeordneten Vinea MSS.“ [2], sowohl gelegentlich getrennt als auch zusammen-

[1] Insgesamt im selbständigen Teil von 1235–1250 ca. 110 Stücke in CM (ohne LA), davon 23 Kaiserbriefe, kurze Fragmente und Erwähnungen weiterer nicht abgeschriebener Briefe nicht mitgerechnet.

[2] Z. B. Palermo, Bibl. della Soc. Siciliana di Storia Patria, MS. I. B. 25 (*olim:* Codice del Principe Fitalia), vgl. Archiv 5, S. 361; Verona, Bibl. Capitolare, Cod. CCLXII (*olim:* 234), vgl. Archiv 5, S. 388 f., dazu *Schaller*, FS Turrini (1973), S. 765–

BF	Incipit etc.	HB	PdV/andere Drucke [3]	CM
2427	Cum sit Christus 10. März 1239 an die Kardinäle	5, S. 282 – 284	Ann. Stad., MG SS 16, S. 364 f. PdV I 6	3, S. 548 – 550
2430	Cum Roma sit 20. April 1239 an den Senator	5, S. 307 f.	PdV I 7	3, S. 546 f.
2531	Cum inter reges o. D.	5, S. 464 – 466	Rymer I, 1, S. 134 aus CM	4, S. 16 – 19
3019	Communem casum et	5, S 921 – 923		4, S. 26 – 29
3216	Rem quae tam 3. Juli (1241)	5, S. 1148 – 1154		4, S. 112 – 119
3264	Prospera qui (sic) quondam 30. Januar (1242)	6, S. 26 f.		4, S. 175 f.
3423	Per praesens scriptum	6, S. 171 f.	MG Const. 2 Nr. 248, S. 338	4, S. 331
3399	Cum in tractatu	6, S. 146 f.		4, S. 332
3422	(Die Artikel des Friedensangebots)	6, S. 172 – 175	MG Const. 2 Nr. 252, S. 341–351 in anderer Form	4, S. 332 – 336

hängend. Jedenfalls hat die kaiserliche Kanzlei beide Manifeste zum Grundstock ihrer Propagandamittel gerechnet, anders läßt sich die Verbreitung kaum erklären [4]. So findet sich BF 2427 (PdV I 6) auch bei Albert von Stade, dem einzigen im strengen Sinne zeitgenössischen Chronisten im deutschsprachigen Reichsgebiet [5]. Eine Darstellung des Textes bei Matthaeus Paris anhand eines Lesartenapparates müßte die Überlieferung in den ungeordneten Sammlungen ziemlich vollständig erfassen und wäre trotzdem in ihrem Ergebnis für Matthaeus nicht sehr aussagekräftig. Denn bereits aus einem Vergleich der beiden Briefe in CM

780; Wolfenbüttel, Helmstedt 298, vgl. Archiv 5, S. 386 f.; Wilh. 60, vgl. Archiv 7, S. 903 f.; ebenso Wien 590; Troyes 1482, vgl. Archiv 7, S. 918.

[3] Ungedruckte MSS.-Überlieferungen sind in dieser Spalte nicht erfaßt.

[4] Hier zeigt sich übrigens auch, wie sehr die von Vehse eingeführte Terminologie (Manifest, Propaganda, etc.) berechtigt ist. Die Kritik daran von *E. Pitz*, Papstreskript und Kaiserreskript im Mittelalter (1971), S. 227 f. und S. 209–228 *passim* geht ins Leere, denn niemand will wohl behaupten, PdV I 6, I 7 seien Reskripte nach Suppliken o. ä. Die von Pitz kritisierte Vorstellung einer modernen Medienmaschinerie hat Vehse überhaupt nicht geäußert.

[5] MG SS 16, S. 364 f.; vgl. *Wattenbach/Schmale*, Deutschlands Geschichtsquellen im Mittelalter. Vom Tode Kaiser Heinrichs V. bis zum Ende des Interregnum 1 (1976), S. 423–425.

und im gedruckten Vinea-Briefbuch bei Schard-Iselin geht hervor, daß die Texte im wesentlichen identisch sind und bei Abweichungen zumeist davon auszugehen ist, daß die Fassung des Briefbuches die veränderte ist[6, 7]. In BF 2427 (PdV I 6) zeigt sich an einer Stelle ganz deutlich die spätere Redaktion im Rahmen der Briefsammlung. Im PdV-Briefbuch ist in I 6 an einer Stelle von der „depositio" des Kaisers die Rede:

... in Romanum intendit advocatum Ecclesiae, ad praecipitationem omnium, sententiam depositionis statuere;

während bei Matthaeus Paris steht:

... in Romanum tendit principem, advocatum Ecclesiae ac ad praedicationem Evangelii stabilitum.

Dabei bestätigt der Stader Annalist die Fassung von Matthaeus Paris [8].

Abgesehen von dem zweifellos auf Empfängerüberlieferung zurückgehenden Text des Stader Annalisten findet sich BF 2427 auch in einer englischen, dem Transkript von Matthaeus Paris nahestehenden Fassung: in Oxford, Bodl. MS. Auct. F 1. 8, einem um 1200 geschriebenen Codex, der den Policraticus des Johann von Salisbury, die Briefe Arnulfs von Lisieux sowie von Sidonius Apollinaris und Epigramme von Martial enthält [9]. Ganz am Ende befindet sich (fol. 140^{v}) eine Abschrift des Briefes Friedrichs II. an die Kardinäle, die um die Mitte des 13. Jahrhunderts auf den freien Teil der Seite geschrieben wurde [10]. Außerdem stehen dort die folgenden „Streitverse" zwischen Kaiser und Papst:

[6] Teilweise finden sich die Lesarten des Textes von CM sogar in den Fußnoten bei Iselin wieder, welche aus dem allgemein als schlecht geltenden Vinea-MS. Bern 273 stammen, vgl. *Schaller*, DA 12, S. 116; *Pertz*, Archiv 5, S. 426. Dieses MS. enthält aber doch, wie der Vergleich mit Matthaeus Paris zeigt, eine Reihe von gegenüber dem Schard-Text richtigen Varianten, z. B. PdV I 6: A. 10, 16, 18, 20, 29, 31; PdV I 7: A. 8, 9, 14.

[7] Nur an einer Stelle in PdV I 7 = BF 2430 enthält Matthaeus Paris einen sinnentstellenden Fehler, vgl. CM 3, S. 547 A. 2; Luard hat hier aus PdV emendiert.

[8] MG SS 16, S. 364 Z. 40 f.; CM 3, S. 548 Z. 26–28; die Vermutung von *Schaller*, DA 11, S. 144 und A. 21, der aufgrund des PdV-Textes annahm, Friedrich II. habe die Exkommunikation von 1239 zumindest als zeitweilige Absetzung betrachtet, findet sich damit nicht bestätigt. Auch bei zahlreichen kleineren Abweichungen bestätigt der Stader Annalist zumeist den Text von CM. Lappenberg hat den Text dieses Briefes in Ann. Stad., MG SS 16 z. T. aus Iselin emendiert, so daß man in den Apparat gehen muß, um den Zustand des Wolfenbütteler MS. (vgl. MG SS 16, S. 281) beurteilen zu können.

[9] Zu Bodl. MS. Auct. F 1. 8 (= Summary Catalogue 2482 = *olim* 372), vgl. *Huillard-Bréholles*, Vie et correspondance de Pierre de la Vigne (1865), S. 271; *Kantorowicz*, MÖIG 51, S. 78 und A. 122 mit falscher MS.-Signatur. Der Text von BF 2427 hat im Bodl. MS. eine Reihe von Fehlern.

[10] *Kantorowicz*, MÖIG 51, S. 78: „eine englische Kanzleihand der 60er bis 70er Jahre des 13. Jahrhunderts"; ich möchte bezweifeln, ob eine so genaue Datierung bei

Fata monent stellaeque docent aviumque volatus:
Totius subito malleus orbis eris (so MS.; HB druckt: ero).
Roma diu titubans variis erroribus acta
Concidet et mundi desinet esse caput.

mit Gregors IX. Antwort:

Fama refert, scriptura docet, peccata locuntur
Quod tibi vita brevis, poena perhennis erit [11].

Diese Verse bringt Matthaeus Paris ebenfalls im Zusammenhang mit BF 2427 [12]:

Pronosticum.
Aliud scriptum, quod videtur procurasse imperator,
fertur tamen pro vero, quod inventi sunt hi versiculi
in cubiculo Papae scripti; modus autem et auctor penitus
ignoratur:
Versus.
Fata docent, stellaeque monent aviumque volatus,
Totius mundi malleus unus erit.
Roma diu titubans, variis erroribus acta,
Totius mundi desinet esse caput.

Quos versus cum dominus imperator et alii multi
interpretabantur in interitum et desolationem Papae et
Romanae curiae redundasse, Papa in eundem
imperatorem hos versiculos retorquebat:

englischen „court hands" der Zeit ohne ausführliche paläographische Vergleiche möglich ist.

[11] Abgedruckt bei *Huillard-Bréholles,* Vie et correspondance, S. 271; im Bodl. MS. folgen dann in anderer Hand Merkverse über die Verteilung der Erzämter des Reiches und der Kurwürden. Über die Prophezeihung vgl. *H. Grauert,* Meister Johann von Toledo, in: SB München (1901), S. 162–165; O. *Holder-Egger,* Italienische Prophetieen des 13. Jahrhunderts II., in: NA 30 (1905), S. 335–349; S. 337 grenzt Holder-Egger die Texte in CM und Bodl. MS. als die „englische Form" gegenüber den anderen ab, da hier allein die kurze Antwort des Papstes in nur zwei Zeilen erhalten ist. Die Annalen von Waverley, Ann. mon. 2, S. 323 (= MG SS 27, S. 462) zu 1239 geben genau den Text von Bodl. Auct. F 1. 8; Holder-Egger, NA 30, S. 337 gibt eine falsche MS.-Bezeichnung (die des zuvor bei *Huillard-Bréholles,* Vie et correspondance, S. 270 beschriebenen) und übernimmt außerdem S. 337 A. 6 die Lesart „ero" wegen des Reims, obwohl Waverley „eris" hat.

[12] Bei Matthaeus Paris steht lediglich zwischen dem Manifest und den Versen eine weitere „Prophezeihung", die bereits Wendover zu 1227, CM 3, S. 125 inserierte. Matthaeus hat sie zweimal an anderer Stelle zusätzlich eingesetzt: zu 1109, CM 2, S. 135 und zu 1239, CM 3, S. 550 im Anschluß an BF 2427. Obwohl der Anfang der „Prophezeihung" jedesmal leicht verändert ist, liegt kein Anhaltspunkt vor, daß Matthaeus außer Wendover hier noch eine weitere Vorlage gehabt hätte; zu dieser „Sibilla Samia" vgl. *Schnith,* England, S. 157.

Fama refert, scriptura docet, peccata loquuntur,
Quod tua vita brevis, poena perennis erit [13].

Die Aufeinanderfolge des Briefes und der Verse in diesen beiden nicht voneinander abstammenden englischen Überlieferungen macht es wahrscheinlich, daß die Texte in einer größeren Zahl von Abschriften zirkulierten, die auf eine nach England gelangte Fassung zurückgehen, in der PdV I 6 und die Verse ebenfalls zusammenhängend enthalten waren. Die Verse des Bodl. MS. und bei Matthaeus Paris stimmen in etlichen Worten nicht überein, wobei Bodl. offensichtlich auf die ursprünglich nach England gekommene Version zurückgeht, denn sowohl in den Annalen von Waverley findet sich die Fassung von Bodl. als auch (der erste Teil) in der Mantuaner Chronik [14].

Matthaeus' einleitende Bemerkung („aliud scriptum quod videtur procurasse imperator") zieht aus der Tatsache des Erhalts einer geschlossenen Abschrift des Briefs und der Verse die Konsequenz, daß auch letztere aus der kaiserlichen Kanzlei zu kommen scheinen. Die Überlegungen anhand von Bodl. Auct. F 1. 8 zeigen, daß diese Vermutung richtig war: Brief und Verse sind geschlossen nach England gekommen, und da ähnliche Verse in italienischen Prophezeihungen mehrfach auftreten, ist dort ihr Ursprung zu suchen. Die „Antwort Gregors IX." in diesen Versen ist allerdings aus Italien in einer längeren, erheblich schärfer formulierten Fassung bekannt [15], die Schaller zeitlich mit der Seeschlacht von Monte Christo 1241 in Verbindung gebracht hat [16]. Die Entstehung der in England verbreiteten Fassung wird man früher anzusetzen haben; das „malleus"-Zitat (aus Jeremiah 50, 23) in „Ascendit de mari" (Potth. 10766) vom Mai 1239 [17] könnte die Anregung zu „malleus orbis eris" der Streitverse [18, 19] gewesen sein. Damit würde sich auch die Überlegung vertragen, daß die Verbreitung von BF 2427/2430 (ersterer in England mit den Versen zusammen) zu aktuellen Propagandazwecken nur in einem relativ kurzen Zeitraum nach der Exkommunikation sinnvoll gewesen sein dürfte, da der Inhalt des Briefes an die Kar-

[13] CM 3, S. 551.

[14] MG SS 24, S. 219, vgl. *Grauert,* S. 163 A. 2; *Holder-Egger,* NA 30, S. 339.

[15] Vgl. *Grauert,* S. 163 A. 2; wie *Holder-Egger,* NA 30, S. 335–349 zeigt, sind die Verse in Italien in immer neuen Mischformen umgebaut worden, die uns hier nicht berühren.

[16] *Schaller,* FS Schramm 1, S. 313 f.

[17] CM 3, S. 106 und MG Epp. saec. XIII 1, S. 651 Z. 7; vgl. *Schaller,* Endzeit-Erwartung und Antichrist-Vorstellungen in der Politik des 13. Jahrhunderts, in: FS Heimpel 2 (1972), S. 939 und A. 77.

[18] Als Autor käme möglicherweise Michael Scotus in Frage, vgl. *Schaller,* wie A. 17; weitere Lit. bei *Kantorowicz,* Kaiser Friedrich II. Erg. Bd., S. 149–151.

[19] Matthaeus Paris hat an dem Wort „malleus" Gefallen gefunden; so formuliert er in BF 2430 „tribu Romulea" um zu „tribulo mallea"; weitere Zitate bei *Schnith,* England, S. 162 f.; der Inquisitor Robert Bugre wird CM 3, S. 361 „malleus haereticorum" genannt, ähnlich auch CM 3, S. 520.

dinäle mit der darin angedeuteten Verhandlungsbereitschaft Friedrichs nach der Aufnahme des entschlossenen Kampfes gegen Papst und Lombarden 1240 nicht mehr der Lage entsprach – und da ja beide Briefe bei Matthaeus Paris datiert sind, hätten die darin enthaltenen Argumente als veraltet angesehen werden können oder müssen. Es ist davon auszugehen, daß noch 1239 eine Flugschrift mit den beiden Briefen und den Versen nach England gelangt ist, jedenfalls wohl vor der Abfassung von BF 2910 (16. März 1240), in dem der Kaiser den Papst als seinen seit jeher grundsätzlichen Gegner bezeichnet [20].

Matthaeus gibt den zwischen dem Kaiser und England geführten Schriftwechsel jener Jahre nicht vollständig wieder. Eine Reihe von kaiserlichen Briefen, die nachweislich nach England gesandt wurden, sind ihm unbekannt geblieben [21]; und es ist bezeichnend, daß Matthaeus zwar gelegentlich eine Antwort Heinrichs III. an den Kaiser erwähnt [22], aber kein einziges Schreiben des englischen Königs an den Kaiser in seiner Chronik überliefert. Daraus wird man den Schluß ziehen müssen, daß Matthaeus zu der politischen Korrespondenz des Königs selbst keinen Zugang hatte. Bei den an Heinrich III. gerichteten Schreiben BF 2531, 3019, 3216, 3264 ist zunächst die Beobachtung zu machen, daß nach den „Regesta Imperii" keines von ihnen bisher anderweitig bekannt ist, und daß CM somit in allen diesen Fällen als der einzige Textzeuge erschien. Doch überraschenderweise sind drei dieser Briefe (BF 2531, 3216, 3264) in den MSS. Wilhering 60 und Wien 590 – wenn auch mehr oder weniger stilübungsmäßig überarbeitet – ebenfalls enthalten. Schon bei der Untersuchung der an Richard von Cornwall gerichteten Briefe hatte sich ergeben, daß diese MSS. (von Ladners Klasse B) einige der auch bei Matthaeus Paris vorgefundenen Stücke enthalten. Zudem treten die aus England bekannten Kaiserbriefe – teilweise sogar durch die Adresse nach England verweisend – in den beiden österreichischen MSS. nahezu zusammenhängend auf [23], so daß die Parallelüberlieferung bei Matthaeus Paris und in diesen MSS. nicht ohne weiteres mit einem Zufall in den Irrungen und Wirrungen des verästelten Komplexes der „Vinea"-Überlieferung erklärt werden kann. Die einzig plausible Möglichkeit, diesen Sachverhalt zu erklären, besteht in der Annahme, daß auf dem Wege über Richard von Corn-

[20] *Vehse,* S. 72; zur Expedition der Manifeste von 1239 nach England vgl. unten S. 139 f.

[21] So BF 2532, das gleichzeitig mit BF 2531 nach England ging, vgl. *Vehse,* S. 80; *Liebeschütz,* S. 24 und A. 25. Außerdem blieben Matthaeus unbekannt: BF 3129 = PdV I 36; BF 3225 vom August 1241 über den Tod Gregors IX. (= PdV I 11 an Heinrich III.; HB 5, S. 1165–1167); vgl. *Vehse,* S. 95. Mit weiteren Funden in ungedruckten Briefsammlungen muß gerechnet werden. Die gedruckten Stücke des Briefwechsels zwischen Friedrich II. und Heinrich III. sind bei Liebeschütz zusammengestellt.

[22] Z. B. Heinrichs Antwort auf BF 2531, CM 4, S. 19.

[23] Wilh. 60 fol. 134^{v}–142^{v}; Wien 590 fol. 103^{r}–108^{r}; auch Troyes 1482 – von Pertz nicht vollständig aufgenommen – enthält z. T. diesen Bestand, vgl. Archiv 7, S. 915–923; *Huillard-Bréholles,* Vie et correspondance, S. 266.

wall diese Briefe aus England in die deutsche Reichskanzlei Richards gekommen sind und dort – wohl erst zur Zeit Rudolfs von Habsburg – zur Zusammenstellung eines Formelbuches mitverwandt wurden, auf welches die heute vorhandenen MSS. der Klasse B zurückgehen. Ladner, der sich gegen eine solche Theorie aussprach [24], ging dabei von der sicherlich falschen Voraussetzung aus, die „ungeordneten" Vinea-Sammlungen beruhten alle auf einer Art „Ur-Petrus de Vinea", der, aus der spätstaufischen Kanzlei stammend, von italienischen oder sizilischen Notaren verbreitet worden wäre; die Alternative, daß diese Sammlungen zumindest in Teilen letztlich auf Empfängerüberlieferung zurückgehen könnten, hat Ladner gar nicht ernsthaft erwogen [25].

Daß zwischen den Kanzleien des Interregnum und derjenigen Rudolfs von Habsburg Beziehungen bestanden, hat P. Zinsmaier unter Benutzung des bei Ladner ausgebreiteten Materials gezeigt [26]: in Wilhering 60 stellte Zinsmaier bei 27 Exordien fest, daß sie wörtlich oder abgeändert aus Urkunden Wilhelms von Holland oder Richards von Cornwall entnommen waren [27]. Diese Fragen können hier nicht mit der gebotenen Ausführlichkeit abgehandelt werden; nur eines sei noch angemerkt: Wilhering 60/Wien 590 enthalten eine beträchtliche Zahl von Schriftstücken, die mit Richard von Cornwall in einem Zusammenhang stehen, und zwar sowohl Briefe, die von seiner Kanzlei ausgingen, als auch solche, die er erhielt. Darunter sind etliche päpstliche Schreiben. In diesen MSS. und einigen weiteren verwandten Sammlungen (Baumgartenberger Formelbuch) finden sich auch die wichtigsten der päpstlichen Manifeste gegen Friedrich II., wobei sich der Bestand ebenfalls in Teilen mit den Chronica majora deckt. Ob diese Papstbriefe ebenfalls auf dem Weg über England oder auf anderem Weg

[24] Die Möglichkeit, daß in diese MSS.-Klasse auch Stücke aus der Reichskanzlei Richards von Cornwall eingegangen sind, bezeichnet *Ladner,* MÖIG Erg. Bd. 12, S. 194 mit wenig überzeugenden Argumenten als nicht sehr wahrscheinlich. Er meinte, „die wenigen" Stücke aus der Korrespondenz Wilhelms und Richards könnten auch auf anderem Weg in die Sammlungen gelangt sein. Als einzigen Beweis offeriert Ladner, daß *Baerwald,* Baumgartenberger Formelbuch, S. 249 f. Nr. 37 ein unadressiertes Stück nicht sicher Richard, sondern vielleicht auch Rudolf zuordnete. Dagegen hat Ladner die Inskription „comiti Cornubiae" (zu BF 2316) bei *Baerwald,* S. 220 übersehen, die nicht vom Hrsg. nach CM konjiziert wurde, sondern sich in den österreichischen MSS. findet, vgl. oben S. 113.

[25] *Schaller,* DA 12, S. 151 weist darauf hin, daß die MSS. des österreichischen Typs noch nicht genügend erforscht sind und betont S. 141, daß die ungeordneten Sammlungen mindestens z. T. auf Empfängerüberlieferung basieren.

[26] *P. Zinsmaier,* Ein verschollenes Formularbuch der Reichskanzlei im Interregnum, in: MÖIG 48 (1934), S. 46–57.

[27] Ebd. S. 47; dabei handelt es sich ausschließlich um Urkunden im engen Sinn; Briefe wurden nicht untersucht. Jüngst ist *Hägermann,* S. 145–150 auf wesentlich verbreiterter Grundlage zu einem ganz ähnlichen Ergebnis gekommen: ein bedeutender Teil der von Ladner als eindeutig rudolfinisch bezeichneten Exordien in Wilh. 60 ist demnach den Kanzleien des Interregnum zuzuordnen.

in die habsburgischen Sammlungen gelangt sind, kann erst nach einer eingehenden Analyse dieser MSS. festgestellt werden und muß hier dahingestellt bleiben [28].

Die in Wilhering 60/Wien 590 enthaltenen Kaiserbriefe an Heinrich III. und Richard von Cornwall sind vermutlich in der Reichskanzlei Richards bereits in der Form einer Briefsammlung (oder mehrerer kurzer Gruppen von Briefen) vorhanden gewesen; Richard von Cornwall dürfte das Material selbst nach Deutschland gebracht haben. Die geradezu verblüffende Kongruenz der bei Matthaeus Paris und in dieser „Richard von Cornwall-Sammlung" vorgefundenen Briefe (bzw. Exordien) zwingt zu weiteren Überlegungen, die die Entstehung und Verbreitung dieser Sammlung in England betreffen. Eine theoretisch denkbare Möglichkeit kann gleich ausgeschieden werden: die „Richard von Cornwall-Sammlung" ist nicht den Chronica majora entnommen, was ja chronologisch möglich wäre. CM bis 1250 war Anfang 1251 fertiggestellt, und Richard ging erst 1257 nach seiner Wahl zum deutschen König ins Reich. Einer solchen Annahme widerspricht, daß der Bestand an Briefen in jeder Richtung nicht dekkungsgleich ist. Der geschlossene Block, den ich als „Richard von Cornwall-Sammlung" bezeichne, enthält auch PdV II 8, ferner einen Brief *regi Anglie* „Que de throno – tempestatis", und PdV I 1. Alle drei sind Matthaeus Paris unbekannt geblieben. Andererseits fehlen in der „Richard von Cornwall-Sammlung" mit einer Ausnahme (PdV I 2) alle der in CM vorhandenen über den Exchequer bezogenen Briefe, sowie die an Richard von Cornwall inskribierten BF 2291, 2312, 2431 (PdV I 21).

CM bietet bei den mit der „Richard von Cornwall-Sammlung" gemeinsamen Briefen, wie schon anhand von BF 2316 und 3460 festgestellt wurde, in der Regel einen vollständigen und besseren Text; der Chronist von St. Albans hat zu den Briefen in einem Zustand vor der uns heute in den österreichischen MSS. erhaltenen Überarbeitung Zugang gefunden. Dabei ist es aber nicht ausgeschlos-

[28] Wilh. 60 enthält Papstbriefe an Richard von Cornwall, vgl. Archiv 7, S. 892–896: A 1 (Potth. 20049); A 3 (Potth. 17549); A 6 (Potth. *deest,* „In supremo speculacionis – adhibere"), Druck MG Const. 2 Nr. 402, S. 517–520; A 8 (Potth. 17964); A 39 (Potth. 19034); außerdem die in CM inserierten Stücke: Potth. 9525 (A 69); Potth. 10766 (A 78); Potth. 10724 (A 90); Potth. 10947 (A 106). Derselbe Bestand ist auch in Wien 590 enthalten, vgl. Archiv 7, S. 912–914. Troyes 1482, vgl. ebd., S. 921 f. enthält Nr. 132 f. einen Briefwechsel von Kardinal Ottobuono nach England.

Im MS. Wien 409 (Baumgartenberger Formelbuch) befinden sich ebenfalls die Stücke Potth. 17549 und 19034, außerdem im Druck S. 144 ein Papstbrief an den Erzbischof von Canterbury (Baerwald stellte Ähnlichkeiten mit Potth. 18489 fest). Im Anhang enthält dieses MS. noch eine weitere Briefsammlung, die den ganzen „englischen" Bestand ebenfalls im wesentlichen in geschlossener Anordnung bietet; aufgelistet bei *Baerwald,* S. 426 ff.: S. 432 Nr. 11 = BF 3216 und S. 435–438: Potth. 10766, BF 3495, BF 3541*, BF 2431*, BF 2427, BF 2430*, PdV I 1, BF 3264, BF 3139*. Die mit *) bezeichneten Stücke haben ein verändertes Initium.

sen, daß manche Briefe, so die in CM unvollständig datierten BF 2531, 3216, 3264, bereits in irgendeiner Weise bearbeitet nach St. Albans gelangten. Jedenfalls dürften diese Stücke zum Kern jener Sammlung zu rechnen sein, die später mit Richard von Cornwall nach Deutschland gelangte. In sie ist zu irgendeinem Zeitpunkt auch das Manifest PdV I 2 gelangt, und zwar mit den typischen Fehlern im Exordium, wie sie sich auch in der mit dem Exchequer in Verbindung zu bringenden Überlieferung finden [29]. Ungeklärt muß bleiben, inwieweit diese Sammlung mit dem Haushalt des Königs, den kanzleimäßigen Behörden des Königreiches, oder wiederum mit Richard in Beziehung zu setzen ist [30].

Aufgrund des zu vermutenden gemeinsamen Archetyps in England sind die Briefe in Wilhering 60/Wien 590 für die Kontrolle des Textzustands von BF 2531, 3216, 3264 bei Matthaeus Paris nur von begrenztem Wert. Außerdem dürfte es bei Textdifferenzen ohnehin näher liegen, von einem veränderten Zustand in den österreichischen MSS. auszugehen. Zum Ergebnis des Textvergleichs (der allerdings nicht auf allen in Frage kommenden MSS. von Ladners Klasse B beruht) sei folgendes gesagt:

- zu BF 2531. In Wilhering 60/Wien 590 [31] „Cum inter reges – potestatem" fehlt gegenüber CM nur der Überbringervermerk, in dem der Bote Chalbaot für seine englische Mission beglaubigt wird. Die österreichischen MSS. erscheinen in etlichen Lesarten verderbt, geben aber keinen grundsätzlich anderen Text; jedenfalls erlauben sie die Feststellung, daß Matthaeus Paris nicht den ihm zugänglich gewordenen Text für seine Zwecke grob entstellt hat.
- zu BF 3264. Dieser Brief, der den Tod Isabellas an Heinrich III. meldet, enthält in den österreichischen Sammlungen [32] zahlreiche Fehler, die teilweise den Sinn entstellen, doch handelt es sich im wesentlichen um Lesarten einzelner Wörter, während die grammatische Grundstruktur im Vergleich mit CM so gut wie identisch ist.
- zu BF 3216. Das „Tartarenmanifest" ist ein historisch besonders bedeutsames Stück, dessen Text Matthaeus Paris allein in dieser Form überliefert. Wilhering 60/Wien 590 „Rem que tam – prestaret" entspricht für die erste Hälfte (etwa bis CM 4, S. 115 unten) insoweit dem bei Matthaeus Paris überlieferten Brief, als zumindest Textanklänge vorhanden sind. Dann kommt der Text in

[29] Wilh 60, fol. 140^{r}–141^{r} = Wien 590 fol. 107^{rv}; „Status namque sequentis *firmatur* ex principio precedentis vite ..."; „... formatur *mortalitas* ab exemplo".

[30] Letztere scheint die wahrscheinlichste der drei Möglichkeiten zu sein, weil ja die „Richard von Cornwall-Sammlung" auch zwei der an Richard gerichteten Briefe (BF 2316, 3460) enthält. Die ursprüngliche Form der Zusammenstellung (lose Blätter oder ein Heft) ist gleichgültig. Jedenfalls waren es nach den fehlenden (BF 2531) oder unvollständigen (BF 3216, 3264) Datierungen zu schließen nicht die Originale, die Matthaeus sah.

[31] Wilh. 60 fol. 137^{v}–138^{v}; Wien 590 fol. 105^{rv}.

[32] Wilh. 60 fol. 141^{v}–142^{r}; Wien 590 fol. 107^{v}–108^{r}; beide MSS. haben auch unter sich Varianten; die Lesarten von Wilh. erscheinen oft besser.

beiden österreichischen MSS. völlig von Matthaeus Paris abweichend zu einem schnellen Schluß. Die Überarbeitung hat hier zu solch entstellenden Eingriffen geführt, daß eine Kontrolle des Texts in CM nicht mehr möglich ist. Dies ist um so bedauerlicher, als gerade bei BF 3216 [33] verschiedentlich Zweifel an der Authentizität mancher Stellen bestehen. Hierauf wird noch zurückzukommen sein.

Es ist bisher gelungen, für fast alle Matthaeus Paris bekannten Kaiserbriefe wahrscheinliche Überlieferungswege ausfindig zu machen, doch im Fall von BF 3019 ist dies in ähnlicher Weise nicht möglich, weil nach dem bisherigen Wissensstand der Text in CM ein völliges Unikat ist. Der Brief vom 25. April 1240 berichtet über die Niederlage des Kreuzfahrerheeres unter Theobald von Navarra im November 1239, stellte also für die im Aufbruch befindlichen englischen Kreuzfahrer eine durchaus wichtige Nachricht dar. Es scheint aber aus zeitlichen Gründen nicht möglich, daß er bereits vor Richard von Cornwalls Abreise aus England im Juni 1240 nach St. Albans gelangt sein könnte.

Auch zu BF 3422/3423 kann ausgehend von Matthaeus Paris nicht viel gesagt werden. Die Vollmachten des Kaisers vom 28. März 1244 für Raimund von Toulouse, Petrus de Vinea und Thaddeus von Suessa zu Verhandlungen mit Innozenz IV. zum Abschluß eines Vertrages und zum Schwur im Namen des Kaisers sind in drei getrennten Schriftstücken ausgestellt, alle mit demselben Datum. (Es handelt sich hierbei nicht um spätere stilübungsmäßige Veränderungen desselben Stückes; offenbar besaßen die Unterhändler drei Vollmachten, die in den aus den Lyoner Transsumpten hervorgegangenen Rollen von Cluny [34] alle vorhanden waren [35].) Matthaeus Paris kannte davon BF 3423; der in CM vorgefundene Text stimmt bis auf wenige Lesarten mit den anderen Überlieferungen überein [36]. Die „Unterwerfungsartikel" (BF 3422) sind bei Matthaeus Paris nicht in der im August 1244 in das Rechtfertigungsschreiben des Kaisers [37] übernommenen Form (nur cap. 1–12) enthalten, sondern in der längeren Fassung mit 15 Kapiteln, wobei in CM das letzte dem Schwurvollmachtsschreiben vorangestellt in Matthaeus' Erzählung eingebaut ist [38]. Es scheint an dieser Stelle erforderlich, die von Ficker und Weiland begonnene Diskussion über die ursprüngliche (oder frühere) Form der „Promissiones" wiederaufzugreifen [39].

[33] *Vehse,* S. 93 A. 8; *Oelrichs,* S. 129. Zur Überlieferung von BF 3216 vgl. auch den Exkurs am Ende des Kapitels.

[34] Vgl. *G. Battelli,* I Transunti di Lione del 1245, in: MIÖG 62 (1954), S. 336–364.

[35] BF 3419, 3422, 3423 = MG Const. 2 Nr. 245, S. 334; Nr. 247, S. 337 f.; Nr. 248, S. 338. MG Const. 2 (und auch HB 6, S. 169–172) edieren im wesentlichen aus BN lat. 8990, einer Abschrift der Rollen von Cluny, saec. XVIII.

[36] Vgl. den Apparat in MG Const. 2; zusätzlich verglichen BL Add. MS. 25439 fol. 28^{r}.

[37] BF 3434 = MG Const. 2 Nr. 252, S. 341–351.

[38] CM 4, S. 331.

[39] BF 3422; *Weiland,* in: MG Const. 2, S. 334 f.

Ficker hielt Matthaeus' Text wegen der an mehreren Stellen „aus Versehen“ beibehaltenen 1. Person für den ursprünglichen. Aber CM gibt an drei Stellen gerade nicht jene 1. Person, wie sie im Text von BF 3434 enthalten ist [40]. Auch Weilands Vermutung, der Text bei Matthaeus Paris beruhe auf Verbreitung durch den Papst, ist unzutreffend; denn in CM ist BF 3422 in ein kaiserliches Anschreiben eingebunden, das nach der Rubrik bei Matthaeus Paris an den englischen König gerichtet war und in dem die Entsendung von englischen Beauftragten zu den Verhandlungen mit dem Papst erbeten wird [41].

Über den Verbreitungsweg der 15 Artikel bis nach England ist nichts bekannt, nur die Einbettung in BF 3399 deutet darauf hin, daß die kaiserliche Kanzlei die Expedition des Schriftstücks veranlaßte. Als Zeitpunkt kommt der April 1244 in Frage, wie sich aus der hier vorgeschlagenen Datierung von BF 3399 ergibt.

Obwohl die Übermittlungswege der in diesem Kapitel behandelten Kaiserbriefe nach England gelegentlich nicht eindeutig beschrieben werden konnten, hat sich das bereits aus der Untersuchung des Verhältnisses von Matthaeus Paris zum Exchequer und zu Richard von Cornwall bekannte Bild insgesamt bestätigt: der Chronist von St. Albans stützte sich (mit der wahrscheinlichen Ausnahme von PdV I 6, I 7) nicht auf bereits vor ihrer Ankunft in England von fremder Hand zusammengestellte Texte, sondern beschaffte sich sein Material aus dem Fundus der an englische Adressaten gerichteten Briefe, so daß gesagt werden kann, daß Matthaeus Paris' Texte letztlich auf Empfängerüberlieferung zurückgehen.

Exkurs: Zur Überlieferung von BF 3216

In Wilh. 60 fol. 134^{v}–136^{r} und Wien 590 fol. 103^{r}–104^{r} ist der Brief BF 3216 mit einer Rubrik „regi Francie“ versehen. Da er in beiden MSS. das erste Stück der von mir als „Richard von Cornwall-Sammlung“ bezeichneten Gruppe darstellt,

[40] Die bei Matthaeus Paris fehlenden oder geänderten Stellen:

MG Const. 2	CM	cap.
S. 343 Z. 37 volumus	*(deest)*	5
S. 344 Z. 1 revocabimus	revocabit	6
S. 344 Z. 5 rebelles nobis fuerunt	rebelles domino imperatori fuerunt.	7

[41] CM 4, S. 332 „Cum in tractatu – convenientes“, von BF 3399 auf Dezember 1243 datiert, wegen der „voraussichtlich bald beginnenden Verhandlungen“. Doch ist dies ein Übersetzungsfehler. „Cum in tractatu pacis per R. comitem Tholosanum, dilectum affinem et fidelem nostrum, inter nos et ecclesiam prout firmiter credimus inchoandae ...“; d. h. *der Friede soll beginnen,* nicht die Verhandlungen! Auch aus der Erwähnung Raimunds kommt man zu einem anderen Schluß als BF. Ich datiere ca. April 1244.

könnte natürlich die Zugehörigkeit zu dieser Überlieferungsgruppe angezweifelt werden. Matthaeus Paris leitet CM 4, S. 112 den Brief mit der folgenden Bemerkung ein: „Dominus imperator super his certificatus, principibus Christianis, praecipue regi Anglorum, scripsit sub hac forma“. Ich gehe davon aus, daß eine entsprechende Rubrik der Vorlage in die „Richard von Cornwall-Sammlung“ verkürzt oder verändert eingetragen wurde.

BF 3216 ist in keiner auf französische Empfängerüberlieferung zurückgehenden Form erhalten. Nach Frankreich und an weitere Adressaten ging das Schreiben BF 3210 (= PdV I 30; HB 5, S. 1139–1143; MG Const. 2 Nr. 235, S. 322–325); die Ausfertigung an Ludwig IX. bezeugt Richard von San Germano zu 1241, hrsg. v. *Garufi,* S. 210. Die Bemerkung von Matthaeus Paris CM 4, S. 119, der Brief BF 3216 sei auch an Ludwig IX. gegangen, erweist sich damit als unzutreffend, denn BF 3210 und 3216 sind inhaltlich weitgehend gleich. BF 3217 referiert lediglich die Mitteilung bei Matthaeus, daß der Brief nach Frankreich ging, und ist zu streichen. Nach Matthaeus Paris soll der Brief an Ludwig IX. noch einen Zusatz enthalten haben, der sich in CM findet (woher will Matthaeus dies eigentlich haben?):

„Admiramur super Francorum prudentia, quod non subtilius caeteris Papales astutias consideratis, vel non attenditis cupiditates. Proponit enim ipsius ambitio insatiabilis omnia fidelium regna suo subicere dominatui, ab Anglorum conculcata corona sumens exemplariter consequentiam, et ut culmen imperii suis inclinet nutibus, ausa est praesumptuoso conatu et ausu temerario protervius inhiare“.

BF 3216 an Heinrich III. enthält nicht diese Vorwürfe gegen den Papst. Es handelt sich um eine eindeutige Fabrikation des Chronisten, dem immerhin erhebliche Einfühlung in den *stilus supremus* der Kanzlei zu bescheinigen ist. Daß BF 2316 in der Tat an den englischen König ging, und daß damit die Rubrik in den österreichischen MSS. als unzutreffend zu gelten hat, ergibt sich auch aus dem Rubrikenverzeichnis einer ansonsten verlorenen großen 6-teiligen Vinea-Sammlung in Rom, Vall. I. 29 fol. 60–64; vgl. *Schaller,* DA 12, S. 135–137; Archiv 5, S. 407 ff., vgl. S. 411 f. Dort ist BF 3216 als an den englischen König gerichtet aufgeführt: „Fredericus regi Anglie de adventu tartarorum et conqueritur ei de papa quia pro eo non potest eis obviare ‚Rem que tam Romanum imperium velud ad‘ “.

VI. Reisende und Boten als Überbringer von Briefen und Nachrichten. Der kaiserliche Kanzleinotar Walter von Ocra in England

Im Verlaufe der zurückliegenden Untersuchungen war bereits mehrfach die Frage aufgetaucht, wie und wann bestimmte Briefe und Manifeste vom kaiserlichen Hof nach England kamen, so zuletzt bei PdV I 6, I 7 und BF 3019. Man ist geneigt zu glauben, daß eine Untersuchung dieser Aspekte Teil einer Geschichte der Beziehungen zwischen dem Kaiser und dem englischen König sein könnte [1], nicht aber, daß sich daraus auch interessante Perspektiven für die Aufbereitung des Materials durch den Chronisten in St. Albans ergeben könnten.

Zwei Beobachtungen waren die Veranlassung zu der Vermutung, auf diesem Wege würden sich auch weitere Aufschlüsse für die mit der Chronik zusammenhängenden Fragen der Briefüberlieferung ergeben:

- Matthaeus Paris ist verschiedentlich über die Anwesenheit und sogar über die Aktivitäten kaiserlicher Gesandter in England informiert (wobei nicht immer dieses Wissen durch die Nennung der Namen kaiserlicher Gesandter und Boten in den Texten der Matthaeus bekanntgewordenen Briefe erklärbar ist);
- Matthaeus Paris referiert den Inhalt mehrerer kaiserlicher Briefe, die er selbst nicht zu Gesicht bekam [2], die aber den Aussagen des Chronisten zufolge nach England geschickt oder zum Teil sogar öffentlich verlesen wurden.

Schon Roger Wendover wußte, daß die Boten Friedrichs II., unter ihnen Petrus de Vinea (in der Chronik nicht namentlich genannt), die Anfang 1235 nach England kamen, um im Auftrag des Kaisers die Eheschließung mit der englischen Prinzessin Isabella zu vereinbaren, mit einem entsprechenden Schreiben ausgestattet waren [3]. Kein einziges der im Verlauf der Heiratsverhandlungen verfaßten Dokumente hat den Weg nach St. Albans gefunden [4]; trotzdem war schon Wendover über die Unterhandlungen durch die Bevollmächtigten des Kai-

[1] Dies hatte Liebeschütz versucht, allerdings nur anhand des gedruckten Materials (HB, Rymer, CM), und ohne die textkritischen Probleme aufzugreifen.

[2] Matthaeus Paris bringt in diesen Fällen (soweit anhand identifizierbarer Texte überprüfbar) keine wörtlichen Zitate, was dafür spricht, daß er die Briefe nicht selbst in Abschrift besaß.

[3] CM 3, S. 319: „... ferentes literas ipsius auro bullatas ...“, vermutlich BF 2036; bei *Erben,* Rombilder, nicht erwähnt, doch nach der Liste dort S. 93 sind etliche Stücke in unmittelbarer zeitlicher Nähe mit Gold gesiegelt.

[4] In der Kanzlei waren diese Texte abgeschrieben, vgl. *Rymer* I, 1, S. 121, 123–126; jetzt ergänzt und verbessert bei *Chaplais* (Hrsg.), Treaty Rolls 1, S. 1 ff.

sers informiert und führte in seiner Chronik auch Einzelheiten über den Ornat der abreisenden Prinzessin sowie über deren Reise bis nach Worms auf [5]. Dies sind die letzten Seiten von Wendovers Werk; Matthaeus Paris hat hier erheblich eingegriffen und erweitert, insbesondere die Teile über den reichen Ornat der Prinzessin [6] und über die Rückkehr ihrer englischen Wegbegleiter [7].

Auch Anfang 1240 gibt der Chronist den Inhalt kaiserlicher Briefe wieder, ohne die Texte selbst zu kennen. Es handelt sich um mehrere Briefe, die alle mit dem Konflikt zwischen dem Grafen von Toulouse und dem Grafen der Provence zu tun haben [8]. Der Kaiser

- warnt den Grafen von Flandern davor, feindliche Handlungen zu begehen (CM 4, S. 20 f.),
- schreibt dem Grafen der Provence, er solle den Grafen von Flandern entsprechend beeinflussen (S. 21),
- schreibt dem Grafen von Toulouse, er solle die Provence angreifen (S. 21);
- Heinrich III. setzt sich brieflich bei Friedrich II. für den Grafen der Provence ein (S. 23),
- und der Kaiser entschuldigt sich bei Ludwig IX. für sein Vorgehen (S. 24).

Aus den bei Matthaeus Paris mitgeteilten Inhaltsangaben dieser Briefe läßt sich nicht mit Sicherheit auf bekannte Stücke schließen; nur in zwei Fällen ist es möglich, überhaupt Briefe zu benennen, die in Frage kommen. Der erwähnte Brief an den Grafen von Toulouse könnte mit BF 2480 identisch sein, und der von Matthaeus Paris ausschmückend als Rede wiedergegebene Inhalt des Schreibens an Ludwig IX. könnte auf BF 2481 zurückgehen.

Gegen das Ende des Jahres 1244 zu werden von Matthaeus Paris drei Briefe erwähnt, die auf einem Treffen der Magnaten in London verlesen wurden und sich offensichtlich auf die „Friedensverhandlungen" zwischen Friedrich II. und Innozenz IV. bezogen. Sie waren allem Anschein nach dem kaiserlichen Gesandten Walter von Ocra mit auf den Weg gegeben worden. In einem der drei Briefe legt der Kaiser nach dem Bericht von Matthaeus seinen Standpunkt dar [9], während die beiden anderen, von Raimund von Toulouse und dem „Kaiser" von Konstantinopel ausgehenden, die kaiserliche Position bekräftigen [10, 11]. Der In-

[5] CM 3, S. 319–327.

[6] Diese Angaben finden sich jedoch nicht in der *roll* bestätigt, in der die Aussteuergegenstände aufgelistet wurden, PRO Chancery Misc. C 47/3/3; vgl. *P. E. Schramm/F. Mütherich*, Denkmale der deutschen Kaiser und Könige (1962), S. 105; Textedition der *roll* dort S. 107–110.

[7] CM 3, S. 324, der Bischof von Exeter und der Dominikaner J. de Sancto Egidio; aus deren Kreis dürfte Matthaeus' Information stammen, da CM insbesondere Einzelheiten der Reise ausführlich schildert.

[8] CM 4, S. 20–24; als Überbringer käme der CM 4, S. 19 erwähnte kaiserliche Bote Chalbaot in Frage.

[9] BF 3450; der Text selbst ist verloren.

[10] CM 4, S. 371; vgl. unten S. 145–147.

halt der Briefe wurde in England bei einer Reichsversammlung bekanntgemacht. Walter von Ocra wird dabei namentlich in der Chronik genannt, so daß er als der Überbringer der Schreiben erscheint.

Immer wieder sind die anwesenden Beauftragten des Kaisers aus der Chronik namentlich bekannt oder aus anderen Quellen erschließbar, so daß angenommen werden muß, die Briefe seien von diesen nach England gebracht. Petrus de Vinea ist nach seiner Reise zum englischen Hofe 1235/36, als er den Ehevertrag für den Kaiser aushandelte [12], nicht mehr in England gewesen, blieb Heinrich III. jedoch ständig verbunden; bis 1248 sind regelmäßige Zahlungen an ihn aus dem Exchequer nachweisbar (er hatte ein englisches Geldlehen erhalten) [13]. In den darauffolgenden Jahren haben andere Beauftragte des Kaisers regelmäßig den Kontakt mit England aufrechterhalten: neben den Boten Hugo Chalbaot und Wimo de Compesa, die gelegentlich in Erscheinung traten, ist es vor allem der kaiserliche Kanzleinotar Walter von Ocra gewesen, der für die Beziehungen des Kaisers zu Heinrich III. Verantwortung trug und immer wieder nach England reiste [14]. Daß er in dieser Funktion auch für die Übermittlung wichtiger kaiserlicher Botschaften zuständig war, braucht eigentlich kaum bewiesen zu werden. Mehrfach wird Walters Name bei Matthaeus Paris genannt, der den kaiserlichen Gesandten zumeist mit Briefen in Verbindung bringt, die dem Chronisten in St. Albans bekannt wurden.

Von daher liegt es nahe, das Itinerar Walters von Ocra mit den Kaiserbriefen in den Chronica majora in Beziehung zu setzen, um die diesbezüglichen Angaben von Matthaeus zu überprüfen und zu ergänzen. Die Nachrichten über das Itinerar Walters sind erstmals von Kantorowicz zusammengestellt worden [15]; Hartmann und Schaller haben bei ihren Arbeiten über das Personal der Kanzleien Konrads IV. und Friedrichs II. auf das von Kantorowicz gesammelte Material zurückgegriffen [16], das jedoch an einigen Stellen der Korrektur und Ergänzung bedarf. Zudem wurde bisher nicht der Versuch unternommen, die Reisen Walters und die Expedition von Kaiserbriefen nach England im Zusammenhang darzu-

[11] Die BF-Nummer beruht nur auf dem Bericht in CM; die beiden anderen Briefe sind dort nicht getrennt erfaßt.

[12] Über die Eheschließung Friedrichs durch seinen bevollmächtigten *procurator* Petrus de Vinea vgl. *D. E. Queller,* The Office of Ambassador in the Middle Ages (1967), S. 48 f.

[13] *W. Kienast,* Die deutschen Fürsten im Dienst der Westmächte II, 1 (1931), S. 75 f.; *Kantorowicz,* MÖIG 51, S. 61 f.; *Trautz,* S. 105 f.

[14] Matthaeus Paris nennt ihn im Rückblick nach 1250 „nuntius consuetus", HA 2, S. 492.

[15] *Kantorowicz,* Kaiser Friedrich II. Erg. Bd., S. 219 und MÖIG 51, S. 64–66.

[16] *H. Hartmann,* Die Urkunden Konrads IV. Beiträge zur Geschichte der Reichsverwaltung in spätstaufischer Zeit, in: AUF 18 (1944), S. 138 f.; *Schaller,* Die staufische Hofkapelle im Königreich Sizilien, in: DA 11 (1954/55), S. 497 f. und kürzer AfD 3, S. 262.

stellen. Im Hinblick auf das hier verfolgte Untersuchungsziel, die Wege der „Nachrichtenübermittlung“ vom kaiserlichen Hof nach England bis hin zum Chronisten von St. Albans aufzuhellen, empfiehlt es sich, die Tätigkeit Walters nicht isoliert zu betrachten, sondern auch weitere Reisende in einer chronologischen Aufstellung miteinzubeziehen.

Der selbständige Teil der Chronik setzt mitten in dem Bericht über die Eheschließung Friedrichs mit Isabella ein, der von Wendover noch begonnen und dann von Matthaeus Paris umgearbeitet und erweitert wurde [17]. Die kaiserlichen Bevollmächtigten werden bei Matthaeus Paris nicht namentlich genannt. Unter den von ihm erwähnten „nuntii solempnes“ [18] befand sich auch Petrus de Vinea; den Inhalt der mitgeführten Schriftstücke [19] hat schon Wendover in Erfahrung gebracht, ohne daß einer der Briefe selbst in die Chronik Eingang gefunden hätte. Der englische König beriet auf einer Reichsversammlung mit den weltlichen und geistlichen Würdenträgern seines Reichs über das Angebot [20]. Bei dieser Gelegenheit hat der englische Adel von dem kaiserlichen Vorschlag Kenntnis erhalten, und die Nachricht in der Wendover-Paris-Chronik dürfte auf dieses Treffen zurückgehen [21]. Einzelheiten des Heiratsvertrags wurden in St. Albans wohl nicht bekannt, auch die Vergabe eines Geldlehens [22] an Petrus de Vinea scheint in St. Albans unbekannt oder unbeachtet geblieben zu sein.

Die Eheschließung Friedrichs mit der englischen Prinzessin führte zu einer Intensivierung der Beziehungen zwischen beiden Höfen, die sich bereits im Jahr 1236 ausdrückt. Die Chronica majora erwähnen zu diesem Jahr eine Reise des

[17] CM 3, S. 318–327.

[18] Matthaeus nennt an mehreren Stellen die kaiserlichen Gesandten „nuntii sollempnes“; damit soll offenbar nur deren Rang hervorgehoben werden, eine besondere Funktion scheint damit nicht verbunden. *Queller,* der S. 4 ff. die Aufgaben eines „nuntius“ beschreibt, erwähnt an keiner Stelle eine solche Differenzierung.

[19] Die Schriftstücke sind einschließlich der Bevollmächtigung und des Ehevertrags aus englischer Archivüberlieferung erhalten, vgl. oben A. 4.

[20] CM 3, S. 319: „Venientes autem septimo kalendas Martii ad regem, petierunt literarum et suae postulationis responsum sibi dari, ut regis voluntatem domino imperatori possent celeriter nuntiare. Rex autem Anglorum, super dicto negotio sollicitus, cum episcopis et regni sui magnatibus coepit tractare per triduum; qui rem diligenter examinantes in hoc unanimiter consenserunt, ut puella daretur imperatori“.

[21] Ob St. Albans bei der Reichsversammlung vertreten war, ist ungewiß. Abt Wilhelm von Trumpington war soeben verstorben; am 24. Februar fand nach CM 3, S. 307 das Begräbnis statt.

[22] Zu der Praxis der Vergabe von Geldlehen vgl. *Powicke,* The Thirteenth Century, S. 544 und A. 1, dort weitere Lit. Geldlehen wurden zwar häufig für geleistete Dienste vergeben, oder wenn geeignete Ländereien nicht zur Verfügung standen, bei den Zahlungen an Vertreter auswärtiger Höfe sind sie aber von Bestechungsgeldern kaum zu unterscheiden. Auch die Beträge waren erstaunlich hoch. Petrus de Vinea und später auch Walter von Ocra erhielten jährlich 40 Mark, vgl. *Kantorowicz,* MÖIG 51, S. 60, 64; das entspricht bereits dem Jahreseinkommen eines kleineren Klosters.

englischen Ritters Baldwin de Vere zu geheimen Gesprächen an den kaiserlichen Hof [23]. Der kurze Bericht über diese Mission ist eingebettet in eine ausführliche Darstellung der damaligen Gegensätze zwischen dem Kaiser und den Lombarden [24] (die fast am Ende der Annale für 1236 steht). Unmittelbar anschließend wird die – unabhängig voneinander erfolgte – Rückkehr Baldwins und des Bischofs von Winchester, Peter de Roches, vom Kontinent nach England aufgeführt. Peter war zu dieser Zeit bereits ein vom Tode gezeichneter Mann, und auch die zweifache Erwähnung Baldwins läßt diesen als die wahrscheinliche Quelle für den Lombardenbericht bei Matthaeus erscheinen [25]. Möglicherweise käme er auch als Überbringer für das später (undatiert) von Matthaeus zu 1239 eingereihte Schreiben BF 2160 in Betracht, das sich ebenfalls mit der Lombardenfrage beschäftigt. Die lombardischen Auseinandersetzungen wurden erst mit dem persönlichen Eingreifen des Kaisers in der zweiten Jahreshälfte 1236 virulent, und daher muß Walter von Ocra als Überbringer dieses Briefes (BF 2160) ausscheiden. Ocra traf nämlich bereits im Februar 1236 in England ein, als Friedrich II. noch in Deutschland war. Die Überlieferung von St. Albans vermeldet nur die Ankunft von „nuntii“ um diese Zeit in England [26]. Die Vermutung in den Chronica majora, der Kaiser habe um die Entsendung Richards von Cornwall zur Teilnahme an einem Krieg gegen Frankreich gebeten, findet sich durch die manifesten politischen Absichten Friedrichs nicht bestätigt und entspringt wohl in der Hauptsache den anti-französischen Ressentiments des Chronisten [27]. Daß Walter von Ocra einer der in England eingetroffenen kaiserlichen Beauftragten war, geht aus einem Brief Heinrichs III. vom 24. Februar hervor [28]. Für die darauffolgenden eineinhalb Jahre kommt Walter von Ocra nicht als Mittler zwischen beiden Höfen in Betracht, da er sich längere Zeit (wohl anfangs nicht mit der freudigen Zustimmung Heinrichs III.) auf den Britischen Inseln aufhielt [29]. Erst vom Mai bis zum Juli 1237 ist seine Anwesenheit in England wie-

[23] CM 3, S. 376 f.

[24] CM 3, S. 374–378; am Ende dieses Abschnittes schreibt Matthaeus, daß Friedrich II. von der „weiteren Belagerung“ Mailands wegen des Aufstands des österreichischen Herzogs absehen mußte, nach Deutschland eilte und dort den Babenberger besiegte.

[25] Die unhistorische Belagerung Mailands nimmt *Oelrichs*, S. 17 zum Anlaß, Baldwin de Vere als Gewährsmann abzulehnen, doch berücksichtigt sie nicht die Möglichkeit, daß Matthaeus dessen Bericht selbst veränderte, obwohl sie S. 16 auf die fingierte Rede eines Mailänders verwies, CM 3, S. 377; m. E. liegt es näher, die Gleichsetzung von Mailändern und rebellischen Lombarden in der Vorstellung des Chronisten zu vermuten, der so Mantua und Mailand verwechselte oder gleichsetzte. Baldwin de Vere kehrte im selben Jahr um Michaeli nach England zurück.

[26] CM 3, S. 340 = HA 2, S. 386 f. = BF 2136.

[27] *Liebeschütz*, S. 12 f., 17.

[28] BF 11179.

[29] Am 19. Mai gibt Heinrich III. Walter von Ocra sicheres Geleit durch England, Wales und Irland, BF 11182. Zu Walters Irlandreise vgl. *Liebermann*, Zur Geschichte

der quellenmäßig belegt. Wo er sich im einzelnen in der Zwischenzeit aufgehalten hatte, ist nicht feststellbar; jedenfalls sind 1236 keine Zahlungen an ihn für die Unkosten der Heimreise bekannt, wie dies 1237 der Fall ist. Auch für die Überbringung von Briefen durch ihn in dem fraglichen Zeitraum gibt es keinerlei Anhaltspunkte.

Für den Zeitraum von Mai bis Juli/August 1237 finden sich ein gutes halbes Dutzend Eintragungen mit Bezug auf Walter von Ocra in der Liberate Roll 21 Henry III, die den Umfang seiner Kontakte zum englischen Hof beleuchten. Die Zahlungsanweisungen [30] des Königs zugunsten Walters von Ocra in dieser Zeit belegen erstmals, daß Walter während seines Aufenthaltes in London auch mit dem Exchequer in Berührung kam. Insbesondere die Anweisung an den *thesaurarius* Hugh de Pateshull, dem *magister* Walter einen Becher im Wert von vier Mark zu schenken [31], macht die Annahme wahrscheinlich, daß es auch zu einer persönlichen Begegnung zwischen diesen beiden Männern kam.

Walter von Ocra reiste noch im Sommer 1237 auf den Kontinent zurück und ist im darauffolgenden Jahr nicht in England gewesen [32]. Wer die drei in den Jahren 1237 und 1238 an Richard von Cornwall gerichteten Briefe BF 2291, 2312, 2316 nach England brachte, ist unbekannt. Das 1238 als Unterstützung für Friedrichs Heer nach Italien entsandte englische Kontingent unter Führung von Wilhelm von Valence und Heinrich Trubleville [33], sowie Simon Montforts Italienreise [34] im gleichen Jahr machten höchstwahrscheinlich einen intensiven Botenverkehr erforderlich [35], von dem sich aber kaum schriftlicher Niederschlag finden läßt.

Friedrichs II. und Richards von Cornwall, in: NA 13 (1888), S. 217. Am 24. Juli schreibt Heinrich III. nach Irland, man solle Walter dort überwachen, ClR 1234–1237, S. 368 zu 1236 = BF 15066; vgl. *Kantorowicz*, MÖIG 51, S. 64 f. A. 81.

[30] Die Liberate Rolls waren in der *chancery* zur Registrierung von Zahlungsanweisungen, die an den Exchequer gingen, bestimmt; vgl. *Galbraith*, Introduction, S. 22. Zahlungsanweisungen für Walter von Ocra in dieser Zeit: CLibR 1, S. 268, 270, 275 f., 278.

[31] ClR 1234–1237, S. 466 vom 5. Juli.

[32] 1238 ist Walter von Ocra im Frühjahr im Gefolge Konrads IV. nachweisbar, BF 4389, vgl. *Schaller*, DA 11, S. 497.

[33] CM 3, S. 485 f., 491 f.

[34] CM 3, S. 479; er kehrte im Oktober nach England zurück, CM 3, S. 498. Montfort mußte in Rom um Dispens für seine Heirat nachsuchen, CM 3, S. 487, vgl. *Powicke*, The Thirteenth Century, S. 76. Montfort hatte zuvor den Kaiser aufgesucht, der ihm in seiner Eheangelegenheit einen Bittbrief an den Papst mitgab.

[35] So wurde, CM 3, S. 485 Johannes Mansell, ein enger Vertrauter des Königs mit einem Reisebegleiter auf den Weg geschickt, um den Lohn für die Söldnertruppe auszuzahlen. Ob er oder ein weiterer Gesandter den ebenfalls CM 3, S. 485 erwähnten Brief Heinrichs III. an den Papst überbrachte, ist ungewiß. („Et circa idem tempus, direxit rex elegantem epistolam Papae, petens ut mitius ageret cum domino imperatore".)

Die Erzählungen von Teilnehmern der englischen Expedition bilden den Kern von Matthaeus Paris' Darstellung der Kämpfe in Italien; die Tapferkeit von Trubleville und seiner Truppe wird dabei besonders hervorgehoben. Die unhistorische Belagerung Mailands[36] könnte auf verworrene Berichte der nach England Zurückgekehrten zurückzuführen sein, oder aber darauf, daß Matthaeus Paris einen sachlichen Anschluß an die (ebenso unhistorische, und nach Matthaeus vorzeitig abgebrochene) Belagerung Mailands 1236[37] herstellen wollte. Aber immerhin beruhen die Berichte bei Matthaeus über die lombardischen Auseinandersetzungen 1236 und 1238 auf den Erzählungen englischer Augenzeugen. Sie besitzen jedoch im Vergleich mit den italienischen Chroniken oder mit Briefen der kaiserlichen und päpstlichen Kanzlei kaum eigenen Quellenwert und illustrieren hauptsächlich, in welchem Maße auch unter den hier bekannten – relativ günstigen – Umständen der Informationsbeschaffung die Zuverlässigkeit der Berichte durch die Entfernung vom Schauplatz des Geschehens getrübt wird.

Matthaeus' Ausgestaltung der Ereignisse um die Schlacht von Cortenuova 1237 geht nicht auf die Erzählung irgendeines Gewährsmannes zurück. Wie bereits bei der Analyse des kaiserlichen Manifests über den Ablauf dieser Schlacht gezeigt worden ist[38], bestehen zwischen dem Brief und Matthaeus' eigener Fassung derart gravierende faktische Widersprüche[39] – wobei sich Matthaeus' eigener „Bericht" scheinbar auch über Details der Kampfhandlungen informiert gibt – daß die Existenz eines wirklichen Informanten nahezu ausgeschlossen werden muß. Bereits Oelrichs hat die inhaltlichen Diskrepanzen bemerkt und kam zu der Überzeugung, daß dem Bericht jegliche Glaubwürdigkeit abzusprechen ist[40]. Eine plausible Begründung, wie Matthaeus Paris zu seinem offensichtlich unsinnigen Schlachtengemälde gekommen ist, fand Oelrichs nicht. Der Schlüssel für die – aus heutiger Sicht – krasse Fehlleistung scheint mir darin zu liegen, daß der Chronist an dieser Stelle mehr literarischen Vorbildern als der historischen Wirklichkeit nacheiferte. Matthaeus Paris hat hier völlig den bei Heinrich von Huntingdon vorgefundenen Typ der antikisierenden fiktiven Schlachtenbeschreibung übernommen. Zwar wird Heinrich von Huntingdon in den Chronica majora nicht ausdrücklich zitiert, aber das Grundschema (zuerst eine anfeuernde „Rede", dann die rhetorisch stark aufgeblähte Darstellung des Kampfgetümmels) findet sich hier wie dort[41]. Diese Erkenntnis ist auch für die Be-

[36] CM 3, S. 491: „cum imperator obsidionem apud Mediolanum continuasset ...".

[37] CM 3, S. 378, vgl. oben S. 136 und A. 25.

[38] BF 2291.

[39] CM 3, S. 407–410.

[40] *Oelrichs*, S. 28 f.

[41] Aus St. Albans ist bisher kein früher dort aufbewahrtes MS. von Heinrich von Huntingdons Geschichte bekannt; trotzdem kann als sicher davon ausgegangen werden, daß Matthaeus Paris dieses bereits von Roger Wendover benutzte Werk kannte. An drei Stellen seiner Geschichte im Zeitraum ab 1066 verwendet Heinrich von Huntingdon derartige Schlachtenbeschreibungen, vgl. *Th. Arnold* (Hrsg.), Henrici Archidiaconi

nutzung und Interpretation der Chronik allgemein von Bedeutung: wenn sich eine bei Matthaeus exklusiv überlieferte Nachricht nicht aus anderen Quellen substantiieren läßt oder mutmaßliche Informanten erschließbar sind, ist eine gewisse Vorsicht hinsichtlich der Authentizität von Details am Platz. Für die Geschichte von Friedrichs Lombardenkriegen 1236–1238 sind offensichtlich außer den Erzählungen englischer Beteiligter nur die in der Chronik abgeschriebenen Briefe als echte historische Vorlagen verwendet worden.

Mit der durch die Exkommunikation Friedrichs II. im Frühjahr 1239 beginnenden Ausdehnung der Propagandatätigkeit der kaiserlichen Kanzlei ergab sich verstärkt die Notwendigkeit, Gesandte und Boten aller Art an auswärtige Höfe zu entsenden, so daß es nicht verwundert, wenn 1239 und in den folgenden Jahren immer wieder kaiserliche Beauftragte in den englischen archivalischen Quellen und auch bei Matthaeus Paris genannt werden. Im Sommer 1239 hielt sich eine kaiserliche Delegation in London auf: Walter von Ocra erhielt am 26. Juni den bei einem Unglück im Tower erlittenen Schaden ersetzt [42], und wenige Tage später wird die Anweisung erteilt, dem kaiserlichen *nuntius* Sergius Vulcanus die fällige Zahlung für Petrus de Vineas Geldlehen auszuhändigen [43]. Diese beiden Männer, die sich gleichzeitig am englischen Hof aufhielten, sind wohl als Mitglieder einer Gesandtschaft anzusehen, die der Kaiser im Frühjahr nach England geschickt hatte. Die Anwesenheit Walters am 26. Juni setzt voraus, daß die Gesandten spätestens Mitte Mai in Italien aufbrachen, doch ist es wahrscheinlicher, ein etwas früheres Reisedatum anzunehmen. Dem Kaiser mußte daran gelegen sein, seine in dem großen Manifest „Levate in circuitu" (BF 2431) formulierte Kritik an Gregor IX. möglichst ohne Verzug den Empfängern zugehen zu lassen. Es gibt strenggenommen zwar keinerlei Beweise dafür, daß Walter von Ocra und sein *adlatus* überhaupt Briefe mit nach England brachten, doch scheint mir die zeitliche Koinzidenz zusammen mit der gespannten politi-

Huntendunensis Historia Anglorum (1879),
S. 200–204: Hastings 1066
S. 262–264: Northallerton 1138
S. 268–275: Lincoln 1141.
Zu diesen Schlachtenbeschreibungen vgl. *Lamprecht*, S. 25–75, der sowohl den Wahrheitsgehalt als auch den rhetorisch-stilistischen Aufbau erörtert.
Eine rhetorische Ähnlichkeit:
H. H. zu 1141, S. 274: „Tunc vero horrendam belli faciem videres in omni circuitu regalis aciei, ignem prosilientem ex galearum et gladiorum collisione, stridorem horrendum, clamorem terrificum; resonabant colles, resonabant urbis muralia".
CM 3, S. 408: „Clamor congredientium bellatorum, gemitus morientium, tinnitus armorum, hinnitus equorum, assessorum sese comprimentium vociferatio, ictuum fulgurantium frequens malleatio, ipsum aera tumultibus repleverunt".

[42] CLibR 1, S. 396, vgl. *Kantorowicz*, MÖIG 51, S. 65 A. 81.

[43] CLibR 1, S. 400, 4. Juli 1239, vgl. *Kantorowicz*, Kaiser Friedrich II. Erg. Bd., S. 273.

schen Lage des Frühjahrs 1239 ein nahezu unumstößliches Indiz dafür zu sein, daß diese Gesandten das Manifest „Levate in circuitu“ vom 20. April 1239 nach England überbrachten. Gleichzeitig ist von der Möglichkeit auszugehen, daß auch die beiden Briefe BF 2427 und 2430 (PdV I 6, I 7, der letztere ebenfalls vom 20. April), also die „offenen Briefe“ an die Kardinäle und an die Römer bei dieser Gelegenheit nach England gelangten [44].

Walter von Ocras Rückreise 1239 ist nicht quellenmäßig belegt, doch erscheint er gegen Jahresende wieder in Italien [45]. In der Zwischenzeit war erneut ein Bote des Kaisers auf den Weg nach England geschickt worden, der Ritter Hugo Chalbaot; ihm hatte man Briefe an Heinrich III. und an den englischen Adel mitgegeben, in denen Friedrich II. über die englische Finanzhilfe für die Kurie Klage führt [46]. In den beiden – erhaltenen – Schreiben ist Chalbaot (Cambotta) als Überbringer erwähnt, außerdem wird er in BF 2531 beglaubigt, weitere Mitteilungen mündlich zu übermitteln [47]. Dieser in CM undatierte Brief ist von Matthaeus Paris zu Anfang 1240 eingereiht worden, also zu der Zeit der Ankunft des Boten in England. Matthaeus scheint hierzu noch aus einer weiteren Quelle unterrichtet; er stützt sich nicht allein auf den Text von BF 2531. Denn unmittelbar auf den Brief folgend heißt es, Chalbaot habe das Mitzuteilende unkorrekt wiedergegeben [48]. Darauf folgt in der Chronik ein kurzer Bericht über die Ankunft des (mit dem Kaiser verfeindeten) Grafen Thomas von Flandern in London, und anschließend gibt der Chronist kurzgefaßt den Inhalt mehrerer Briefe des Kaisers wieder [49]. Die an verschiedene Adressaten gerichteten Briefe können nicht alle in der Hand des Grafen von Flandern gewesen sein, so daß auch hier ein kaiserlicher Bote, vermutlich ebenfalls Chalbaot, als Überbringer erscheint, der vielleicht Briefe in Dossierform auf seiner Mission mit sich führte.

[44] Dies verträgt sich mit der oben S. 124 vorgeschlagenen Datierung der „Streitverse“, die in England zusammen mit PdV I 6 überliefert sind.

[45] Er ist am 14. Dezember 1239 in Italien als Schreiber von BF 2614 und 2615 belegt, vgl. *Schaller*, DA 11, S. 497.

[46] BF 2531 (ohne Datum) und 2532 (29. Oktober).

[47] BF 2531, vgl. CM 4, S. 18 f.: „... ecce mittimus vobis H[ugonem] Chalbaot, militem et fidelem nostrum, latorem praesentium; dilectionem vestram rogantes attentius, quatinus ea, quae vobis ex parte nostra dixerit, sicut personae nostrae indubitanter dilectio vestra credat ...“. Bei den schon CM 4, S. 4 erwähnten kaiserlichen Boten handelt es sich offensichtlich um die nämliche Gesandtschaft.

[48] CM 4, S. 19: „Et quia verbum domini imperatoris positum fuit in ore ipsius nuntii, dicti H[ugonis] Chalbaot, in magna parte mutilata est praesens amicabilis epistola, et multa sunt sub taciturnitate praetermissa. Rex vero respondit rescribendo quod voluntati Papae non est ausus contradicere, sed mirabatur supra modum quod soror sua imperatrix non adhuc coronam in locis et civitatibus sollempnibus in imperio magnifice portavit“.

Der Text der Antwort Heinrichs III. ist nicht bekannt. Ob Matthaeus die ihm zugegangenen Informationen hier richtig wiedergibt, muß bezweifelt werden.

[49] CM 4, S. 20–24; zur Identifizierung der Briefe vgl. oben S. 133.

Auch der nächste Kaiserbrief in den Chronica majora ist mit der Beförderung durch einen namentlich genannten Boten in Verbindung zu bringen: der Überbringer des am 25. April 1240 in Foggia gegebenen BF 3019 war der Ritter Wimo de Compesa [50]. Walter von Ocra ist nach Ausweis der Quellen erst 1241 wieder nach England gereist, um die Nachricht von den kaiserlichen Siegen von Faenza und Monte Christo zu übermitteln [51]. Daneben hatte er auch Verhandlungen in England zu führen [52]. Ocra hatte weiter die Aufgabe, den Strom englischen Geldes an die Kurie zu unterbinden; nach der Darstellung der Chronica majora wurden die 1241 auf den Britischen Inseln tätigen päpstlichen Steuereinnehmer Petrus de Supino und Petrus Rubeus [53] durch „cursores expeditissimi" informiert, daß der Papst im Sterben liege und sie mit dem gesammelten Geld nach Rom zurückkehren sollten. Matthaeus' weitere Erzählung klingt zunächst recht glaubwürdig [54]: die beiden päpstlichen Kleriker verließen das Land, bevor Walter von Ocra eintraf und sie abfangen konnte. Und über Walter von Ocra heißt es „iratus statim recessit, dolens quod frustra advenisset." Im folgenden Absatz meldet der Chronist dann aber die Gefangennahme der Kleriker in Italien, die nach Matthaeus darauf zurückzuführen war, daß Walter von Ocra „haec omnia domino suo imperatori significavit." Der Wahrheitsgehalt der ganzen, vor allem von Schadenfreude über den Mißerfolg der päpstlichen Geldeintreiber geprägten Geschichte, ist wohl in den Details nicht groß, doch kann dies im einzelnen dahingestellt bleiben. Daß Walter von Ocra sofort nach seiner Ankunft in England wieder die Rückreise antrat, ist jedenfalls nicht richtig. Er empfing nämlich im Oktober 1241 von Heinrich III. Erstattung für seine Unkosten und erhielt ein Schiff für die Fahrt über den Ärmelkanal zur Verfügung gestellt [55]. Während seines Aufenthalts am englischen Hof wurde ein weiterer

[50] CM 4, S. 29: „Caeterum quicquid Wimo de Conpesa, miles et fidelis noster, quem ad vos pro servitiis nostris nuntium destinamus, vobis ex parte nostra proponet, indubitanter credatis".

[51] CM 4, S. 126–129 = BF 3205 vom 18. Mai 1241. Dem war eine englische Gesandtschaft an den kaiserlichen Hof vorausgegangen, wie sich aus dem Exordium von BF 3205 ersehen läßt: „Hilari affectione recepimus literas et nuntios vestros . . .".

[52] CM 4, S. 126: „Et ecce ad singula quae misistis prospere per eos, per magistrum Walterum de Ocra, dilectum nostrum notarium ac fidelem, plenarie respondemus . . .". Über den Zweck dieser vorausgegangenen englischen Gesandtschaft nach Italien weiß Matthaeus Paris nichts; auch die Überbringung des Briefes BF 3139 vom September 1240 ist nicht belegt.

[53] CM 4, S. 160; vgl. *Lunt,* Financial Relations, S. 204 f.

[54] CM 4, S. 161–162.

[55] CLibR 2, S. 80 f. am 20./21. Oktober 1241.
Walter von Ocra hätte mehrere Monate lang in Eilbotengeschwindigkeit reisen müssen, wenn dieser Eintrag schon einen neuen Besuch bei Heinrich III. darstellen sollte; ab Foggia hatte er erst nach dem 18. Mai aufbrechen können; zu den Reisezeiten vgl. *Ludwig,* S. 122–129, auch 190 ff.

Brief an Heinrich III. abgesandt: das Tartarenmanifest BF 3216 vom 3. Juli 1241. Matthaeus Paris wußte nicht, in wessen Händen dieser vermutlich umgehend expedierte Brief nach England kam. Die Liberate Roll für diesen Zeitraum gibt jedoch einen Hinweis auf einen möglichen Überbringer des Briefes: am 11. Oktober 1241 ordnete der König an, Petrus de Vineas Diener Alfred de la More die fällige Jahreszahlung für seinen Herrn auszuhändigen [56].

Im Jahre 1242 entzieht sich Walter von Ocra unseren Augen. Auch über die Beförderung des einzigen bei Matthaeus Paris aus diesem Jahr bekannten kaiserlichen Schreibens BF 3264 ist nichts erschließbar. Von der Mitte des Jahres 1243 ist Walter von Ocra wieder in diplomatischer Mission unterwegs: im Juni 1243 beglaubigt ihn der Kaiser an den französischen Hof [57], wo Walter zusammen mit dem Abt von Cluny einen Ehevertrag zwischen Friedrichs Sohn Konrad und der Schwester des französischen Königs, Isabella, aushandeln sollte [58]. Nach dem – soweit wir es beurteilen können – ungünstigen Ausgang dieser Sondierungen ist Walter von Ocra nach England weitergereist, wo er kurz vor Weihnachten anzutreffen ist [59]. Der Zweck [60] dieser Mission ist zunächst nicht klar ersichtlich; Wal-

[56] CLibR 2, S. 78. Es kann zwar nicht bewiesen werden, daß Petrus de Vineas Diener BF 3216 nach England brachte (vielleicht war Alfred schon mit Walter von Ocra im Frühsommer angekommen), doch er ist von seiner Stellung als Diener jemand, den man mit einer Aufgabe wie einer eiligen Botenreise beauftragt hätte.

[57] BF 3366 = HB 6, S. 95–98 die Beglaubigung; dazu das Geleitschreiben für Walter von Ocra BF 3367 = HB 6, S. 98 A. 1.

[58] Die Eheschließung kam bekanntlich nicht zustande; Konrad ehelichte 1246 die Wittelsbacherin Elisabeth, vgl. *H. Decker-Hauff*, Das staufische Haus, in: Die Zeit der Staufer 3, S. 364 Nr. 89. Die Verhandlungen, wie sie aus BF 3366 erkennbar werden, finde ich in der Literatur, auch bei Kantorowicz, unerwähnt. Auch die Überlieferung von BF 3366 ist durch die Edition bei HB (aus einigen großen 6-teiligen Vinea-Sammlungen) noch nicht vollständig geklärt. Pertz teilte Ausschnitte des Briefs aus der ehemaligen Bibliothek Chigi MS. E vi 180 mit, vgl. Archiv 5, S. 418 f. und nannte als Adressaten (in Klammer hinzugefügt) fälschlich den englischen König. Er mag einen Zusammenhang mit der englischen Prinzessin Isabella vermutet haben.

[59] Am 18. Dezember 1243 erhält er in Windsor ein Kleidergeschenk, ClR 1242–1247, S. 146, vgl. *Kantorowicz*, MÖIG 51, S. 65.

[60] *Kantorowicz* stellt ebd., S. 64 einen Zusammenhang mit Heinrichs III. Bitte um kaiserliche Hilfe gegen Raimund von Toulouse her, vom 8. Januar 1243 aus Bordeaux (wo er militärisch und finanziell in sehr ungünstiger Lage war, *Powicke*, The Thirteenth Century, S. 103 f.; *Denholm-Young*, Richard of Cornwall, S. 47 f.). Der Brief Heinrichs und ein weiterer an Petrus de Vinea, der sich beim Kaiser für den englischen König verwenden sollte, BF 11402 und 11403. Nach Kantorowicz stellen die Verleihungen von Geldlehen an Walter von Ocra und Petrus de Vineas Neffen Johannes am 8. Januar 1244 in gewisser Weise eine Gegenleistung dar (CPR 1232–1247, S. 415). Dies scheint zwar plausibel, ist aber nicht beweisbar. Wer den Gedanken konsequent weiterverfolgt, könnte auch zu der Annahme gelangen, Walters Reise 1243 habe auch einen Vermittlungsversuch zwischen England und Frankreich bezweckt.

ter dürfte kaum aktuelle politische Korrespondenz in seinem Gepäck geführt haben, wenn man davon ausgeht, daß er vom französischen Hof nach England weiterreiste; denn dies hätte die Auslieferung wichtiger Briefe unnötig verzögert [61]. Um seine Aktivitäten am englischen Hof beurteilen zu können, ist es erforderlich, die Quellenbelege neu zu sichten, da diese von Kantorowicz für das Jahr 1244 nur mangelhaft benutzt und mit Fehlzitaten vermischt wurden. So schrieb Kantorowicz: „... 1244 weilt er mindestens 10 Monate dort [d. h. in England, Anm. d. Vf.], wohl aus Anlaß des Parlaments von London (BF 3205), da er im Januar 1244 (Liber. R. II 209) und im November (Liber. R. II 277) dort anzutreffen ist“ [62]. Dieser Satz enthält mehrere Unstimmigkeiten:

1. Ocra war 1244 nicht 10 Monate lang in England, wie noch darzustellen sein wird; es ist falsch, von vornherein aus seiner Anwesenheit im Januar und November zu schließen, er habe sich in der Zwischenzeit ständig in England aufgehalten.
2. Es gab 1244 nicht *ein* „Parlament“, sondern mehrere, über deren Daten und Abfolge noch zu handeln sein wird.
3. Der „Beleg“ BF 3205 gehört überhaupt nicht in dieses Jahr und ist ganz offensichtlich irrtümlich verwandt [63].

Walter von Ocras Itinerar in diesem Jahr ist verflochten mit der Abfolge mehrerer Magnatenversammlungen in England, über deren Chronologie aber in der Literatur keine einheitliche Meinung herrscht. Daher ist es erforderlich, das gesamte Material hierzu einmal im Zusammenhang vorzuführen. Walter von Ocra, der sich spätestens seit Dezember 1243 wieder in England aufgehalten hatte, erhielt am 8. Januar 1244 ein Geldlehen vom englischen König [64]; am 10. Januar empfing er dafür bereits die erste Zahlung, zusammen mit dem Ersatz von Reisespesen [65]. Er wird dann erst wieder im November in der Liberate Roll erwähnt, woraus Kantorowicz den Schluß zog, er habe sich in der Zwischenzeit in England aufgehalten. Doch Matthaeus Paris bringt den kaiserlichen Gesandten und Notar in diesen Monaten mit der Überbringung von Schriftstücken nach England in Verbindung. Im Verlaufe des Jahres 1244 erscheint er, nach den Angaben des Chronisten, auf einer englischen Reichsversammlung:

[61] Es sind weder in CM noch sonst in England Kaiserbriefe überliefert, die in den zeitlichen Rahmen passen würden.

[62] *Kantorowicz*, MÖIG 51, S. 65 A. 81.

[63] In „Kaiser Friedrich II.“ Erg. Bd., S. 219 hat Kantorowicz den Beleg noch richtig für Walter von Ocras Englandreise 1241 zitiert. *Hartmann*, AUF 18, S. 138 A. 4 kritisiert zwar den von Kantorowicz wohl versehentlich hergestellten Bezug von BF 3205 zum Jahre 1244, übernimmt aber im übrigen dessen Hypothese von einem zehnmonatigen Aufenthalt Walters in London.

[64] CPR 1232–1247, S. 415. Gleichzeitig erhielt Petrus de Vineas Neffe sein Geldlehen.

[65] CLibR 2, S. 209.

Adveniunt nuntii imperiales Londoniam ad concilium prohibentes ne fiat Papae contributio.

...Et ecce magister Walterus de Ocra, et quidam alii sollempnes nuntii domini imperatoris, Londoniam advenientes ad concilium, epistolam imperialem in medium protulerunt [66].

Matthaeus setzt weder diese noch mehrere weitere Erwähnungen von Verhandlungen auf Magnatenkonzilien mit konkreten Daten in Bezug, so daß es schwierig ist, die Fakten herauszudestillieren. Schon Plehn erkannte, daß Matthaeus die Ereignisse völlig durcheinandergebracht hat, und daß die Reihenfolge der Verhandlungen (bzw. ihre Wiederholungen) in den Chronica majora verwirrend ist [67]. Um also Walter von Ocras erneutes Auftreten in England in diesem Jahr zeitlich genauer eingrenzen zu können (und damit auch die Ankunft der verlesenen Dokumente), muß zuvor die zeitliche Abfolge der Magnatenkonzilien (bzw. „Parlamente") geklärt werden. Nicht zur Sache gehörig ist Plehns Hinweis, es habe schon vor Mitte Mai ein erstes Parlament stattgefunden, um einen Schottlandfeldzug zu beschließen [68]. Und die von Plehn angenommenen königlichen Steuerforderungen zu diesem Zeitpunkt sind ebenfalls irrig; die von ihm als Beleg gegebene Textstelle in CM verwendet Plehn selbst noch einmal im Zusammenhang mit einer späteren Versammlung im September [69].

Daß im September ein solches *concilium* stattfand [70], ist die einzige Tatsache, über die in der Forschung Einhelligkeit besteht. Die Annalen von Dunstable nennen hierfür den 9. September [71]. Mit anwesend war der päpstliche *nuntius*,

[66] CM 4, S. 371.

[67] *Plehn*, S. 124: „Die ausführliche Schilderung, die Matheus Parisiensis von den parlamentarischen Verhandlungen von 1244 und 1245 giebt, wird dadurch unklar, daß er die einzelnen Versammlungen nicht gehörig voneinander scheidet und den zeitlichen und kausalen Zusammenhang der Dinge augenscheinlich mehrfach verwirrt". Dazu verweist Plehn auf *W. Stubbs*, The Constitutional History of England 2, S. 62 A. 3, der aber keine Lösung bietet; vgl. auch *Vaughan*, Matthew Paris, S. 136, der darauf hinweist, daß Matthaeus die Reihenfolge der Ereignisse innerhalb eines Jahres des öfteren unzutreffend wiedergibt.

[68] *Plehn*, S. 125 und A. 2; dagegen *Powicke*, King Henry III, S. 298 A. 2.

[69] CM 4, S. 362 ff. Steuerforderungen des Königs, dagegen das Verlangen nach Einsetzung eines ständischen Ausschusses und nach Wahl eines *cancellarius* und *justitiarius*.

[70] Der von Matthaeus Paris ebenfalls *concilium* genannte Kriegsrat während des kurzen Schottlandfeldzuges im August 1244, vgl. CM 4, S. 380, *Powicke/Fryde*, Handbook, S. 499 kann hier übergangen werden.

[71] Ann. Dunstable, Ann. mon. 3, S. 164 f. Nach den Annalen von Waverley, Ann. mon. 2, S. 332 erhielt bei dieser Gelegenheit nach langem Streit mit dem König der Elekt Raleigh die Temporalien für Winchester.

Zur Datierungsfrage vgl. *Lunt*, The Valuation of Norwich (1926), S. 31 A. 8 und *Lunt*, The Consent of the English Lower Clergy to Taxation During the Reign of Henry III, in: FS Burr (1931), S. 132 A. 78; *Dehio*, S. 7 A. 3 hat bereits Plehns Hypothese – mit

magister Martinus, der, im Januar von der Kurie abgesandt, um Ostern 1244 in England eingetroffen war, um die während der Sedisvakanz in Rückstand geratenen englischen Zahlungen an den Papst einzutreiben [72]. Nach Lunts Darstellung hat der *nuntius* zunächst seine Forderungen nicht öffentlich vorgebracht, sondern habe den Klerus im September damit überrascht. Doch scheint dies zumindest eine unsichere Interpretation zu sein, denn immerhin hatte der Kaiser von Innozenz' IV. Absichten in England so rechtzeitig erfahren, daß er noch bis zu der Septemberversammlung darauf reagieren konnte [73]. *Magister* Martinus und Walter von Ocra traten dort ganz offensichtlich auf derselben Versammlung in Erscheinung. Matthaeus Paris hat den Verlauf dieses *concilium* zweimal dargestellt, einmal am Anfang des Jahres 1244, das zweite Mal fast am Ende dieser Annale [74], was für die besondere Unzuverlässigkeit der Darstellung im Hinblick auf die zeitlichen Abläufe kennzeichnend ist. Es handelt sich aber ganz ohne Zweifel um dieselbe Begebenheit: die Inhalte beider Berichte widersprechen einander nicht; sie sind nicht völlig identisch, ergänzen sich aber gegenseitig zu einem schlüssigen Bild. Im wesentlichen ging es dabei um die vom englischen Adel und Klerus bekämpften päpstlichen Geldforderungen [75]. Gegen den *nuntius* Martin ergriff im Verlauf auch Walter von Ocra das Wort, der in beiden Versionen bei Matthaeus genannt wird. Der zweite Bericht enthält zusätzlich die Nachricht, daß Walter von Ocra und weitere „sollempnes nuntii" des Kaisers *zu dieser Versammlung* in England eintrafen [76]. Zu dem Inhalt des mitgeführten kaiserlichen Briefes heißt es dann bei Matthaeus Paris zunächst:

In qua epistola se excusabat dominus imperator de contumacia, super qua reddiderat eum dominus Papa infamem, asserens se velle humiliter justitiae parere, et mandatis ecclesiae stare et satisfacere [77].

Weiter schreibt Matthaeus, der Kaiser habe sich beschwert, daß der Papst vorab die Auslieferung auch strittiger Gebiete fordere. Statt dessen wolle *er* sich lieber

anderen Argumenten – widerlegt. Doch bezieht Dehio alle Nachrichten auf *ein* Herbstparlament, was ebenfalls falsch ist. Lunt ist Dehio hierin gefolgt.

[72] *Lunt,* Financial Relations, S. 207; am 7. Januar hatte Innozenz IV. dem *nuntius* ein Mandat ausgestellt, das ihn zur Erhebung von Hilfszahlungen bei den Äbten in der Diözese Canterbury berechtigte, CM 4, S. 369 f. = Potth. 11217. Die Entsendung des *nuntius* hat Matthaeus Paris ebenfalls doppelt erwähnt, CM 4, S. 284, 368.

[73] Jedenfalls scheint Martin schon aktiv geworden zu sein, als Heinrich III. am 11. Juni St. Albans besuchte, CM 4, S. 358: „Fuerat ibi magister Martinus Papae clericus promotus, ut promovendi redditibus ad opus Papae manus aduncas iniceret". Allerdings ist dieser Satz in den MSS. B und C am Rand nachgetragen (CM 4, S. 358 A. 3), so daß eine fehlerhafte Erinnerung des Chronisten nicht ganz auszuschließen ist.

[74] CM 4, S. 311–316, 371 f.

[75] Die beste Darstellung gibt *Lunt,* Financial Relations, S. 206 ff.

[76] Vgl. oben. S. 135 A. 18.

[77] CM 4, S. 371.

dem Schiedsspruch Englands und Frankreichs unterwerfen. Dann wechselt das Thema gegen Ende des „Briefes“ in der von Matthaeus nacherzählten Form:

In calce igitur sermonis in carta conscripti inculcans addidit dominus imperator, cum quadam etiam comminatione adjuncta, quod omnia transmissa in auxilium domini Papae fuerint addita imperiali thesauro [78].

Weiterhin soll der Kaiser angeboten haben, er werde als Gegenleistung (für die Unterbindung der englischen Unterstützung an die Kurie) die Aufhebung der englischen Tributzahlungen an Rom durchsetzen; falls aber der englische König der kaiserlichen Aufforderung, die Zahlungen an die Kurie nicht wiederaufzunehmen, nicht nachkomme, würde der Kaiser mit schweren Strafen gegen alle in seinem Machtbereich befindlichen Engländer vorgehen. Der Text dieses Briefes ist nicht erhalten, und die „Regesta Imperii“ geben folglich ebenfalls nur die aus Matthaeus Paris bekannte Inhaltsangabe wieder [79]. Zunächst stellt sich die Frage, ob nicht Matthaeus' Erzählung mit irgendeinem bekannten kaiserlichen Brief in Zusammenhang gebracht werden kann. In dem nur undatiert überlieferten BF 3434 vom Juli oder August 1244 [80] legt der Kaiser noch einmal alle Stadien der Verhandlungen mit Innozenz IV. bis zu dessen Flucht nach Genua Ende Juni dar. Die Flucht des Papstes ist offensichtlich in dem auf dem Londoner *concilium* verlesenen Brief nicht erwähnt, so daß BF 3450 wohl zeitlich vor BF 3434 einzuordnen ist. Die ursprünglichen 15 Friedensartikel, die mit einem Begleitschreiben im Frühjahr nach England kamen [81], beinhalten aber noch nicht die vom Papst im Verlaufe der weiteren Verhandlungen nachgeschobenen Forderungen (Übergabe der strittigen Besitzungen), von denen in Matthaeus' Bericht über den vorgelesenen Brief die Rede ist. BF 3450 ist deswegen zeitlich zwischen BF 3422 und BF 3434 anzusetzen, etwa im Juni, nach der zwischenzeitlich erfolgten Wiederaufnahme der Verhandlungen durch Unterhändler beider Seiten [82].

Bei den Verhandlungen im Juni waren der „Kaiser“ von Konstantinopel und Graf Raimund von Toulouse unter den Bevollmächtigten des Kaisers. Beide Namen tauchen auch in dem Bericht über das Londoner *concilium* auf: sie hatten

[78] CM 4, S. 372.

[79] BF 3450. Die bei HB 6, S. 259 f. (Ende Februar 1245), ebenso bei *Vehse*, S. 105 und bei BF (Brief geschrieben Ende 1244, in England verlesen Februar 1245) geäußerten Datierungshypothesen sind unzutreffend, weil sie davon ausgehen, diese Reichsversammlung habe im Februar 1245 stattgefunden. Der Bericht über das Februar-*concilium* beginnt zwar in CM 4, S. 372 unmittelbar anschließend (von Matthaeus Paris also in die Ereignisse des Vorjahres eingearbeitet), doch die Anwesenheit Walters von Ocra widerlegt die Datierung der vorhergehenden Teile zu 1245 eindeutig.

[80] BF und MG Const. 2 Nr. 252, S. 341 geben ohne Nennung von Gründen den August als Entstehungsmonat an.

[81] BF 3422 und 3399 = CM 4, S. 332–336.

[82] BF 3430, 3431 a, 3432 a.

schriftlich die Darstellung des Kaisers über den Verhandlungsverlauf bestätigt[83]. Der Wortlaut bei Matthaeus Paris läßt nur die eine Deutung zu, daß beide Originale in London öffentlich gezeigt wurden, und daß die Texte beider Briefe nicht etwa in das kaiserliche Schreiben eingefügt waren (was ja auch ihren Beweiswert erheblich gemindert hätte). Matthaeus Paris hat also an dieser Stelle die begonnene Inhaltsangabe des Kaiserbriefs unterbrochen. Es scheint mir fraglich zu sein, ob der vorgebliche letzte Teil des Briefes (Friedrichs Aufforderung an die Engländer, in Zukunft den Papst nicht zu unterstützen) wirklich zu diesem Schriftstück gehört. Das Thema kam zwar mit einiger Gewißheit auf dem *concilium* zur Sprache – in Matthaeus' erstem Bericht über die Septemberversammlung heißt es ebenfalls, Walter von Ocra habe ein Verbot der päpstlichen Steuererhebung in England gefordert[84] – doch scheint das kaiserliche Angebot, für die Aufhebung der englischen Lehensabhängigkeit von Rom sorgen zu wollen, in diesem Brief unglaubwürdig[85]. Matthaeus Paris mag hier übertrieben dargestellt, was er ohnehin nur aus zweiter Hand wußte, oder das Angebot frei erfunden haben. Auch die „Drohungen" des Kaisers gegen Heinrich III. sind zumindest in dieser Form übertrieben, wenn man davon ausgeht, daß sie zu Pergament gebracht gewesen sein sollen – ein machtpolitischer Erpressungsversuch, der ja publizistisch jederzeit gegen den Kaiser hätte ausgeschlachtet werden können. Jedenfalls ist die Authentizität dieses letzten Teils des Briefes äußerst fragwürdig; viel wahrscheinlicher ist die Annahme, daß dieses Thema mündlich von Walter von Ocra nach den Direktiven des Kaisers angeschnitten wurde, wobei von der Wiedergabe in Matthaeus Paris' zweitem Bericht über die Septemberversammlung einige Abstriche zu machen wären.

Wir müssen uns noch der Frage zuwenden, wann Walter von Ocras Englandreise Mitte 1244 stattfand. Am 10. Januar war er zuletzt am englischen Hof nachgewiesen. Der nächste Beleg in den *records* findet sich erst im November. Matthaeus Paris ist die einzige Quelle für Walters Anwesenheit in der Zwischenzeit. Es wäre rein theoretisch denkbar, daß nur die anderen erwähnten *nuntii* zu dem September-*concilium* mit den Briefen anreisten, während Walter von Ocra in England geblieben wäre, daß also Matthaeus Paris hierüber nur ungenau unterrichtet. Aber sehr wahrscheinlich ist eine solche Hypothese nicht, denn keine anderen Umstände legen irgendwelche Zweifel an der Richtigkeit dieser Nachricht bei Matthaeus Paris nahe. Die Tatsache, daß nach dem Bericht der Chronik

[83] CM 4, S. 371: „Cui etiam perhibebant testimonium dominus imperator Constantinopolitanus et dominus comes Tholosanus, per literas suas patentes ibidem in propatulo demonstratas". Die Texte selbst sind – soweit bekannt – nirgendwo erhalten.

[84] CM 4, S. 313: „... prout dixit magister Walterus de Ocre coram rege in communi colloquio baronum Londoniis; supplicans ex parte imperatoris devotissime regem et barones, quod non permitterent tallias fieri in regno, vel a clericis vel a laicis, in subsidium domini Papae contra imperatorem ...".

[85] Schließlich war der päpstliche *nuntius* ebenfalls anwesend; der Papst kommt in späteren Vorwürfen gegen Friedrich II. *nie* auf ein derartiges Vorhaben zurück.

Walter von Ocra der Wortführer der kaiserlichen Gesandten auf der Londoner Versammlung war, unterstreicht, daß er es war, der die entscheidenden Instruktionen am kaiserlichen Hof erhalten hatte. Es ist demnach anzunehmen, daß er und seine Begleiter nach der vermutlich im Juni erfolgten Ausfertigung des Schreibens BF 3450 zum englischen Hof aufbrachen (Ende Juni, oder im Juli), um rechtzeitig vor dem *concilium* Anfang September ihr Reiseziel erreicht zu haben.

Verbreitet findet man in der Literatur die Meinung, daß in jenem Herbst nur eine Magnatenversammlung stattfand. Plehn hielt eine Notiz bei Matthaeus Paris für unglaubwürdig, der zufolge es im November zu einem weiteren *concilium* gekommen wäre [86], schon weil er die Möglichkeit ausschloß, zwei „Parlamente" hätten so kurz hintereinander getagt. Auch Dehio und Lunt übernahmen diese Ansicht [87]. In der chronologischen Liste der „Parlamente" bei Powicke/Fryde ist dagegen ein weiteres *concilium* mit Datum um den 3. November aufgeführt. Die von Plehn verworfene Notiz bei Matthaeus hat also Powicke akzeptiert [88]. Matthaeus Paris schreibt hierzu, der König habe von den Baronen die Zustimmung zu einer Sondersteuer gesucht [89] – während es bei der Septemberversammlung um päpstliche Geldforderungen gegangen war. Auch Matthaeus' lange Darstellung einer Debatte über derartige königliche Forderungen (mit der Reaktion der Barone in der Form der berühmten „Paper Constitution") [90] ist von Lunt und anderen der Septemberversammlung zugeschlagen worden, während sie mit jener kurzen Notiz über ein *concilium* Anfang November übereinstimmt [91]. Vermutlich ist diese Verwechslung dadurch ausgelöst worden, daß Matthaeus sowohl im Zusammenhang mit der September- als auch mit der Novemberversammlung berichtet, man habe die Entscheidung aufgeschoben und wolle darüber im Februar 1245 erneut beraten [92]. Die von Powicke vorgeschlagene Chronologie ist vor allem des-

[86] *Plehn,* S. 126, CM 4, S. 395.

[87] *Dehio,* S. 7 A. 3; von *Lunt,* Financial Relations, S. 209 ohne nähere Begründung übernommen.

[88] *Powicke/Fryde,* Handbook, S. 499; *Powicke,* King Henry III, S. 298 f. und 298 A. 2.

[89] CM 4, S. 395.

[90] CM 4, S. 362–368.

[91] Der im Rahmen von Matthaeus' Darstellung abgeschriebene Papstbrief Potth. 11443 = CM 4, S. 363–365 vom 29. Juli 1244 aus Genua, in dem Innozenz IV. den englischen Adel zur finanziellen Hilfe für den König auffordert, hätte vielleicht noch rechtzeitig bis zum September eintreffen können.

[92] So CM 4, S. 363, November 1244: „Unde datus fuit terminus eis, usque in tres septimanas a Purificatione beatae Virginis, ut ibidem iterum tunc convenirent".

CM 4, S. 372 setzt die Berichterstattung über die Februarversammlung („Convenientibus autem iterum magnatibus cum praelatis generaliter Londoniis, scilicet a die Purificationis beatae Mariae in tres septimanas, ...") direkt nach der Inhaltsangabe des von Walter von Ocra im September 1244 Vorgetragenen ein. Im Februar 1245 wurde dann die Sondersteuer für den König bewilligt, nicht aber die Zahlungen an die Kurie;

wegen überzeugend, weil jeweils zwei Berichte, für den September wie für den November, sich von der Sache her decken bzw. ergänzen. Doch hat Powicke sich nicht dazu entscheiden können, die bei Matthaeus Paris in Verbindung mit dem November-*concilium* überlieferten Forderungen der Magnaten hinsichtlich der Kontrolle der königlichen Vollmachten [93] für dieses Datum zu akzeptieren. Denholm-Young argumentierte, diese sogenannte „Paper Constitution" passe nicht in die politische Lage des Jahres 1244; eine Krise, die solche drastischen Maßnahmen gerechtfertigt hätte, sei eher 1238 erkennbar [94]. Gegen diese Auffassung hat sich mit gewichtigen Gründen Christopher Cheney gewandt [95]. Cheney wies darauf hin, daß in dem Text eine Exkommunikation als „a sancto viro Aedmundo" ausgesprochen bezeichnet wird (Edmund, Erzbischof von Canterbury starb 1240, kanonisiert 1246; der „sanctus vir" ist der noch nicht heiliggesprochene, dem ein heiligmäßiges Leben nachgesagt wird). Ferner wird in der „Paper Constitution" die Bestellung des Justitiars (seit 1234 *de facto* abgeschafft) und des Kanzlers durch den Adel gefordert. 1238 forderte der Adel die Wiedereinsetzung von Kanzler Neville in alle seine Rechte, nur ab 1244 ergibt das Verlangen nach einer Wahl einen Sinn. Cheneys Aufsatz büßt dadurch an Überzeugungskraft ein, daß er (auch im Nachdruck von 1973) noch von Powickes Meinung ausgeht, MS. B sei eine nach 1256 geschriebene Kopie eines verlorenen Originals. Deswegen maß er dem von Wilkinson vorgebrachten Argument keine große Bedeutung bei, daß bei Matthaeus die „Paper Constitution" im Rahmen des „Parlaments" überliefert ist. Nachdem hier festgestellt werden konnte, daß das Novemberparlament 1244 tatsächlich stattfand, ergibt sich zweifellos, daß die (als ein nicht beschlossener Entwurf anzusehende) „Paper Constitution" bei Matthaeus Paris als Bestandteil der Nachrichten zum Novemberparlament von 1244 zeitlich richtig eingeordnet ist.

Walter von Ocra ist noch während des Novemberparlaments 1244 in England gewesen und reiste Mitte des Monats offenbar eilig ab [96]. Im darauffolgenden

über die Steuereinhebung vgl. *S. K. Mitchell,* Studies in Taxation under John and Henry III (1914), S. 241–243.

[93] CM 4, S. 366–368; vgl. *Powicke,* The Thirteenth Century, S. 77–79.

[94] *Denholm-Young,* The 'Paper Constitution' Attributed to 1244, in: EHR 58 (1943), S. 401–423, jetzt in: Collected Papers (2. Aufl. 1969), S. 133–154; S. 135 f. wird hier ebenfalls auf die Doppelerwähnung identischer Ereignisse in Matthaeus' Annale zu 1244 hingewiesen.

[95] Bereits *B. Wilkinson,* The Constitutional History of England 1 (1948), S. 117–125 zeigt, daß die Einordnung der „Paper Constitution" zu 1244 nicht unwahrscheinlich ist, schon deswegen, weil der Text in den Bericht über das Parlament eingegliedert ist. Allerdings müsse man den Text als einen vielleicht eingebrachten Vorschlag, ein Rohkonzept, betrachten, nicht als einen Beschluß des Adels. Dazu *Cheney,* The 'Paper Constitution' preserved by Matthew Paris, in: EHR 65 (1950), S. 213–221; jetzt in: Medieval Texts and Studies, S. 231–241, vgl. besonders S. 236–238.

[96] CLibR 2, S. 275: am 15. November weist der König den *sheriff* von Kent an, ein Schiff zur Kanalüberquerung bereitzustellen, das 36 Pferde fasse; *magister* Walter von Ocra und seine Begleiter müßten in Eile auf den Kontinent übersetzen. Der Zweck

Jahr, das mit der „Absetzung" des Kaisers in Lyon Ereignisse von großer Tragweite brachte, ist er nicht als Gesandter in England gewesen. Eine gegenteilige Ansicht, die sich bei Kantorowicz und danach bei Hartmann findet, beruht auf einem Fehler [97]. Walter von Ocra hielt sich 1245 während des Konzils in Lyon auf [98] und reiste anschließend im September an den französischen Hof. Die kaiserliche Reaktion auf die „Absetzung" durch Innozenz IV. in Form des Manifests BF 3495 vom 31. Juli 1245 hat der Bote Hugo Chalbaot nach England überbracht [99], der 1239/40 schon einmal mit einer Mission in das Inselreich betraut gewesen war. Walter von Ocra scheint aber diejenige Persönlichkeit gewesen zu sein, der man am kaiserlichen Hofe die weitreichendsten Einflußmöglichkeiten in England zutraute. Wohl aus diesem Grund schrieb er unter seinem Namen – und nicht die Kanzlei im Namen des Kaisers – jenen Brief, in dem der Sieg über die Rebellen von Capaccio und das grausame Vorgehen des Kaisers gegen die Verschwörer erläutert werden [100].

Kantorowicz hatte sich bei seiner Untersuchung von Walter von Ocras Itinerar im wesentlichen auf die gedruckten archivalischen Quellen gestützt. Als sein Aufsatz 1937 erschien, war von den „Calendars of Liberate Rolls" erst der zweite Band zugänglich gewesen; den 1937 erschienenen Folgeband für die Jahre 1245 bis 1251 konnte er nicht mehr benutzen. Daher fehlen in seiner Aufstellung alle Belege für die Präsenz kaiserlicher Boten und Gesandter in England während des Jahres 1246 [101]. Mehrere Eintragungen in der Liberate Roll beziehen sich auf die Anwesenheit kaiserlicher Beauftragter in den Monaten Mai und Juli 1246 [102].

eines solchen Pferdetransports ist nicht ersichtlich; vielleicht sollte damit nur die Schiffsgröße gekennzeichnet werden.

CLibR 2, S. 277: am 17. November weist der König die fällige Zahlung für das Lehen sowie Walter von Ocras Reiseunkosten zur Begleichung an.

[97] *Kantorowicz,* MÖIG 51, S. 61 A. 59 und danach *Hartmann,* AUF 18, S. 138 und A. 7 verwenden den eben schon zitierten Beleg CLibR 2, S. 277, der eindeutig zum November 1244 gehört (29 Henry III endet am 27. Oktober 1245), irrtümlich nochmals für 1245!

[98] BF 3490 a, 7544 abc in Lyon, vgl. *Schaller,* DA 11, S. 497; BF 3511 Walter von Ocra am französischen Hof.

[99] BF 3495 = CM 4, S. 538–544. Chalbaot (Kabuche) wird als Überbringer des Briefs beglaubigt, CM 4, S. 544. Dieser Passus fehlt natürlich in PdV I 3; in der englischen Fassung wird CM 4, S. 542 ausdrücklich erwähnt, der Papst habe bei seinem Vorgehen gegen Friedrich II. in Lyon nicht einmal auf das Eintreffen Walters von Ocra mit neuen Weisungen die vereinbarten 20 Tage lang gewartet.

[100] BF 3579 = CM 4, S. 575–577.

[101] Vgl. *Kantorowicz,* MÖIG 51, S. 61 f.

[102] CLibR 3, S. 53, am 15. Mai erhält ein gewisser Wilhelm, Bote Walters von Ocra, für seinen Herrn die fällige Zahlung für das Geldlehen.

CLibR 3, S. 68, am 23. Juli erhalten ungenannte kaiserliche Boten (ein Ritter und ein Diener) Geld für ihre Reisekosten sowie die im folgenden Jahr fälligen Zahlungen für Petrus de Vinea und Walter von Ocra.

Wenn man die Expedition des Briefes BF 3551 mit einer dieser Angaben in Verbindung bringen will, so wird man eher die im Juli erwähnten Boten für die Überbringer des Schreibens anzusehen haben, und zwar in der früheren, nicht bei Matthaeus Paris, sondern im „Red Book of the Exchequer“ überlieferten Form [103]. Der im Mai in England nachweisbare Bote käme möglicherweise für die Beförderung des Manifests „Illos felices“ in Frage, wenn man davon ausgeht, daß das Datum 15. Mai nicht die Ankunft, sondern einen Zeitpunkt nahe der Rückreise markiert [104].

Walter von Ocra selbst reiste im weiteren Verlauf des Jahres 1246 ebenfalls nach England. Am 21. November weist Heinrich III. eine für Petrus de Vinea bestimmte rückständige Zahlung zur Aushändigung an Walter an, und vier Tage danach erhält der *sheriff* von Kent den Auftrag, für Walter von Ocras Überfahrt über den Kanal zu sorgen [105]. Es ist kaum anzunehmen, daß Walter den von ihm selbst verfaßten Brief BF 3579 mit in seinem Gepäck führte; jedenfalls wäre der Informationszweck bei einem solchen Verfahren nicht einsichtig. Es ist anzunehmen, daß dieser Brief schon vorher nach England gebracht wurde [106]. An dieser Stelle muß an eine Beobachtung erinnert werden, die sich aus der Vergleichung der Exchequer-Briefsammlung im Red Book und den Chronica majora ergeben hatte: BF 3551 findet sich danach in zwei Überlieferungsformen, die nicht voneinander abgeleitet sein können. Die zweite Textform, die in einem Einschub Ereignisse erwähnt, welche einige Tage nach der (erhaltenen) Datierung des Briefes liegen, ist – so war versucht worden zu beweisen – mit großer Wahrscheinlichkeit in der kaiserlichen Kanzlei zusammengestellt worden. Damit erscheint Walter von Ocra, der natürlich zu den Kanzleimaterialien Zugang hatte, als das wahrscheinliche Bindeglied für die Überlieferung dieser aus Matthaeus Paris bekannten Textform. Weiterhin ist Matthaeus Paris zu Ohren gekommen, daß Walter von Ocra (ebenso wie Thaddeus de Suessa) über die Absetzungssentenz von Lyon zutiefst erschüttert war – vielleicht ist auch diese Notiz auf persönliche Erzählungen Walters in England zurückzuführen [107]. In den folgenden Jahren ist der diplomatische Verkehr zwischen beiden Höfen praktisch zum Erliegen gekommen; Friedrichs Interesse wandte sich von England ab, da der Kaiser von ganz anderen Aufgaben in Anspruch genommen war. Dies deckt sich mit der Be-

[103] Vgl. oben S. 74 ff.

[104] BF 3541, das allerdings schon zu Ende 1245 verfaßt wurde; sehr wahrscheinlich ist es demnach nicht, daß sich die überbringenden Boten noch im Mai in London aufgehalten haben. Doch kommt ein am 15. Mai in London anwesender Bote mit Sicherheit nicht als Träger des am 15. April in Salerno gegebenen BF 3551 in Frage.

[105] CLibR 3, S. 95.

[106] Daraus würde sich auch ergeben, daß Walter von Ocra sich im Hochsommer des Jahres am kaiserlichen Hof aufgehalten hatte.

[107] CM 4, S. 456: „Magistri igitur Thadaeus de Suessa et Walterus de Ocra, et alii procuratores imperatoris, et qui cum ipsis erant, emisso ejulatu flebili, hic femur, hic pectus in indicium doloris percutientes, vix a profluvio lacrimarum sese continuerunt“.

obachtung, daß weder aus Matthaeus Paris noch aus anderen englischen Quellen Kaiserbriefe der Jahre nach 1246 bekannt sind. Damit braucht auch Walter von Ocras Karriere hier nicht weiter verfolgt zu werden – er kam nach 1246 wohl nie mehr nach England [108]; aber trotzdem sind Zahlungen an ihn wie an Petrus de Vinea aus England noch 1248 erfolgt [109, 110].

Die Nachzeichnung von Walter von Ocras Itinerar und die Verknüpfung seiner Reisen mit der Überbringung der – vor allem bei Matthaeus Paris – in England überlieferten Kaiserbriefe hat nicht nur ein Kapitel mittelalterlicher Diplomatie erhellt, sondern auch Aufschlüsse über die Verfügbarkeit dieser Briefe in England geliefert: in der Mehrzahl der Fälle konnte die Verbreitung mit der Reise eines Boten oder des Kanzleinotars Walter von Ocra selbst in Verbindung gebracht werden. Auf einen Aspekt sollte dabei noch hingewiesen werden: von 1237 bis 1246 kamen Walter und andere kaiserliche Englandreisende immer wieder mit dem Exchequer als Zahlstelle für die ihnen ausgehändigten Gelder in Berührung. Bei dem Vergleich der Briefe im Red Book und in den Chronica majora hatte sich herausgestellt, daß die gemeinsamen Vorformen beider Überlieferungsstränge ebenfalls im Exchequer zu suchen sind. Wir können also mit einiger Berechtigung die Vermutung äußern, daß diese kaiserlichen Geschäftsträger den Exchequerbeamten die mitgeführten Briefe zur Abschrift überließen, wobei das so entstandene Exchequer-*schedarium* möglicherweise umfangreicher war, als die erhaltenen Texte erkennen lassen. Ob Walter von Ocra an der Herstellung dieser Aktensammlung selbst mitwirkte, läßt sich natürlich nicht sagen; doch es scheint allein die Tatsache dieser engen Berührung das bisher noch offene *missing link* in der Überlieferungskette mancher Briefe zu schließen. Nach der Analyse der Red Book-Briefsammlung und der Gesandtschaftsreisen konnte in einigen Fällen der Weg eines Briefes von der kaiserlichen Kanzlei über den *nuntius* zum Exchequer verfolgt werden, wobei von dort aus die weiteren Überlieferungswege, so vor allem in die Chronik von St. Albans durch Lesartenvergleiche ebenfalls anschaulich gemacht werden konnten.

[108] Weitere Angaben zu Walters Karriere bei *Schaller*, DA 11, S. 497 f. und *Hartmann,* AUF 18, S. 135–146 mit den erwähnten Einschränkungen.

[109] Vgl. *Kantorowicz,* MÖIG 51, S. 61 A. 61; CPR 1247–1258, S. 26.

[110] Zu 1247 erwähnt Matthaeus den *magister* Walter von Ocra noch einmal, CM 4, S. 605–607. Angeblich soll er in Lyon mit anderen ein Mordkomplott gegen den Papst geplant haben, das wegen des vorzeitigen Todes eines der Mitwisser nicht ausgeführt wird. Der Bericht bei Matthaeus Paris besteht hauptsächlich aus Dialogen, die der Chronist selbst erfunden hat, „cum Papa, . . ., usurarius sit manifestus, fomes symoniae, pecuniae sititor ac raptor, ipsiusque curia forum institorum, immo potius meretricale prostibulum".

Es dürfte kein Zweifel bestehen, daß diese (von der kurialen Propaganda nie erwähnte) Mordgeschichte fiktiv ist.

VII. Dokumente zum Tartareneinbruch und zu den Kreuzzügen

Matthaeus Paris war als Universalchronist für die fern von seinem Kloster ablaufenden Ereignisse in besonderem Maße auf Berichte anderer angewiesen, wobei bei ihm der Anteil schriftlicher Berichte in Form von Briefen aller Art im Vergleich mit allen gleichzeitigen Geschichtsschreibern besonders hoch war. Wie er sich dabei insbesondere der kaiserlichen Manifeste und Briefe bediente, ist auf breitem Raum gezeigt worden. Der Mongoleneinbruch in Mitteleuropa war für manche Zeitgenossen ein Ereignis, in dem sie schlimmste apokalyptische Befürchtungen bestätigt sahen. Um so bemerkenswerter ist es, daß Matthaeus sich – zumindest äußerlich – nicht aus der Fassung bringen läßt und an seiner Methode festhält, die Schilderung der Abläufe durch Originalzeugnisse zu illustrieren. Auch hierfür stand ihm ein Schreiben Friedrichs II. zur Verfügung, am 3. Juli 1241 an Heinrich III. gesandt [1]. Die anderweitige Überlieferung wurde bereits im Zusammenhang mit den MSS. der Andreas von Rode-Sammlung erörtert; alle diese Textzeugen hatten sich als ungeeignet zur Überprüfung von Matthaeus' Text erwiesen [2]. Da einzelne Teile des Briefes in der Literatur verschiedentlich mit Mißtrauen beurteilt worden sind, erscheint eine genauere Analyse angebracht. Bereits Luard und Liebermann [3] stellten fest, daß der letzte Teil des Briefes dem angeblichen Brief Friedrichs I. an Saladin aus dem Jahre 1188 entnommen ist, der sich zuvor bereits in dem von Wendover kopierten Teil der Chronik findet [4]. Matthaeus Paris hat von dort den „Länderkatalog“ [5] übernommen, ausgeschmückt und durch die Nennung von England, Wales, Irland, Schottland und Norwegen ergänzt, so daß der gesamte Text ab CM 4, S. 118 Z. 22 als nicht authentisch zu betrachten ist [6]; der ganze letzte Teil, und nach Ficker auch die Datierung „Da-

[1] CM 4, S. 112–119.

[2] Vgl. oben S. 125–131. In der ersten Hälfte, bis ca. CM 4, S. 115 unten, bestehen mit Wilh. 60/Wien 590 noch Gemeinsamkeiten, dann ist der Text in den Briefsammlungen völlig stilübungsmäßig verändert.

[3] CM 4, S. 118 A. 1; MG SS 28, S. 212 A. 4.

[4] CM 2, S. 331 f. Dieser Brief ist eine Fälschung vermutlich aus dem Umkreis von Teilnehmern des 3. Kreuzzuges und taucht im Mittelalter ausschließlich in England auf: *H. E. Mayer,* Der Brief Kaiser Friedrichs I. an Saladin vom Jahre 1188, in: DA 14 (1958), S. 488–494, bes. 493. Kritische Edition nach allen MSS. bei *Mayer,* Das Itinerarium peregrinorum (1962), S. 280–282.

[5] *Mayer,* Itinerarium, S. 281; CM 2, S. 332.

[6] Die Wendung „victrices aquilas“ an dieser Stelle findet sich bereits als „victrices aquile“ im Saladinbrief.

tum in recessu, post deditionem et depopulationem Faventiae, tertio die Julii" ist unecht [7]. Inwieweit daraus aber auf andere Teile des Briefes geschlossen werden kann, ist fraglich. Bei Interpolationen beschränkt sich Matthaeus Paris gewöhnlich (wie an anderen Briefen festgestellt) auf einige wenige Stellen, die dann auch stilistisch aus dem Rahmen fallen. Ein Urteil über die Authentizität *aller* Formulierungen kann mit den Methoden der Stilkritik allein nicht zu unangreifbaren Ergebnissen führen. Es kann nur festgestellt werden, daß – mit der Ausnahme des aus dem „Saladinbrief" entnommenen Schlusses und möglicherweise einer weiteren Stelle – der Text nicht durch auffällige Veränderungen entstellt zu sein scheint. Da die bei Matthaeus' bekannten, oder im Laufe dieser Untersuchung nachgewiesenen, Interpolationen meist feststellbaren stilistischen Idiosynkrasien fehlen, ist die Vermutung weitgehender Echtheit des Briefes bis zu der angegebenen Bruchstelle naheliegend.

Oelrichs hatte den Verdacht geäußert, Matthaeus habe auch an einer weiteren Stelle selbst den Text verändert. Dort heißt es, der Tartarenstrom sei auch eine Strafe Gottes:

... et pernicioso eorum exemplo mundum usuris et variis symoniae et ambitionis generibus maculante, divino judicio credimus emersisse [8].

Dazu stellte Oelrichs fest [9], in CM finde sich bereits im Jahr zuvor eine ähnliche, in einer „Rede" geäußerte Kritik am Papst:

Quomodo possem credere, quod cuidam symoniali et usurario et forte majoribus facinoribus involuto concedatur talis potestas, qualis concessa fuit beato Petro ... [10]

Solche kirchenkritische Wendungen, meist mit einer Spitze gegen Rom und den Papst, gehören zu Matthaeus Paris' Standardrepertoire an Polemik (und sind im übrigen keineswegs originell, sondern nahezu topisch in der Literatur des Hochmittelalters) [11]. In den Chronica majora kann man zu den verschiedensten Jahren immer wieder ähnliches lesen [12], so daß die Formulierungsparallelen viel ausgeprägter sein müßten, um hier einen Zusammenhang nachzuweisen (wobei dann noch zu zeigen wäre, daß Matthaeus den Brief veränderte und nicht umgekehrt eine ihn beeindruckende Formulierung im Brief auch anderswo in der Chronik wiederholte).

Trotzdem ist nicht abzustreiten, daß diese Passage in BF 3216 interpoliert ist. Zwar könnte theoretisch Matthaeus eine hier vorgefundene und ihm geglückt erscheinende Formulierung aus dem Brief genommen und anderweitig wiederholt

[7] Vgl. *Vehse,* S. 231 f.

[8] CM 4, S. 117 Z. 36–118 Z. 2.

[9] *Oelrichs,* S. 129.

[10] CM 4, S. 33.

[11] Vgl. *H. Schüppert,* Kirchenkritik in der lateinischen Lyrik des 12. und 13. Jahrhunderts (1972), bes. S. 75 ff.; *Schnith,* England, S. 83 und A. 103.

[12] Vgl. oben S. 61 und A. 74.

haben, aber der darin enthaltene Simonievorwurf (und damit implizit jener der Häresie) gehörte nicht zu den 1240/41 angewandten Mitteln der kaiserlichen Propaganda. Es wird lediglich an *einer* Stelle in PdV I 1 dem Papst der Vorwurf gemacht, die apostolische Armut zu mißachten [13], doch fällt dabei nicht explizit die Anschuldigung der Simonie. In den Manifesten der Folgezeit, speziell des Frühsommers 1241, wird der Vorwurf nicht wiederholt. Könnte man bei den unmittelbar nach der Eroberung von Faenza geschriebenen Manifesten BF 3205 (PdV I 9) und BF 3206 (PdV I 8) noch den besonderen Anlaß zu einer solchen Anklage gegen den Papst bestreiten, so wäre doch anzunehmen, daß eine derart gravierende Anschuldigung, die schließlich nicht beiläufig in die Welt gesetzt worden wäre, auch in den zeitlich und inhaltlich parallel zu BF 3216 expedierten Stücken zu finden sein müßte. Friedrich schrieb, nachdem der Bischof von Waitzen ihn über den Tartareneinfall vom Frühjahr 1241 unterrichtet hatte, am 20. Juni 1241 von Spoleto aus den Brief BF 3210 (PdV I 30 = HB 5, S. 1139–1143), der unter anderem an Ludwig IX. gerichtet war [14]; etwa gleichzeitig ist das Schreiben an Bela von Ungarn BF 3211 (PdV I 29 = HB 5, S. 1143–1146) anzusetzen. In beiden Briefen wird der Vorwurf der Simonie und des Wuchers gegen den Papst nicht erhoben [15]. Dies ist ein unabweisbares Anzeichen, daß die Stelle nicht ursprünglich zum Text von BF 3216 gehörte, wie dies Oelrichs auch bereits angenommen hatte, ohne aber ihren Verdacht hinreichend begründen zu können. Überhaupt erscheint es als eine denkbare Methode zur Überprüfung des Inhalts von BF 3216, die beiden anderen Schreiben BF 3210 und 3211 vergleichsweise heranzuziehen. Die Richtigkeit einzelner Wendungen *ad litteram* wird man so zwar nicht verifizieren können, wohl aber könnten völlig aus der Reihe fallende Aussagen bei zeitlich so nahe liegenden Stücken festgestellt werden. Eine Durchsicht ergab dabei keine weiteren offensichtlich unwahrscheinlichen Behauptungen in BF 3216; allerdings sind für einen genauen Vergleich die gedruckten Texte von BF 3210 und 3211 bei Iselin und Huillard-Bréholles ohne breitere Kenntnis der Überlieferung nur mit Einschränkungen verwendbar.

Über die Untersuchung von BF 3216 hinaus müssen wir uns die Frage stellen, wie Matthaeus Paris sein Wissen über die Tartaren bezogen hat: Matthaeus kommt in der Chronik mehrfach detailliert auf die Tartaren zu sprechen und inseriert in CM, vor allem aber in LA, Briefe, die unmittelbar aus der von den Tartaren gefährdeten ostmitteleuropäischen Randzone stammten. Die Chronica majora als Quelle für den Mongolensturm sind durch die Arbeiten von Saunders

[13] HB 5, S. 310; *Schaller,* DA 11, S. 147.

[14] Der Anfang des Briefes mit Inskription an Ludwig IX. bei Richard von San Germano, hrsg. v. *Garufi,* S. 210.

[15] Auch Gregor IX. kommt in seiner wohl letzten Antwort auf die Taten und Worte des Kaisers, vgl. *Schaller,* FS Schramm 1, S. 309–321, nicht auf einen derartigen gegen ihn gerichteten Vorwurf zu sprechen.

und Bezzola bereits eingehend untersucht [16]. Die Ergebnisse sollen hier nicht insgesamt zur Diskussion gestellt werden; die Fragestellung unter dem Aspekt unserer Untersuchung muß sich darauf beschränken, zur Klärung der Materialbeschaffung und Verarbeitung durch den Chronisten beizutragen.

Bei der Abfassung seiner Annale für 1241 hat Matthaeus außer dem Brief BF 3216 nur ein weiteres Dokument mit Bezug auf den Tartarensturm in die Chronik aufgenommen: den Brief Heinrich Raspes an den Herzog von Brabant BF 11315 [17]. Matthaeus' eigener Bericht über den Einbruch der Mongolen, den er den Briefen vorausstellte, ist kurz und enthält keine Fakten, die der Chronist nicht aus den beiden Dokumenten entnehmen konnte. Der Katalog von Ländern, die angeblich unter den Tartaren litten, dürfte vom Chronisten selbst stammen [18]. Wie Matthaeus dazu kommt, diese Aufzählung mit Friesland zu beginnen, dessen geographische Lage ihm klar sein mußte, ist unerklärlich. Matthaeus Paris hat am unteren Rand der betreffenden Seite im MS. noch eine Notiz – offenbar aus seinem Schedenmaterial – nachgetragen, daß „Otto aliquando legatus in Anglia" gesagt habe, der Tartarenname komme entweder von der Insel Taraconta oder vom Fluß Tartar [19]. Daraus geht hervor, daß bereits vor dem großen Mongolensturm Informationen über dieses Volk nach England gelangt waren [20].

Bezzola mußte bei seinem – zumeist gelungenen – quellenkritischen Vergleich der Tartarennachrichten in CM und anderen Fundstellen offenlassen, wann Matthaeus Paris in den Besitz seiner Informationen kam [21]. Die entscheidende, auch von Bezzola formulierte Frage ist: hat Matthaeus in seiner Chronik die ersten Erwähnungen der Tartaren zu 1238 [22], 1239 [23] und 1240 [24] aufgrund von Nachrichten verfaßt, die schon vor dem Einbruch der Tartaren nach Mitteleuropa im Winter und Frühjahr 1241 in England verfügbar waren? Bezzola deutete dabei die Möglichkeit an, daß die entsprechenden Einträge von 1238 und 1240 bereits unter dem Eindruck der Ereignisse von 1241 niedergeschrieben sein könnten.

[16] *J. J. Saunders,* Matthew Paris and the Mongols, in: FS Wilkinson (1969), S. 116–132. *G. A. Bezzola,* Die Mongolen in abendländischer Sicht (1974).

[17] CM 4, S. 109–111; das Datum 10. März ist lt. BF unsicher. Der Brief wurde nach CM 4, S. 111 durch den Empfänger weiterverbreitet. Auf dem Umweg über den Erzbischof von Köln habe ihn auch der englische König erhalten.

[18] CM 4, S. 109.

[19] MS. B fol. 144^r; CM 4, S. 109 A. 2.

[20] Bezzola hat bei seiner Erwähnung dieses späteren Zusatzes, vgl. S. 100 A. 179 übersehen, daß daraus ein Zeitpunkt ersichtlich ist: Otto reiste 1241 zu dem von Gregor IX. angesetzten Konzil von England nach Italien zurück, vgl. CM 4, S. 121; CM 4, S. 127 = BF 3205.

[21] *Bezzola,* S. 63–65, Erster Teil, Kap. V 2 „Der Tartarenforscher von St. Alban (Matthaeus Parisiensis)".

[22] CM 3, S. 488 f.

[23] CM 3, S. 639.

[24] CM 4, S. 76–78.

Richard Vaughans Monographie ist von Bezzola zwar im Literaturverzeichnis aufgeführt, aber nicht erschöpfend benutzt: sonst hätte Bezzola sich versichern können, daß die entsprechenden Teile von B erst einige Jahre nach den betreffenden Jahren entstanden; und er hätte kaum Powickes Theorie einer späteren Überarbeitung von CM, welche das MS. B darstelle, übernehmen können [25]. Nach dem seit Vaughan, ja Plehn Bekannten (das im Eingang dieser Arbeit auf verbreiterter und berichtigter Materialbasis bestätigt wurde) hat Matthaeus seine frühesten einschlägigen Nachrichten ganz zweifellos erst nach dem Tartarensturm niedergeschrieben.

Es muß also geprüft werden, inwieweit Matthaeus Paris seine ersten Erwähnungen der Tartaren aus späterem Wissen ergänzt hat. Die erste Nennung dieses Volkes in CM erfolgt eher beiläufig: der „Alte vom Berge“ [26] habe eine Gesandtschaft zum französischen König geschickt, um ihm den Einfall der Tartaren im Mittleren Osten zu melden [27]. Die Historizität dieser Mission ist umstritten; außer bei Matthaeus ist sie aus keiner – auch nicht französischen – Quelle bekannt. Bezzola hält die von Matthaeus berichtete Gesandtschaft für möglich; er hat sich aber nicht mit den von Saunders daran geäußerten Zweifeln auseinandergesetzt [28]. Der Bericht zu 1238 enthält auch die Mitteilung, wegen der Tartarengefahr seien in jenem Jahr die „Gothiam et Frisiam inhabitantes“ nicht zur Zeit des Heringsfangs nach Yarmouth gekommen, so daß wegen des entstehenden Überangebots die Heringspreise in England drastisch sanken. Der hier hergestellte Kausalzusammenhang ist in der Tat ein bemerkenswertes Zeugnis für Matthaeus' Kombinationsgabe: aber es ist natürlich unhaltbar, daß 1238 friesische Heringsaufkäufer wegen der Eroberung der Wolgasteppen durch die Tartaren nicht über die Nordsee hätten fahren wollen. Hier interpretiert Matthaeus Paris eindeutig eine 1241 für Europa bestehende Gefahr in das Jahr 1238 hinein. Zum folgenden Jahre 1239 berichtet die Chronik dann nur, die Tartaren seien in Ungarn zurückgeworfen worden; diese Nachricht findet sich, wie Bez-

[25] *Bezzola,* S. 64 f.: „Es ist bekannt, daß Matthaeus seine Chronik später nochmals überarbeitet hat“. Hierzu gibt Bezzola keinen Beleg – auch Powickes Aufsatz, in dem diese Theorie verfochten wurde, wird nicht genannt. Die späteren Umarbeitungen von Matthaeus' Hand, die Bezzola überhaupt nicht benutzt, kann er hier nicht meinen (Historia Anglorum, Flores Historiarum).

[26] Dies war der Name für das Oberhaupt des syrischen Zweigs der Assassinen, vgl. *Saunders,* FS Wilkinson, S. 119 f.

[27] CM 3, S. 488 f.

[28] *Saunders,* FS Wilkinson, S. 120–122 fragt, warum die Assassinen sich ausgerechnet an den französischen Hof hätten wenden sollen, nicht aber an den Kaiser, dessen Präsenz im Heiligen Land 1228/29 noch in frischer Erinnerung war. (Gegengründe lt. Saunders: die französischen Adelsdynastien im Hl. Land.) Bezzola ist dieser Aufsatz von Saunders entgangen, obwohl er dessen 1971 erschienenes Buch „The History of the Mongol Conquests“ kennt.

zola feststellte, für dasselbe Jahr bei Alberich von Troisfontaines bestätigt [29], wenn auch Matthaeus die christlichen Abwehrerfolge übertreibt. Doch ist letzteres gerade der Nachweis dafür, daß die Nachricht aus der Zeit vor 1241 stammt; später wären solche Übertreibungen unmöglich gewesen.

Eine ausführliche Beschreibung der Tartaren bringt Matthaeus dann zum Jahre 1240 [30]. Diesen Bericht hat Bezzola ausführlich herangezogen [31]; dabei konnte er in zahlreichen Einzelheiten sachliche Kongruenz mit anderen Quellen, insbesondere dem Augenzeugenbericht des Dominikaners Julian aus den Jahren 1237/38 feststellen [32]. Gelegentlich vermerkt Bezzola sogar fast wörtliche Übereinstimmung [33]. Stutzig macht dabei, daß beide Quellen zur Erläuterung der Vorgeschichte Asiens die Historia Scholastica des Petrus Comestor zitieren [34], der – selbst den Pseudo-Methodius des 7. Jahrhunderts ausschreibend – die nomadischen Steppenvölker mit dem Sammelnamen „Ismaeliten" belegt. Auch in Matthaeus Paris' Bericht findet sich Petrus Comestor verwendet, wie Luard erkannte, wenn auch eine andere Textstelle als die von Bezzola bei Julian identifizierte zitiert wird [35]. Zu fragen bleibt, ob nicht Matthaeus' Darstellung, nachdem sie auch sonst inhaltlich Ähnlichkeiten mit dem Brief des Dominikaners Julian aufweist, in irgendeiner Weise auf dessen Informationen Bezug nimmt.

Matthaeus Paris reiht dann zum Jahr 1241 die beiden bereits erörterten Briefe BF 3216 und 11315 ein; mehr finden wir bis dahin im MS. B nicht. Eine Reihe interessanter Briefe unmittelbar aus der „Gefahrenzone" überliefert aber der Liber Additamentorum:

1. Brief eines ungarischen Bischofs an den Bischof von Paris (lt. Rubrik in LA), CM 6 Nr. 46, S. 75 f. (von Luard ohne Grund 10. 4. 1242 datiert). Dieser Brief findet sich ebenfalls in den Annalen von Waverley, in: Ann. mon. 2, S. 324 f. mit besserem und vollständigerem Text, vgl. *Bezzola,* S. 53–57.
2. Brief des Landgrafen Heinrich Raspe an den Herzog von Brabant, CM 6 Nr. 47, S. 76–78.
3. Brief des Abtes von Marienberg in Ungarn, datiert Wien, 4. Januar 1242, CM 6 Nr. 48, S. 78–80.
4. Brief des Ordensprovinzials der Franziskaner in Polen, Jordanus, datiert „quarto idus Aprilis 1242", CM 6 Nr. 49, S. 80 f.

[29] *Bezzola,* S. 61 f., vgl. MG SS 23, S. 946.

[30] CM 4, S. 76–78.

[31] *Bezzola,* S. 94 ff.

[32] Ebd., S. 40 ff.; Julians Reisebericht in einem Brief aus den Jahren 1237/38 gedruckt bei *H. Dörrie,* Drei Texte zur Geschichte der Ungarn und Mongolen, in: Nachrichten der Akademie der Wissenschaften Göttingen (1956), S. 165–182.

[33] *Bezzola,* S. 50 und A. 180.

[34] Julian benutzt Petrus Comestor: *Bezzola,* S. 41 A. 128, 42; vgl. PL 198, Sp. 1096 f.; *Dörrie,* S. 165.

[35] CM 4, S. 77 f. *in marg.:* PL 198, Sp. 1498.

5. Brief eines Dominikaners und eines Franziskaners, CM 6 Nr. 50, S. 81–83 = BF 11336 (zu 1242).
6. Ein Kölner Franziskaner sendet einen an den Herzog von Brabant gerichteten Brief des Franziskaners Jordanus aus Polen weiter, CM 6 Nr. 51, S. 83 f. = BF 11335 (zu 1241).
7. Bericht des Dominikaners Andreas (von Longjumeau) und eines ungenannten Mitbruders über die Tartaren, in Lyon [36], CM 6 Nr. 61, S. 112–116 [37].

Wenn Matthaeus Paris eine derart große Zahl von Briefen aus der Gefahrenzone des Tartarenangriffs zu Gesicht bekam, dann ist anzunehmen, daß solche Nachrichten in Europa weite Verbreitung fanden. Das deutete Matthaeus selbst mit seiner Notiz über die Verbreitung von BF 11315 an [38]. Und der Brief eines ungarischen Bischofs an den Bischof von Paris in LA findet sich in den Annalen von Waverley, zwar ohne Inskription, aber mit besserem Text und unter dem Jahre 1239; möglicherweise ist er in verschiedenen Formen und zu verschiedenen Zeiten nach England gekommen (trotzdem ist die Insertion zu 1239 nicht erklärbar). Mit den aus den Texten selbst zu entnehmenden Informationen läßt sich sagen, daß die Verbreitung der Schreckensmeldungen über den Tartarensturm nach England vor allem auf dem Weg über Paris [39] (CM 4, S. 109–111 = BF 11315; CM 6 Nr. 46, S. 75 f.) und über Köln (CM 4, S. 109–111; CM 6 Nr. 51, S. 83 f. = BF 11335) sowie über den Herzog von Brabant (BF 11315; CM 6 Nr. 47, S. 76–78; BF 11335) erfolgt sein muß.

Matthaeus Paris hat die Dokumente jener Jahre fast alle in die Chronica majora selbst eingebaut; erst nach 1246 versiegt allmählich der Strom der Briefe in CM, statt dessen werden sie in den Liber Additamentorum übernommen. Wenn man von den cartularförmigen frühesten Teilen des LA einmal absieht [40],

[36] Vgl. ferner die in Lyon gemachten Aussagen des nicht identifizierbaren russischen Erzbischofs, CM 4, S. 386–389, ähnlich in den Annalen von Burton, Ann. mon. 1, S. 271–275. *Von den Brincken*, Die Mongolen im Weltbild der Lateiner um die Mitte des 13. Jahrhunderts unter besonderer Berücksichtigung des „Speculum Historiale“ des Vincenz von Beauvais OP, in: AfKu 57 (1975), S. 125 f.

[37] Die sieben Briefe sind erörtert bei *Saunders*, FS Wilkinson, S. 125–127 und *Bezzola*, S. 67 ff.

[38] CM 4, S. 111: „et is [MS.: his] fuit [tenor] literarum transmissarum ad episcopum Parisiensem ex parte ducis Braibantiae. Simili modo scriptum est regi Anglorum ex parte archiepiscopi Coloniensis“.

[39] CM 6 Nr. 46, S. 75 f. Annalen von Waverley, Ann. mon. 2, S. 324 f. am Ende: „Et ut hoc sciatur Parisius, et consilium bonum apponatur, si fieri potest, gratia Dei permittente, cuidam archidiacono meo qui erat scholaris Parisius, transcriptum istud misi sigillatum“.

[40] Vorgebliche angelsächsische Urkunden, CM 6 Nr. 1–15, S. 1–33; etliche von ihnen sind unecht, vgl. *P. H. Sawyer*, Anglo-Saxon Charters. An Annotated List and Bibliography (1968), S. 52 unter Cotton Nero D i, dort die einschlägigen Urkundennummern. Urkunden der normannischen Könige, CM 6 Nr. 16–26, S. 33–40. Papsturkunden s. XII ex. (Lucius III., Urban III., Clemens III.), CM 6 Nr. 27–43, S. 40–62.

die zweifelsohne auf eine zeitlich vor Matthaeus Paris liegende Zusammenstellung zurückgehen und auch in LA nicht in seiner Hand geschrieben sind, stellen die Briefe über die Tartarengefahr in Ungarn und Schlesien die zeitlich frühesten Stücke in LA dar [41]. Sie gehören in die Jahre 1241/42, mit Ausnahme des Berichts des Dominikaners Andreas in Lyon [42]. Luard, der den Liber Additamentorum chronologisch edierte, riß dabei Stücke auseinander, die bei Matthaeus in LA zusammengehören; so folgt CM 6 Nr. 61 im MS. Nero D i fast unmittelbar auf die Briefe aus den Jahren 1241/42 [43]. Nach Vaughans Rekonstruktion stand dieser ganze Komplex ursprünglich am Anfang von Matthaeus' Dokumentenanhang, bevor er nach 1250 vom MS. B abgetrennt wurde. Daraus ergibt sich mit einiger Wahrscheinlichkeit, daß Matthaeus den ganzen Briefkomplex erst einige Jahre nach den Ereignissen erhielt, als die Annalen 1241/42 in B bereits fertig waren, aber vor dem Beginn der planmäßigen Anlage von LA, da die später eingeführten Hinweise im MS. auf Fundorte im Anhang (mit Worten oder Symbolen) noch fehlen [44].

Offenbar vor dem Erhalt dieser Briefe hat Matthaeus Paris noch ein weiteres – recht kurioses – Schreiben in die Hände bekommen, das er zu 1243 in die Chronik einfügte. Es handelt sich um den (in der Literatur schon mehrfach erörterten) Brief eines ehemaligen Ketzers aus Frankreich, Ivo von Narbonne, der in Österreich im „Exil" lebte, an Erzbischof Gerald von Bordeaux [45]. Dieser

[41] CM 6 Nr. 44, S. 62 f., das Gedicht des Heinrich von Avranches auf Abt Wilhelm von Trumpington (vor 1235) steht fol. 145 mit dem Traktat „De anulis et gemmis" zusammen und war ursprünglich nach Teil I der Gesta Abbatum plaziert. Dieses Blatt kam erst später an seine heutige Stelle in LA, vgl. *Vaughan*, Matthew Paris, S. 82.

Auch die „responsiones magistri Laurentii de Sancto Albano pro comite Kantiae Huberto de Burgo" aus dem Jahre 1239, LA fol. 167 f. wurden erst später eingefügt.

[42] CM 6 Nr. 61, S. 112–116, LA fol. 89^{rv}.

[43] Dazwischen liegen in LA fol. 88 die Stücke CM 6 Nr. 62, S. 117 und Nr. 67, S. 120–127 über die Heiligsprechung Edmunds von Canterbury Anfang 1247.

[44] Auf das Stück CM 6 Nr. 62 (Bestimmungen über Verletzungen von Rechten in Parks und Gewässern) wird in MS. B ausdrücklich hingewiesen, zu 1246, MS. B fol. 198^{r} am Rand nachgetragen, vgl. CM 4, S. 518. Vorher wird nur zu 1219, vgl. CM 3, S. 44 auf einen Vertrag zwischen St. Albans und Lincoln verwiesen, der in LA fol. 63 zu finden ist; dies ist ein kurzer Dokumententeil zwischen beiden Teilen der Gesta Abbatum und gehörte nicht zu dem später spiegelbildlich zu CM entstandenen Dokumentenanhang.

Auf CM 6 Nr. 45 wird CM 3, S. 233 zu 1232 ebenfalls ein Hinweis am Rand gegeben: „In fine libri hujus invenies objectiones adversariorum et responsiones Laurencii". Das Doppelblatt LA fol. 167 f. befand sich also ursprünglich mit dem MS. B zusammengebunden.

[45] BF 11356 zu 1241. Die Einreihung zu 1243 bei Matthaeus drückt vermutlich nur aus, daß der Chronist in jenem Jahr in den Besitz des Schreibens kam, CM 4, S. 270–277.

Ivo [46], der als Häretiker verdächtigt und nach Irrfahrten bei Ketzern in Norditalien schließlich über Friaul und Kärnten nach Österreich kam (wo er nach eigenen Worten in Wiener Neustadt bei Beguinen Aufnahme fand und später nach Wien weiterzog), hat das Auftauchen der Tartaren in Niederösterreich selbst miterlebt. Ivo hält die Tartaren für eine Gottesstrafe: sie kamen in jenem Sommer von Pannonien aus, sollen Wiener Neustadt oder Wien belagert haben [47], zogen sich aber nach kurzen Scharmützeln zurück. Es kann sich nur um den Sommer 1241 gehandelt haben, denn nach dem Tode des Großkhans Ogedei brachen die Mongolen Anfang 1242 die Operationen ab [48]. Außerdem ist dies, wie Strakosch-Grassmann feststellte, vom Itinerar eines der bei Ivo genannten Verteidiger Österreichs die einzige Möglichkeit [49].

Mitten in dem wohl zu einem erheblichen Teil von Ivo selbst erfundenen oder aufgebauschten Bericht über die Belagerung findet sich eine eher völkerkundliche Skizze über das Auftreten und Verhalten der Tartaren [50]. Der Text spricht zunächst von der „saevitia satellitum Antichristi", vor der die Verteidiger zurückschauerten, und von den blindwütigen Morden der angreifenden Scharen. Dann folgt ein Absatz über sadistische Mißhandlungen und Menschenfresserei. Derartige Vorwürfe gegen die Tartaren finden sich zwar mehrfach in den Quellen des 13. Jahrhunderts, niemals sonst jedoch in derart drastischer und detaillierter Form [51]:

Quorum cadaveribus principes cum suis cenofaris aliisque lotofagis, quasi pane vescentes, nihil praeter ossa vulturibus relinquebant. Sed quod mirum est, famelici et edaces vultures, quae forte supererant, reliquiis vesci minime dignabantur. Mulieres autem vetulas et deformes antropofagis, qui vulgo reputantur, in escam quasi pro diarrio dabant; nec formosis vescebantur, sed eas clamantes et ejulantes in multitudine

[46] Er war von dem Legaten Robert de Curzon in Frankreich der Ketzerei beschuldigt worden. Curzon war während des Albigenserkreuzzugs in Frankreich, vgl. *A. Evans*, in: *Setton* 2, S. 300, 303 ff. Nach *Van Cleve*, in: *Setton* 2, S. 379 f. war er auch bis zu seiner Abreise zum IV. Laterankonzil für die Vorbereitung des 5. Kreuzzuges in Frankreich zuständig. – Ivo hat also spätestens 1215 seine Heimat verlassen.

[47] Wiener Neustadt, so *Luard*, CM 4, S. 272 *in marg.;* für Wien argumentiert *G. Strakosch-Grassmann*, Der Einfall der Mongolen in Mitteleuropa (1893), S. 144 f.; daß es sich um eine regelrechte Belagerung nicht gehandelt haben kann, hat *Strakosch-Grassmann,* S. 142 ff. bereits erkannt. Eine ausführliche quellenkritische Darstellung zu Ivo von Narbonne gibt *P. Segl*, Ketzer in Österreich. Untersuchungen über Häresie und Inquisition im Herzogtum Österreich im 13. und beginnenden 14. Jahrhundert (Habil.-Schr. Regensburg 1979, im Druck). Vgl. dort in Kap. I den Abschnitt „Das Wirken des französischen Klerikers Yvo gegen die Ketzer in Österreich".

[48] Vgl. *Saunders*, FS Wilkinson, S. 124.

[49] *Strakosch-Grassmann*, S. 190 f.; Markgraf Hermann von Baden starb im Januar 1242.

[50] CM 4, S. 273.

[51] *Bezzola*, S. 84.

coituum suffocabant. Virgines quoque usque ad exanimationem opprimebant, et tandem abscisis earum papillis, quas magistratibus pro deliciis reservabant, ipsis virgineis corporibus lautius epulabantur [52].

Strakosch-Grassmann, der dem Ivo-Brief an mehreren Stellen Unrichtigkeit nachweisen konnte, sah offenbar keinen Anlaß, diesen Absatz einer genaueren Untersuchung zu unterziehen und sprach sogar von „heiteren Ausschmückungen" [53]. Bezzola dagegen schien die Behauptungen nicht ganz für wahr zu nehmen, ohne aber letztlich einen entscheidenden Grund für oder gegen die Richtigkeit beizubringen [54]. Mehrere Überlegungen sprechen dafür, daß es sich nicht um eine übertriebene Darstellung durch den Briefschreiber handelt, sondern um eine Interpolation, die allein Matthaeus Paris zuzuschreiben ist:

- Unmittelbar anschließend geht die Erzählung über die „Belagerung" weiter – die militärischen Führer (der Herzog von Österreich, der König von Böhmen, der Patriarch von Aquileja, der Herzog von Kärnten, der Markgraf von Baden) besichtigen die Lage von einer Anhöhe aus. Welche Veranlassung hätte Ivo gehabt, die Erwähnung der Scheußlichkeiten gerade hier einzubauen und seinen zusammenhängenden Bericht zu unterbrechen?
- Bei der Behauptung, daß Tartaren die Brüste der Mädchen „magistratibus pro deliciis reservabant", zeigt der wahre Verfasser seine mutmaßliche Unkenntnis des Volks, bei dem man – zumal im Kriege – wohl kaum von „magistratus" sprechen kann. Auch die der antiken Ethnographie (Plinius d. Ä.) entstammenden Bezeichnungen *lotofagi, antropofagi* (und das in dieser Form sonst nicht belegte *cenofari*) lassen eher an eine literarische Anleihe denken [54a] als an die Ausdrucksweise eines Augenzeugen.

[52] CM 4, S. 273, übersetzt bei *Bezzola,* S. 83.

[53] *Strakosch-Grassmann,* S. 145 und A. 1.

[54] *Bezzola,* S. 84: „Die Übersteigerung der Entsetzlichkeiten könnte wohl kaum weitergehen und falls sie nicht einer Einbildung Ivos, die an sexuelle Perversion grenzt, zuzuschreiben sind, so legen sie für die phantastischen Gerüchte, die der Tartarenschrecken im Lande verbreitete, deutliches Zeugnis ab".

[54a] Die Naturalis Historia des Plinius war im Mittelalter in England weit verbreitet. Das Interesse für sie wurde im 12. Jahrhundert neu belebt, als Robert von Cricklade für Heinrich II. eine *defloratio* daraus exzerpierte, vgl. *K. Rück,* Das Exzerpt der Naturalis Historia des Plinius von Robert von Cricklade, in: SB München (1902), S. 195–285, danach *Ch. H. Haskins,* Studies in the History of Mediaeval Science (1924), S. 169 f.; hiervon sind in England 2 MSS. erhalten:
BL Royal 15 C xiv und Eton College, MS. 134.

Auch für St. Albans wurde s. xiii in. ein (vollständiger) Plinius abgeschrieben, den Matthaeus Paris benutzt haben dürfte: Oxford, New College, MS. 274, vgl. *Ker,* Medieval Libraries, S. 168. Die Belegstellen in Plin. nat.:
lotofagi: 5, 28
antropofagi: 4, 88; 6, 53; 6, 195
cynocephali: 6, 184.

– Am Fuß der Seite in MS. B fol. 166r zeichnet Matthaeus zwei Tartaren, die einen Christenmenschen am Spieß über dem Feuer braten. Man sieht hier, daß es seine eigene Phantasie war, die ihn zu diesen verbalen und bildlichen Perversitäten stimuliert hat. Vom Rösten am Spieß steht im Text nämlich nichts (hätte Matthaeus wirklich nur Vorgefundenes illustriert, so müßte sich dies ja auch im Text finden). Es war der Chronist, der sich diese Vorstellung im Kopf bildete und in verschiedenen Ausprägungen textlich und bildlich zu Pergament brachte.

Beim Zurückschlagen des Tartarenangriffs wird dann nach Ivo ein bei den Tartaren als Dolmetscher arbeitender Engländer gefangengenommen; seine Beschreibung des Lebens und der Sitten bei den Tartaren bildet den zweiten Teil des Briefes – ein im wesentlichen nicht anzuzweifelnder, wenn auch von Clichés mitgeprägter Bericht. Nur gegen Ende zu scheinen wieder Zweifel an der Echtheit angebracht. Der Gewährsmann berichtet, die Tartaren pflegten ihre Gegner zu täuschen:

Omnes populos et principes regionum, secundum non causam, [MS. *in marg.* ut causam] tempore quietis decipiunt [55].

Ein Dutzend Zeilen weiter unten wird dieser Gedankengang wieder aufgegriffen: „Pro quibus figmentis, quidam eis reges simplices, inito foedere, liberum per terras suas transitum concesserunt . . .“ Dazwischen findet sich Folgendes eingeschoben:

Nunc se propter Magos reges, quorum sacris corporibus ornatur Colonia, in patriam suam reportandos; nunc propter avaritiam et superbiam Romanorum, qui eos antiquitus oppresserunt, relidendam; nunc propter subdendas sibi barbaras tantum et Hyperboreas nationes; nunc propter furorem Theutonicum sua modestia temperandum; nunc propter militiam a Gallis addiscendam; nunc propter terrae fertilitatem, quae suae multitudini sufficere possit, adquirendam; nunc propter peregrinationem ad Sanctum Jacobum in Galicia terminandam, egressos se patriam mentiuntur.

Der folgende relative Satzanschluß „Pro quibus figmentis“ könnte sich zwar auf das unmittelbar davor Stehende beziehen, würde aber ebenso einen sinnvollen Anschluß nach „decipiunt“ herstellen. Die Formulierungen, die dazwischen stehen, lassen Zweifel aufkommen, ob ein in Niederösterreich Lebender sich 1241/42 in dieser Form geäußert hätte. Die Wendung „propter avaritiam et superbiam Romanorum“ gehört zu Matthaeus' Standardvorwürfen, die er zu allen Gelegenheiten vorbringt. Die mutmaßliche Interpolation gibt sich noch auf andere Weise zu erkennen: der seit vielen Jahren in Österreich lebende Ivo oder sein bei den Ungarn und später bei den Tartaren lebender englischer Informant konnten kaum über die soeben erst entstandene heilsgeschichtliche „Begründung“ für den Tartareneinfall Bescheid wissen. In Westeuropa heißt es damals in der Tat, die Tartaren wollten die Gebeine der Drei Könige aus Köln heim-

[55] Dies und die folgenden Zitate: CM 4, S. 276.

holen, so etwa bei Philippe Mousket [56]. In den anderen aus der Gefahrenzone gesandten Briefen bei Matthaeus Paris wird diese Ansicht aber nirgendwo geäußert, war demnach 1241/42 im Osten allem Anschein nach noch nicht verbreitet.

Der Brief geht dann, ohne eigentlich weitere Informationen zu bringen, zu Ende. Dabei fällt auf, daß die von Ivo weitergegebene Berichterstattung des englischen Dolmetschers nirgendwo im Text *expressis verbis* beendet wird; statt dessen geht der Brief nahtlos in einen Schlußteil über. Auch dies erregt Verdacht und läßt das Ende (etwa von CM 4, S. 277 oben) für fragwürdig halten: es enthält vor allem einen Aufruf an die Benediktiner, Zisterzienser und Prämonstratenser (durch den Ex-Ketzer!), das Kreuz gegen die Tartaren zu predigen, wobei im selben Atemzug beklagt wird:

O regum stulta consilia! episcoporum et abbatum taciturnitas supina! inaudita crudelitatis rabie sex regna Christianorum jam destructa sunt ... [57]

Man wird nicht ohne weiteres dies Matthaeus als hinzugedichtet zur Last legen, wenngleich der starke Verdacht besteht.

Matthaeus Paris ist demnach als Quelle für den Tartareneinfall nur mit Einschränkungen benutzbar, und gewiß hat Bezzola ihn als „Tartarenforscher von St. Alban" überbewertet. Matthaeus war zwar an den die Grundfesten des mittelalterlichen Europa erschütternden Ereignissen interessiert wie nur ganz wenige Zeitgenossen, doch ging es ihm dabei gewiß nicht um eine politisch und ethnographisch richtige Beschreibung des aus dem Osten gekommenen Volkes. Andere Autoren des 13. Jahrhunderts haben sich bei ihren Tartarenbeschreibungen stärker an bekannte apokalyptische Spekulationen (die Völker Gog und Magog, Priesterkönig Johannes, etc.) gehalten, die heute leicht als topische Erklärungsmuster erkannt werden können [58]. Matthaeus Paris dagegen ließ seiner eigenen Phantasie gelegentlich freien Lauf.

Breiten Raum nimmt in der Chronistik von St. Albans auch die Geschichte der Kreuzzüge ein, wobei die in den Universalchroniken des Hochmittelalters oft dominierenden heilsgeschichtlichen Akzente nicht im Mittelpunkt stehen. Matthaeus' Interesse scheint eher politisch, auch geographisch-länderkundlich motiviert [59]. Die eigentlichen Kreuzzugsereignisse werden bei ihm auch durch weitere Nachrichten über die Geschichte des Vorderen Orients ergänzt – auch die

[56] *Von den Brincken,* Nationes Christianorum Orientalium (1973), S. 413 f.; Ph. Mousket, MG SS 26, S. 815 Verse 30210 ff.

[57] CM 4, S. 277. Verdächtig ist hierbei auch der pessimistische Ton „sex regna Christianorum jam destructa sunt", während Ivo oben (S. 273) betont, mit energischem Auftreten seien die Tartaren durchaus in die Flucht zu schlagen.

[58] Über die Anschauungen im Westen von den Mongolen jetzt auch *von den Brincken,* AfKu 57, S. 117–140; dort S. 123–126 über Matthaeus Paris.

[59] Zu den Landkarten mit Palästinateil bei Matthaeus vgl. oben S. 15 und A. 43, S. 92 f.

erste Erwähnung der Tartaren im Kontext der Gesandtschaft des „Alten vom Berge" ist aus diesem Blickwinkel geschrieben. Bereits Roger Wendover hatte seine Kreuzzugsgeschichte durch Hinzufügung von Briefen aus dem Heiligen Land illustriert; der Schriftverkehr zwischen Westeuropa und den Kreuzfahrerstaaten ist demnach im 13. Jahrhundert zeitweise recht intensiv gewesen.

Es ist bezeichnend, daß Wendover über den 5. Kreuzzug und die Belagerung von Damiette zunächst andere Quellen übernimmt, im wesentlichen die Historia Damiatina des Oliver Scholasticus [60]; erst für die Schlußphase des Kreuzzugs mit dem Desaster von Damiette enthält die Chronik Nachrichten von eigenem Wert. In direkter Abfolge, nur unterbrochen von Wendovers Kopfeintrag für die Annale 1222 [61] finden sich dort drei Briefe:

- BF 10865 (zu 1220) = CM 3, S. 64–66 (zu 1221), Brief des Meisters der Tempelritter Petrus de Monte Acuto an den Bischof von Ely;
- BF 10885 (zu 1221) = CM 3, S. 67 f. (zu 1222), Brief des englischen Kreuzfahrers Philipp de Albeneia an den Grafen Ranulf von Chester;
- BF 10884 (zu 1221) = CM 3, S. 68–70 (zu 1222), Petrus de Monte Acuto an den *Praeceptor* der Templer in England.

Die zusammenhängende Überlieferung der drei Briefe (die übrigens allesamt nur aus der Chronik bekannt sind) legt nahe, daß der Geschichtsschreiber in St. Albans sie bereits geschlossen erhalten hat (ohne daß dies strikt beweisbar wäre).

Auch über den Kreuzzug Friedrichs II.[62] informiert die Wendover-Chronik mit mehreren Schriftstücken, darunter das bereits behandelte kaiserliche Jerusalemmanifest BF 1738 vom März 1229. Etwa zwei Monate später wandte sich Patriarch Gerold von Jerusalem an das Abendland, um die Darstellung Friedrichs zu erwidern und über den Kreuzzug aus seiner Sicht zu berichten. Diesen Brief hat Wendover nicht gekannt; Matthaeus Paris hat ihn im Anschluß an das Jerusalemmanifest eingefügt [63]. Dieser Brief ist – dem bisherigen Wissensstand

[60] Vgl. CM 3, S. 9–11, 13–15, 32 f., 35–42, 44–56; Luards Kommentar dazu CM 3, S. VIII f.

Die Historia Damiatina des Oliver ist ediert bei *H. Hoogeweg* (Hrsg.), Die Schriften des Kölner Domscholasters ... Oliverus (1894); vgl. die Lit. bei *Setton* 2, S. 377. Es wäre lohnend zu prüfen, ob über Oliver Aussagen zur Entstehungszeit und -geschichte der Wendover-Chronik möglich sind.

[61] Matthaeus Paris hat später noch einige kurze Notizen zu in England lebenden Personen dazwischen geschoben, CM 3, S. 66 f.

[62] Wendover gibt auch eine kurze Beschreibung der Kreuzzugsereignisse 1228, CM 3, S. 159–161. Als Informanten (*Van Cleve,* The Emperor Frederick II, S. 214: „apparently employing an eyewitness report") sind Kreuzzugsteilnehmer anzunehmen. Ein englisches Kontingent nahm an der Expedition teil, geführt von den Bischöfen von Winchester und Exeter, die beide den Vertrag mit al-Kamil am 18. Februar 1229 mit bezeugten, vgl. BF 1736, 1765; *Runciman* 3, S. 187.

[63] CM 3, S. 179–184 = BF 1754 zu Mai 1229 (= BF 11043 b) = HB 3, S. 135–140 aus CM. BF 1754 mit falscher Seitenzahl für CM.

nach – nur aus Matthaeus Paris bekannt. An seiner grundsätzlichen Echtheit ist nicht zu zweifeln: der Patriarch sandte an den Papst eine Mitteilung ganz ähnlicher Tendenz unmittelbar nach dem Abzug des Kaisers aus Jerusalem [64]. Wie der Brief BF 1754 nach St. Albans kam, wissen wir nicht sicher. Man kann nur davon ausgehen, daß insbesondere die Gegner Friedrichs II. im Heiligen Land ein Interesse an der Verbreitung hatten, wobei den Templern und den Johannitern für diese Zwecke ein geeigneter Apparat zur Verfügung stand, wie schon die Briefe über die Aufgabe von Damiette BF 10865 und 10884 zeigten. Ein Hinweis dafür, daß Matthaeus' Quelle bei den englischen Dependancen der Ritterorden zu suchen ist, ergibt sich aus der von ihm vor dem Brief ebenfalls in den Wendover-Text eingeschobenen Erzählung „De superbia et invidia Templariorum et Hospitalariorum" [65]. Am Ende dieses fiktiven und von Matthaeus Paris selbst erfundenen Berichts schreibt der Autor nämlich: „Patriarcham igitur Jerosolimitanum ad suam attraxerunt [Subjekt des Satzes: die Ritterorden] conspirationem, qui hanc epistolam ad diffamandum imperatorem dicitur conscripsisse".

Friedrich II. hat seinen Kreuzzug wenige Tage nach dem Einzug in Jerusalem abgebrochen und kehrte in Eilmärschen an die Küste zurück. Das überstürzte Ende des Unternehmens hat in der Literatur auf charakteristische Weise – positiv wie negativ – zur Gesamtbeurteilung des Kreuzzuges beigetragen. Sir Steven Runciman [66] legte den plötzlichen Abbruch der Expedition dem Kaiser zur Last und erklärte das ganze Unternehmen für verfehlt, ohne die Zwangslage zu verstehen, in die Friedrich durch den Einbruch des päpstlichen Heeres in das Königreich Sizilien geraten war. H. E. Mayer [67] schätzt zwar die Erfolge Friedrichs im Heiligen Land von vornherein nicht sehr hoch ein, kann aber doch dem militärischen wie politischen Vorgehen des Kaisers seinen Respekt nicht verweigern.

[64] BF 1740 = BF 11039 b = MG Epp. saec. XIII 1, S. 299 ff.

[65] CM 3, S. 177–179. Der „Bericht" beginnt mit dem Neid der Ritterorden auf den Kaiser. Als diese gewußt hätten, daß der Papst bereits im „Imperium" eingefallen sei (begrifflich wie chronologisch falsch, der päpstliche Angriff auf das *regnum Siciliae* erfolgte im Januar 1229, vgl. BF 13016 und Richard von San Germano, hrsg. v. *Garufi*, S. 153), hätten sie dem Sultan brieflich verraten, der Kaiser plane eine Jordanüberschreitung (CM 3, S. 178); der Sultan habe aber sich über den Verrat entrüstet gezeigt und die Briefe dem Kaiser zugänglich gemacht.

Noch *Kantorowicz*, Kaiser Friedrich II., S. 169 f. und Erg. Bd., S. 66 hat diese Darstellung bei Matthaeus Paris akzeptiert. *J. Riley-Smith*, The Knights of St. John in Jerusalem and Cyprus (1967), S. 168 (dort die ältere Lit.) hält die Geschichte für unwahrscheinlich.

[66] *Runciman* 3, S. 192 f.: „Of all the great Crusaders the Emperor Frederick II is the most disappointing". – „In fact the recovery of Jerusalem was of little profit to the kingdom. Owing to Frederick's hurried departure it remained an open city".

[67] *Mayer*, Geschichte der Kreuzzüge, S. 212.

Dagegen hat Van Cleve [68] – wohl zu einseitig – nicht nur die humanistisch-philosophisch motivierte Ausgleichspolitik Friedrichs mit al-Malik gelobt, sondern auch die Modalitäten der Rückreise als eine militärische Meisterleistung – und letzteres mit überzeugenden Argumenten – dargestellt. Im Januar war das päpstliche Heer unter Johann von Brienne in das unteritalienische *regnum* eingefallen; die kaiserlichen Anhänger informierten umgehend ihren Herrn, so daß man in Jaffa bereits um den 7. März Bescheid wußte [69]. Diese Nachricht hat nun der kaiserliche Diplomat Thomas Graf von Acerra [70] seinem Herrn sofort brieflich mitgeteilt: dieses für die Beurteilung der Gründe von Friedrichs plötzlichem Abzug wichtige Schreiben ist allein bei Wendover überliefert [71]. Die Ankunft dieser Nachricht in Jaffa am 7. März hat Hermann von Salza selbst schriftlich festgehalten: ein Deutschordensritter hatte die Meldungen überbracht, und der Ordensmeister nimmt darauf in einem Schreiben an den Papst Bezug [72].

Das Fehlen einer Datierung von BF 13016 in der Chronik von St. Albans hat bei BF zu der Vermutung geführt, Thomas von Acerra habe selbst aus Italien an den Kaiser geschrieben; damit wurde der Brief auf Anfang Februar datiert. Offensichtlich war den Bearbeitern der „Regesta Imperii" die Tatsache entgangen, daß sich Thomas im Heiligen Land aufhielt und dort zu den Stützen des Kaisers zählte. Wir müssen also den Gang der Ereignisse wie folgt rekonstruieren:

- Einfall des päpstlichen Heeres in das *regnum* am 18. Januar 1229 nach Richard von San Germano, hrsg. v. *Garufi*, S. 153 [73]; der Deutschordensritter Leonardus trifft mit dieser Nachricht am 7. März in Jaffa ein, BF 1736 a/1737;
- Thomas von Aquino, Graf von Acerra benachrichtigt sofort den Kaiser, Brief BF 13016 = CM 3, S. 165 f. = HB 3, S. 110–112 aus CM (Parker-Wats-Ausgabe) [74];
- der Empfang dieser Nachricht veranlaßt den Kaiser, nach dem Einzug in Jerusalem und der Selbstkrönung sofort den Rückzug zur Küste anzutreten.

Der von Wendover überlieferte Brief hat also für die Beurteilung von Friedrichs Entschluß, den Aufenthalt in Jerusalem abzubrechen, zentrale Bedeutung. Auch Wendover hatte übrigens nicht erkannt, daß der Absender des Briefes sich selbst im Heiligen Land aufhielt:

[68] *Van Cleve* in: *Setton* 2, S. 460–462; The Emperor Frederick II, S. 227 f.

[69] Für die Quellen vgl. BF 1736 a.

[70] Er war 1228/29 mehrfach als Gesandter zwischen Friedrich II. und al-Kamil unterwegs, vgl. *Van Cleve*, in: *Setton* 2, S. 453 f.

[71] CM 3, S. 165 f. = BF 13016 (vgl. BF 1736 a).

[72] BF 1737.

[73] Die offensichtlich vorausgegangenen Grenzverletzungen durch Rainald von Spoleto, die vielleicht erst zu der päpstlichen Reaktion führten, spielen zwar bei der „Schuldfrage", nicht aber für die Erörterung des Ablaufs der Dinge im Heiligen Land eine Rolle. BF 1736 a.

[74] HB 3, S. 111 A. 1 vermutet bereits, der Absender halte sich selbst in Palästina auf.

Sed quoniam hujus rei certitudo nobis non nisi per alios constare potuit, ponemus hic literas Thomae cujusdam comitis, quem imperator cum quibusdam aliis in recessu suo imperii tutorem constituit et rectorem, quas imperatori super hoc negotio in Siriam destinavit, et quas a quodam fide digno suscepimus peregrino [75].

Die beiden Worte „fide digno" sind offenbar von Matthaeus interpoliert und gehen kaum auf konkretes Wissen zurück; nicht einmal Wendovers Informant, der ungenannte „peregrinus" [76], wußte, daß sich der Absender des Briefes nicht in Italien befand.

Matthaeus Paris hat in dem selbständigen, von ihm allein verantworteten Teil der Chronik die Ereignisse im Heiligen Land ebenfalls im Auge behalten. Über die Völkervielfalt im Nahen und Mittleren Osten war Matthaeus – zumindest der Nomenklatur nach – informiert. Ein Dominikaner Philipp hatte dem Papst aus dem Osten detaillierte Nachrichten zugehen lassen, die der päpstliche Pönitentiar Gottfried an seine Ordensbrüder in England und Frankreich weiterschickte [77]. Richard von Cornwalls Kreuzfahrt wurde schon in anderem Kontext behandelt – Matthaeus Paris konnte sich hier auf den Grafen Richard oder Personen in dessen Umgebung als Informanten stützen. Nach den Nachrichten, die Matthaeus im übrigen zugänglich wurden zu schließen, fungierten vor allem die Templer und Johanniter bzw. deren Häuser in England als Verbreiter von Neuigkeiten aus dem Nahen Osten.

Die Ritterorden haben sich um die Verbreitung von Nachrichten aus dem Heiligen Land in Westeuropa augenscheinlich besonders gekümmert. Ein Beispiel liefern die Chronica majora zum Jahr 1237 mit dem ausführlichen Bericht über den Kleinkrieg zwischen den Templern und Aleppo nach dem Tod des Herrschers al-Aziz 1236 [78]. Diese Erzählung ist ganz durch die Brille der Ordensritter gesehen [79] und endet mit der Meldung, der Prior von St. John's, Clerkenwell, sei mit Geld und Mannschaften zur Unterstützung ins Heilige Land geschickt worden. Weiterhin erfuhr Matthaeus offenbar recht präzise, da zum Jahre 1238 ein-

[75] CM 3, S. 165.

[76] Es ist wohl zu vermuten, daß englische Kreuzfahrer einen Großteil der Nachrichten mit nach Hause nahmen; auch andere englische Chronisten zeigen sich über die Ereignisse gut informiert. Die Annalen von Waverley, Ann. mon. 2, S. 305–307 enthalten einen anonymen Brief aus Akkon (20. April 1229), der den Ablauf bis zur Krönung in Jerusalem schildert, BF 1753 (und BF 11043 a). Die Annalen von Margam berichten Ann. mon. 1, S. 36 f. über die Vertragsverhandlungen vom Februar 1229, BF 1735 b. Auch in die Annalen von Dunstable, Ann. mon. 3, S. 114 sind Kreuzzugsnachrichten eingeflossen.

[77] CM 3, S. 396–399 mit einem S. 399–403 anschließenden Traktat „De haeresi Nestorianorum", der nach *von den Brincken,* Nationes, S. 251 auf Jakob von Vitry zurückgeht. Beides ist bei von den Brincken erschöpfend ausgewertet, vgl. den Index, S. 532, s. v. Matthaeus Parisiensis.

[78] *Runciman* 3, S. 210 f.

[79] CM 3, S. 404–406.

gereiht [80], den Tod des Sultans von Kairo, al-Kamil, und fügte hinzu, der Sultan habe, obwohl Heide, als besonders großherziger und karitativer Wohltäter gegolten; Kaiser Friedrich habe um seinen Freund geweint. Davon mag zwar ein Teil auf Gerüchten beruhen, aber Matthaeus muß doch konkret das Todesdatum erfahren haben, das ihn die Insertion zum richtigen Jahr vornehmen ließ. Von der Tendenz der Nachricht her kommen kaum die Ritterorden als Quelle in Frage, so daß Matthaeus Paris auch noch andere Informationsmöglichkeiten gehabt haben muß.

Aus den vierziger Jahren überliefert die Chronik wiederum einige Briefe aus den Kreuzfahrerstaaten [81]. Zum Jahr 1240 enthält die Chronik einen Brief Hermanns von Périgord, des Meisters der Templer, an Robert de Sanford, den Ordensoberen in England. Der Brief berichtet über den Vertrag zwischen den Christen und dem Sultan von Damaskus, durch den die Christen das Land bis zum Jordan zurückerhielten. Es handelt sich dabei offenbar um das Abkommen zwischen Richard von Cornwall und Malek-as-Salih Anfang 1241 [82]. Bemerkenswert ist vor allem, daß in dem Briefe des Templermeisters die Aktivitäten und Verdienste Richards von Cornwall völlig totgeschwiegen werden. Hermann von Périgord hat an Robert de Sanford 1244 erneut geschrieben, und wieder gelangte eine Abschrift nach St. Albans (es wäre denkbar, daß ein regelmäßiger Schriftverkehr stattfand, von dem wir hier nur die Spitze des Eisbergs sehen) [83]. Der Brief bezieht sich (CM 4, S. 290 Z. 3 ff.) auf die Räumung des Moslemviertels von Jerusalem 1243 und berichtet vor allem ausführlich über den Krieg des Frühjahrs 1244 zwischen dem ägyptischen Herrscher Malek Salih-Nodjmeddin Ayoub (d. h. dem „Soldanus Babiloniae“ des Briefes) und seinem Damaszener Verwandten Malek-as-Salih-Isma'il, der von Malek-an-Nasr-David, dem Herrn von Kerak im Transjordanland, unterstützt wurde. Die Templer hofften, aus den Streitigkeiten Nutzen zu ziehen, so daß der Ton des Briefes durchaus optimistisch ist. Insgesamt gibt Hermann von Périgord aber einen sehr geschönten Lagebericht: es fehlen Hinweise auf die (nicht zuletzt durch die Templer verursachten) Streitigkeiten unter den Christen in Palästina [84] und die juristischen Winkelzüge Philipps von Novara, der 1243 Konrad von Hohenstaufen am Antritt der Herrschaft im Königreich Jerusalem hindern wollte [85].

[80] CM 3, S. 486 f.

[81] Zu 1240 enthält die Chronik auch CM 4, S. 25 f. zwei anonyme Kreuzfahrerbriefe; der zweite von ihnen ist nach *Oelrichs,* S. 70 von Simon de Montfort geschickt worden.

[82] CM 4, S. 64 f.; zum politischen Hintergrund vgl. *S. Painter,* in: *Setton* 2, S. 484; *Mayer,* Geschichte der Kreuzzüge, S. 232.

[83] Zu den Ereignissen *Runciman,* in: *Setton* 2, S. 561.

[84] *Hardwicke,* ebd., S. 553 f.

[85] *Runciman,* ebd., S. 559 f.; der Einbruch der Khorasmier nach Jerusalem erfolgte am 11. Juli und endete am 23. August mit der Übergabe der Zitadelle bei freiem Abzug für die Christen, vgl. ebd., S. 562.

Zu datieren ist der Brief auf den Frühsommer 1244. Der Vorstoß der mit dem Damaszener Ayoubidenherrscher verbündeten Khorasmier nach Jerusalem wird in dem Brief nicht mehr erwähnt. Matthaeus Paris hat selbst Zweifel an der Richtigkeit der Darstellung Hermanns von Périgord gehabt, beschränkt sich aber auf allgemeine Vorwürfe gegen die Templer und Johanniter: ihre „Infamie", ständig zwischen Christen und Moslems Konflikte zu schaffen, um den neuankommenden Kreuzfahrern Hilfsgelder abnehmen zu können [86].

Im weiteren Verlauf seiner Darstellung bringt Matthaeus Paris den Einbruch der Khorasmier mit dem Rückzug der Tartaren aus Ungarn in Verbindung [87]. Darauf folgt das kaiserliche Rundschreiben über die Niederlage der Christen gegen die Khorasmier bei Gaza im Oktober 1244 [88]. Der Chronist faßt darauf die Ereignisse in eigenen Worten noch einmal zusammen [89] und fügt schließlich, ebenfalls über die Ereignisse des Jahres 1244 im Heiligen Land, einen Brief des Johanniters Wilhelm von Châteauneuf an, der vor allem den Verlauf der Kampfhandlungen schildert [90]. Das Exordium dieses Briefes ist aufschlußreich für die Art und Weise, mit der die Ritterorden für die Verbreitung von Nachrichten im Abendland sorgten:

Ex insinuatione literarum nostrarum, quas diligentiae vestrae in singulis passagiis direximus, scire satis perspicaciter potuistis ... [91]

Auch Patriarch Robert von Jerusalem hat das Abendland über die Geschehnisse informiert, und dessen Darstellung ist Matthaeus Paris ebenfalls zugänglich gewesen [92]. Dieser Brief ist außerdem in den Annalen von Burton enthalten [93], was den Bearbeitern der „Regesta Imperii" unbekannt blieb. Luard hat bei der Herausgabe der Annalen von Burton nur die wichtigsten Abweichungen zwischen beiden Überlieferungen notiert (für Matthaeus Paris nach der Parker-Wats-

[86] CM 4, S. 291.

[87] CM 4, S. 299 zum Jahre 1244. Es ist gar nicht so falsch, die Verschiebungen beider Völker im Kontext zu sehen, aber der Tartarenrückzug aus Ungarn hat für die Khorasmier keine Rolle gespielt.

[88] CM 4, S. 300–305; BF 3460 an Richard von Cornwall vom 26. Februar 1245. Matthaeus Paris hat den Brief – sachlich richtig – zu 1244 gezogen. Luards Inhaltsangabe des Briefs „on the destruction of Jerusalem" ist nicht richtig.

[89] CM 4, S. 306 f.

[90] CM 4, S. 307–311 = BF 11442 a 1). Nach BF ist dieser Brief nur aus CM bekannt.

[91] CM 4, S. 307; über die zweimal jährlich stattfindenden *passagia* für die „Saisonkreuzfahrer" vgl. *Mayer*, Geschichte der Kreuzzüge, S. 204 f.

[92] CM 4, S. 337–344 = BF 11442 a 2). Ob Matthaeus wirklich ein Original gesehen hat, wie die Randbemerkung MS. B fol. 175^r, CM 4, S. 344, „Duodecim sigilla appensa fuerunt huic scripto originali, quod erat hujus exemplum" nahelegt, muß bezweifelt werden. Wenn Matthaeus vom Original abschrieb, hätte er diese Notiz auch in den zusammenhängenden Text aufnehmen können. Die Marginalnotiz spricht eher dafür, daß Matthaeus erst später etwas über die Beschaffenheit des Originals erfuhr.

[93] Ann. mon. 1, S. 257–263.

Ausgabe), doch unterließ er später bei der Edition von CM, einen entsprechenden Apparat beizugeben. Beide Texte enthalten eine größere Anzahl von Lesarten bei Einzelwörtern; außerdem enthält der Text in den Annalen von Burton an mehreren Stellen Zusätze, und der Schluß beider Briefe ist so unterschiedlich, daß nicht mehr von der Identität beider Stücke ausgegangen werden kann.[94] Bereits aus den Inskriptionen (bei Matthaeus Paris an die kirchlichen Würdenträger in England und Frankreich, in den Annalen von Burton an den Papst) ergibt sich die Tatsache, daß BF 11442 a 2) in zwei unterschiedlichen Fassungen verbreitet worden ist, zumal auch am Ende die unterschiedlichen Anreden gewahrt bleiben [95]. Eine kritische Edition des Briefes wäre zwar sinnvoll, könnte aber zu der uns beschäftigenden Frage, wie sich die Chronisten ihr Material besorgten, nichts beitragen, da beide Fassungen voneinander unabhängig sind. Der Chronist in Burton dürfte seinen Text über Lyon bezogen haben, während Matthaeus Paris auf einen direkt nach England versandten Brief zurückgriff.

Die Untersuchung der Kreuzzugsdokumente bei Matthaeus Paris insgesamt konnte damit immerhin die Rezeption von Nachrichten aus dem Osten ein wenig transparenter machen und nicht nur Matthaeus' bekannte Universalität erneut bestätigen, sondern auch näher an die dem Chronisten offenstehenden Informationsquellen heranführen [96].

Exkurs: Kritischer Apparat zu BF 11442 a 2) in CM 4, S. 337–344 und Ann. mon. 1, S. 257–263

Wichtigere Lesarten:

CM 4			Ann. Burton		
S. 338	Z. 11	differentiam	S. 258	Z. 7	distantiam
	24	invitans		19	incitans
	28	contulerat, advenerunt		22	contulit, adverterunt
339	7	(*deest*)		34	praelatis
	8 f.	(*ins.:*) scilicet – Theutonicorum		34	(*deest*)

[94] Zum Textvergleich von BF 11442 a 2) aus CM und Ann. Burton vgl. den Exkurs am Ende des Kapitels.

[95] CM 4, S. 344 Z. 14–22 „Et quia – nuntios", Ann. mon. 1, S. 262 Z. 30–39 „Et quia – fratres".

[96] Für die Folgejahre liegt jetzt vor *M. Purcell,* Papal Crusading Policy 1244–1291 (1975). Purcell nimmt ausführlich auf CM Bezug, allerdings nicht mit primär quellenkritischem Ansatz. Da sie die päpstliche Finanzpolitik (Ablaßwesen) breit darstellt, ist Matthaeus Paris eine ergiebige Quelle, die aber von der Verfasserin gelegentlich zu stark als einseitige Skandalberichterstattung (vgl. S. 128) abgewertet wird.

	27	Sarracenis	259	7	(*deest*)
	30	crudeliter		9	(*deest*)
	32	aliis		11	(*deest*)
340	1	illos		13	eos
	4	Israelitanam		15	Jerosolymitanam
	17	extitit		27	erat
	21	illas		30	(*deest*)
	24	sepulchris		33	sepulturis
	33	*(deest)*		41	tamen
	33	veneranter conservabant		41 f.	in veneratione servabant
	36	tanta		44	(*deest*)
341	15 f.	et Christianorum et praefatorum Soldanorum exercitibus appropinquantibus contra illos	260	15 – 17	nobisque cum exercitu Christiano et praefatorum Soldanorum appropinquantibus contra illos
	19	praelium		19	bellum
	21	etiam patriarcha et aliis praelatis (in MS. B auf Rasur geschrieben, vgl. A. 1)		20	(*deest*) vgl. A. 2
342	23	(*deest*)	261	11	heu!
	24	patriarcha		12	(*deest*)
343	8 – 13	nec erat domus vel anima quae mortuum proprium non *de*ploraret. *Et* cum sit dolor *magnus* de praeteritis, timor imminet praecipuus de futuris. Cum enim tota terra *Christianitatis gladiis adquisita sit* privata suffragio *et* defensorum sufficientia destituta, superstites *vero*		32 – 36	Nec erat domus vel anima quae mortuum *suum* proprium non ploraret. Cum *enim* sit dolor de praeteritis, timor imminet praecipuus de futuris; cum enim tota terra privata suffragio defensorum *sit* sufficentia destituta, superstites *etiam*

		sint numero pauci, in *examinatione* deducti, ...			sint numero pauci in *exanimationem* deducti, ...
343	15	castra sua posuerunt	261	38	castrametati sunt
	17	usque – Saphet		40	(*deest*)
	24	ecclesiae	262	3	(*deest*)

(Umstellungen, sowie zahlreiche weitere Abweichungen bei Casusendungen etc. sind nicht aufgeführt.)

An folgenden Stellen enthält der Text in den Annalen von Burton Zusätze:

CM 4	Ann. Burton fügt hinzu:
S. 341 Z. 6	S. 260 Z. 5– 7: sicut – intimasse
342 Z. 29	261 Z. 17–21: et – ministrabat
343 Z. 28	262 Z. 5– 8: et – succurratur.

Ab CM 4, S. 343 Z. 31 („Recepimus etiam ...") bzw. Ann. mon. 1, S. 262 Z. 11 („Ha, Deus, ...") ist der Text bis auf wenige Wendungen am Ende völlig unterschiedlich.

VIII. Zur Überlieferung von Papstbriefen bei Matthaeus Paris

Aus der Sicht des klösterlichen Chronisten sind die zahlreichen Produkte der päpstlichen Kanzlei, die in St. Albans bekannt wurden, mindestens ebenso bedeutsame Zeugnisse des Zeitgeschehens wie die Manifeste und Briefe des Kaisers und anderer weltlicher Herren. Wenn den päpstlichen Urkunden, Briefen und Mandaten in diesem Rahmen nur ein beschränkter Platz eingeräumt werden kann, so liegt dies an verschiedenen Hindernissen, die ihren Grund zum einen Teil in der Überlieferungslage haben, zum anderen Teil aber durch noch immer bestehende erhebliche Forschungslücken besonders auf dem Gebiet der Papsturkunden für englische Empfänger bedingt sind.

Walther Holtzmann hat in der Einleitung seiner „Papsturkunden in England" das „Schicksal der englischen Klosterarchive" [1] sehr ausführlich beschrieben. Die Lösung Englands von Rom und die Auflösung der Klöster [2] führten zum Verlust der weitaus meisten Originale, so daß abschriftlichen Überlieferungsformen, vor allem in Cartularen, besondere Bedeutung zukommt. Cartulare, Register und Briefbücher von geistlichen Personen und Institutionen aller Art [3] – vor allem aus dem späteren Mittelalter – finden sich in öffentlichen und privaten Bibliotheken und Archiven Großbritanniens in großer Zahl.

Holtzmanns Werk reichte – analog zu den großen Parallelunternehmungen – bis 1198. Die abschriftliche Überlieferung nach diesem Stichjahr ist bislang nur ganz unzulänglich erforscht – von den meisten Cartularen gibt es nicht einmal Auflistungen des Inhalts. Eine Ausnahme stellen nur die Pontifikatsjahre Innozenz' III. dar, denen Christopher Cheney über Jahrzehnte seine Arbeitskraft zugewandt hat [4]. Für die Zeit ab 1216 stehen mit Ausnahme der Potthast-Regesten und der publizierten vatikanischen Register fast keine Hilfsmittel zur

[1] *W. Holtzmann,* Papsturkunden in England 1, S. 3–63.

[2] Vgl. ebd., S. 10–12. Zur Auflösung der Klöster vor allem *D. Knowles,* The Religious Orders in England 3 (1959).

[3] Vgl. *G. R. C. Davis,* Medieval Cartularies of Great Britain (1958); das Exemplar im Handschriftenlesesaal der British Library enthält handschriftliche Nachträge. *W. A. Pantin,* English Monastic Letter-books, in: FS Tait (1933), S. 201–222. Zu den bischöflichen Registern vgl. *Graves,* S. 758 ff.

[4] Zuletzt mit der monumentalen Monographie „Pope Innocent III and England" (1976), rez. v. *C. H. Lawrence,* EHR 93 (1978), S. 383–386; für Cheneys frühere Publikationen und Editionen vgl. *Graves,* Nr. 5558, 5559.

Verfügung [5]. Die Benutzung dieser Hilfsmittel vermittelt über den Bestand an Papstbriefen für englische Empfänger nur einen sehr unvollständigen Überblick: das Fehlen eines großen nationalen Bullarium oder ähnlicher gedruckter Ausgaben, wie sie im 16.–18. Jahrhundert in den meisten westeuropäischen Ländern entstanden (und das allgemeine Desinteresse in England an allem, was mit Rom und Papsttum verbunden war) bedeutet, daß die Materialbasis bei Potthast für England denkbar schmal ist. Da Potthast nur die bereits gedruckten Stücke berücksichtigen konnte, ist dort die englische Cartularüberlieferung so gut wie nicht erfaßt. Die vatikanischen Register, die besonders während des Pontifikats Innozenz' III. für England eine Quelle von großem Wert darstellen, werden in der Folgezeit erheblich lückenhafter geführt und können kein auch nur annähernd richtiges Bild von dem Schriftverkehr der Kurie mit England vermitteln. Ein eindrucksvolles Beispiel liefern die Papstbriefe, die in der Chronik von St. Albans für die Jahre 1243–1250 enthalten sind. Von den 21 Stücken aus diesen Jahren, die nach Papstname, Incipit oder Datum eindeutig identifizierbar sind, finden sich nur vier in Reg. Vat. eingetragen [6].

Die in Matthaeus' Chronik inserierten Stücke sind zwar fast alle bei Potthast aufgenommen (der die Parker-Wats-Ausgabe verwandte), doch ist es in den meisten Fällen unmöglich, einen einigermaßen sicheren Überblick über die denkbaren weiteren Fundorte zu gewinnen. Die bei Potthast genannten anderweitigen Druckorte gehen häufig nicht auf eine unabhängige Überlieferung zurück, sondern ebenfalls auf die Parker-Wats-Ausgabe (Mansi!). Es ist unmöglich, solche Drucke zuverlässig zu beurteilen, ohne die dahinter liegende handschriftliche

[5] *W. H. Bliss,* „A Calendar of Entries in the Papal Registers Relating to Great Britain and Ireland" enthält nur Regesten aus Reg. Vat. Als Ausnahmen sind zu nennen die Beschreibungen päpstlicher Originale aus mehreren englischen Repositorien, vgl. *Graves,* Nr. 5550:

H. I. Bell, A List of Original Papal Bulls and Briefs in the Department of Manuscripts, British Museum, in: EHR 36 (1921), S. 393–419, 556–583; PRO Lists and Indexes 49 (1923); *K. Major,* Original Papal Documents in the Bodleian Library, in: Bodleian Library Record 3, Nr. 33 (1951), S. 242–256; *J. E. Sayers,* Original Papal Documents in the Lambeth Palace Library (1967); ferner ist die kirchenrechtlich orientierte Spezialuntersuchung von *Sayers,* Papal Judges Delegate in the Province of Canterbury, 1198–1254 (1971) für die Erschließung des Materials sehr wertvoll. Die Identifizierung bekannter Stücke wird erleichtert durch das neue „Initienverzeichnis zu August Potthast, Regesta pontificum Romanorum (1198–1304)" (1978).

[6] Berger 505 (= Potth. 11267); Berger 743 (= Potth. 11416); Berger 1367 (=Potth. 11733); Berger 1457 (= Potth. 11833). Potth. 11521 bei Berger 1354–1356 an andere Empfänger. Ein ähnliches Bild ergibt sich beim Vergleich der erhaltenen Originale in Lambeth und Reg. Vat. Anhand deutschen Materials kommt *F. Bock,* Studien zu den Registern Innozenz' IV., in: Archiv. Zs. 52 (1956), S. 16–18 zu ähnlichen Zahlenverhältnissen.

Überlieferung im einzelnen zu kennen [7]. Es ist damit zum gegenwärtigen Zeitpunkt eine Nachzeichnung der Überlieferungswege päpstlicher Schreiben bis hin zum Chronisten von St. Albans in der Art, wie es bei den Kaiserbriefen möglich gewesen war, nicht durchführbar.

Doch sind die Bedingungen der Briefexpedition und der Überbringung an die Empfänger beim kurialen Kanzleiwesen ohnehin anders als etwa bei der Herrscherkorrespondenz Friedrichs II. Das sichtbarste Zeichen dafür ist die ungleich größere Zahl von Schriftstücken aller Art, die die Kurie verließen. Die große Zahl der auf dem Supplikenweg impetrierten Urkunden dürfte den Beauftragten der Petenten direkt ausgehändigt worden sein [8]. Für die Beförderung der Korrespondenz an auswärtige Höfe und kirchliche Empfänger standen eine größere Anzahl von *cursores* bereit, die als Boten in päpstlichen Diensten waren [9]. Der Weg einzelner Schreiben von der Kurie bis zur Ankunft in England ist im allgemeinen sicherlich kein lohnendes Forschungsobjekt; im Falle der aus CM bekannten Briefe schon deswegen nicht, weil die Briefe mit sehr wenigen Ausnahmen [10] alle an Adressaten in England gerichtet sind, und ihr Bekanntwerden dort also völlig unverdächtig ist.

Auf welche Weise im einzelnen der Wortlaut von Papstbriefen einem größeren Kreis zugänglich wurde, ist schwer rekonstruierbar. Wichtige päpstliche Verlautbarungen wurden häufig an „alle Engländer“, die Äbte in der Provinz oder Diözese Canterbury, den Klerus in England oder etwa an den Erzbischof und seine Suffragane gerichtet. Es ist nicht anzunehmen, daß päpstliche *cursores* in solchen Fällen stets mit einer größeren Anzahl von Abschriften ausgerüstet abgesandt wurden; im Normalfall ist wohl nur eine Ausfertigung in England eingetroffen. Damit stellt sich die Frage, auf welche Weise in England für ihre Verbreitung gesorgt worden ist. Es ist damit zu rechnen, daß sehr häufig päpstliche Schreiben bei einer Versammlung der wichtigsten Adressaten (Bischöfe, Äbte) vorgelesen wurden und damit als zur Kenntnis gebracht galten. Dies dürfte sogar der Regelfall gewesen sein, wenn man sich vor Augen hält, daß selbst die Reformkonstitutionen, die der Legat Otto 1237 vor dem Londoner Konzil pro-

[7] Frau Dr. Sayers, University College, London, teilt mir mit (Mai 1978), daß sie im Auftrag der British Academy mit der Erstellung eines Regestenwerkes begonnen hat, das Potthast für den englischen Bereich ergänzen soll. Die Publikation soll in der ersten Stufe bis 1254 reichen.

[8] Beispiele für die Tätigkeit von Prokuratoren gibt *Sayers,* Proctors Representing British Interests at the Papal Court, 1198–1415, in: Proceedings of the 3rd International Congress of Medieval Canon Law... Strasbourg 3–6 Sept 1968 (1971), S. 143–163.

[9] Zur Auslieferung von Papstbriefen und den *cursores* vgl. *P. M. Baumgarten,* Aus Kanzlei und Kammer (1907), S. 216 ff.; dort S. 239 über den als gefährlich geltenden *cursus Anglicus,* CM 4, S. 161.

[10] Ausnahmen: der Gregor-Germanus-Briefwechsel, vgl. oben Kap. III; Potth. 10806 an Ludwig IX. (gefälscht); Potth. 11873 an das Generalkapitel des Zisterzienserordens.

mulgierte, den Adressaten nicht in einer autorisierten Textfassung sozusagen „von Amts wegen“ zugestellt wurden [11]. Doch darüber hinaus sind auch schriftliche Weiterverbreitungsmethoden angewandt worden – wofür die große Zahl von Papsturkunden an die unterschiedlichsten englischen Empfänger in CM ein unwiderlegbarer Nachweis ist. Dabei ist von einer Vielzahl von Möglichkeiten auszugehen. Die auf Versammlungen bekanntgegebenen Texte können von Klerikern im Auftrage ihrer Herren an Ort und Stelle abgeschrieben worden sein, wie dies etwa für die Konstitutionen des Legatenkonzils von 1237 wahrscheinlich ist. Die an den Legaten selbst gerichteten Briefe [12] hat dieser allem Anschein nach in England als Handlungsanweisungen und Vollmachten benutzt, so daß er sie seinen Kontrahenten gelegentlich vorweisen mußte; auf diese Weise könnte sich auch Matthaeus Paris diese Texte beschafft haben.

Bei Schreiben, die an die Gesamtheit der Gläubigen in England, an alle Prälaten oder an eine größere Zahl von Bischöfen gerichtet sind, ist die Frage zu stellen, inwieweit eine kanzleimäßige Weiterverbreitung wahrscheinlich ist. Bei Briefen, die an den Erzbischof von Canterbury und seine Suffragane (oder an eine ähnlich weit gespannte Gruppe) gerichtet sind, ist natürlich in erster Linie an eine „Vervielfältigung“ durch die erzbischöfliche Kanzlei zu denken. Nachgewiesen werden konnte ein solches Verfahren aber bisher in keinem einzigen Fall [13]. Christopher Cheney hatte sich mit diesen Fragen bereits bei seinen Forschungen, die zu der Edition der „Councils and Synods“ führten, beschäftigt und mußte konstatieren, daß es für die Verbreitung von englischen Konzilscanones (Synodalbeschlüssen) kaum möglich sei zu ergründen, ob „offizielle“ Kanzleiausfertigungen von seiten des Legaten oder des Erzbischofs den Konzilsteilnehmern ausgehändigt wurden [14]. Ob man die Promulgation von Canones

[11] *Powicke/Cheney*, Councils and Synods II, pt. 1, S. 239 f.; *D. Williamson*, EHR 64, S. 164. Auch die Bestimmungen des Lateranense IV schreiben schriftliche Promulgation nicht vor.

[12] Potth. 10694, 10724, 10836, Auvray 4248.

[13] *Cheney*, English Bishops' Chanceries 1100–1250 (1950) gibt keine Hinweise auf kopiale Verbreitung von Papstbriefen. Er weist jedoch ausdrücklich S. 90 f. auf die von Galbraith festgestellte Abkunft der „*inspeximus*-charters“ (= Vidimierungen) aus den bischöflichen Kanzleien hin.

[14] Die Bestimmungen des Lateranense IV, cap. 6, „De conciliis provincialibus“, vgl. *Alberigo*, S. 236 f. enthalten keine klaren Promulgationsbestimmungen.

Cheney, Legislation of the Medieval English Church, in: EHR 50 (1935) trifft S. 208 ff. wichtige Beobachtungen über „The Method of Publishing Canons“. Die Hauptfrage, S. 210: „how did the prelates obtain their copies of the canons of a council? The question is important for any estimate of the value of existing texts. Were they official productions of the legate's or the archbishop's chancery, delivered in the council? Or were they dispatched to the various dioceses after the council was over? Or was it incumbent upon all diocesans to make their own clerks take copies from an authentic original?“

und die Bekanntmachung von päpstlichen Schreiben in jedem Fall ohne weiteres vergleichen kann, ist ungewiß. Aber der Zweck dieses Vergleiches richtet sich hier nur auf die Beantwortung einer Frage hin: ob derartige kirchliche Schriftstücke kanzleimäßig weiterverbreitet wurden, was schließlich deren Beschaffbarkeit durch interessierte Chronisten bereits erklären würde.

In den Chronica majora gibt es mehrere Hinweise auf derartige Verbreitungsmethoden; in einigen Fällen enthält die Chronik Papstbriefe, die innerhalb von Briefen englischer Aussteller weitergeleitet werden. Dabei ist es der einzige Zweck, den ursprünglichen Text des päpstlichen Originals Dritten zur Kenntnis zu bringen [15]. Es ist damit offenkundig, daß kirchliche Kanzleien in England zumindest gelegentlich für Abschriften gesorgt haben. Bei Potth. 11442 und 11611 handelt es sich um päpstliche Anweisungen von aktueller politischer Bedeutung für die einzelnen Empfänger der weitergeleiteten Briefe. Nur bei der Verbreitung von Potth. 11840 durch Bischof Grosseteste ist vom Inhalt der päpstlichen Anweisung her und nach Grossetestes Inskription „Universis sanctae matris ecclesiae filiis“ eine Weiterleitung an eine größere Zahl von Stellen anzunehmen. Überhaupt ist die Rolle von Grossetestes Kanzlei in Lincoln hier überraschend. Die Mehrzahl der bei Matthaeus Paris in einem Weiterleitungsschreiben als „Anlage“ erhaltenen Papstbriefe ist auf dem Wege über Lincoln nach

[15] In der Chronik: Potth. 11442 = CM 4, S. 398 f. (zwei walisische Äbte leiten einen Brief Innozenz' IV. an Heinrich III. weiter).
Potth. 11840 = CM 4, S. 506–509 (R. Grosseteste verkündet ein Schreiben Innozenz' IV., in dem der Erzstuhl Canterbury Rechte an vakanten Kirchenlehen erhält).
Potth. 11611 = CM 4, S. 555–557 (Bischof Walter von Norwich legt einem Brief an den Abt und Konvent von St. Albans einen Papstbrief bei, in dem ein Subsidium gefordert wird).
In LA finden sich insgesamt acht Beispiele für eine solche Praxis, vgl. CM 6.
Nr. 71, S. 134–138, R. Grosseteste legt einem Schreiben einen Brief päpstlicher Beauftragter bei, welcher wiederum einen Papstbrief enthält.
Nr. 75, S. 148–150, ein Untergebener des Erzbischofs von Canterbury sendet ein Schreiben des Erzbischofs an Grosseteste weiter, in dem sich ein Papstbrief befindet (Potth. 15094?).
Nr. 92, S. 186 f., ein ähnlicher Fall, Anschreiben ebenfalls an Grosseteste.
Nr. 97, S. 200 f., ein Brief Innozenz' IV. an die Bischöfe von Lincoln und Chichester wird auf Geheiß des letzteren (so Matthaeus Paris) an alle Bischöfe in der Provinz verschickt.
Nr. 106, S. 213–217, Grosseteste schickt an die Erzdiakone seiner Diözese einen Brief der Bischöfe von London und Worcester, in dem ein Papstbrief enthalten ist.
Nr. 144, S. 290–292, der Abt von Evesham schreibt seinem Amtsbruder in St. Albans, mit beigefügtem Papstbrief.
Nr. 147, S. 296 f., die Bischöfe von Chichester und Norwich sowie der Abt von Westminster verbreiten einen Papstbrief.
Nr. 152, S. 307–311, Schreiben des Dekans von London an den Abt von Waltham mit beigefügtem Papstbrief.

St. Albans gekommen. Dies könnte zwar durch geographische Nähe oder spezielle Verbindungen organisatorischer Art erklärt werden, aber immerhin ist es bemerkenswert, daß Lincoln auch anderweitig bei der Schriftlichkeit der Verwaltung eine Vorreiterposition unter den englischen Diözesen innehatte. Die Führung regelmäßiger Register begann dort früher als in allen anderen bischöflichen Kanzleien des Landes in den ersten Jahrzehnten des 13. Jahrhunderts [16]. Wenn auch Grossetestes Register allem Anschein nach nicht vollständig erhalten sind [17], so zeigt doch die in einer Briefsammlung – ebenso nur lückenhaft – überlieferte Korrespondenz den Umfang der Kanzleitätigkeit in Lincoln [18].

Nur auf der Grundlage der bei Matthaeus Paris gefundenen Beispiele für kanzleimäßige Weiterverbreitung läßt sich noch nicht verallgemeinernd feststellen, daß päpstliche Erklärungen von grundsätzlicher Bedeutung generell auf diese Weise ihre Empfänger erreichten. Damit läßt sich auch im Hinblick auf einzelne Schriftstücke häufig nicht klären, wie diese nach St. Albans gelangten. Allgemein wird man immer mehrere Möglichkeiten im Auge behalten müssen, wozu die Promulgation auf Reichsversammlungen, Generalkapiteln, Provinzialsynoden u. ä. zählt, aber auch abschriftliche Verbreitung durch eine Kanzlei, oder auch eine Weitergabe durch verschiedene Einzelpersonen und Gruppen (z. B. Legat Otto, Templerorden in London). Um diese Hypothesen zu konkretisieren, müßte die weitere Erforschung des Gegenstandes sich vor allem auf Vergleiche paralleler Überlieferungen in den verschiedenen englischen Cartularen und ähnlichen Sammlungen stützen. Angesichts des gegenwärtigen Wissensstandes ist eine derartige Behandlung aller von Matthaeus Paris überlieferten Stücke nicht möglich. Die Papstbriefe des Liber Additamentorum sind bis auf wenige Ausnahmen (jene Briefe, die in der Parker-Wats-Ausgabe gedruckt sind) nicht regestiert, und Luard hat sich bei seiner Edition kaum um Paralleltexte gekümmert. Für St. Albans müßte zunächst das Verhältnis der verschiedenen cartularförmigen Codices des Klosters und seiner Priorate zueinander geklärt werden. Ich nenne nur die neben LA wichtigsten MSS.: die von Holtzmann benutzte Bollandisten-Abschrift eines Cartulars aus St. Albans [19], das St. Albans-Cartular im Besitze des Duke of Devonshire, Chatsworth, Derbys., das Cartular des ehemaligen Priorats Belvoir, heute im Besitz des Duke of Rutland [20].

Auch ähnliche Zusammenstellungen anderer Häuser sind bisher kaum erforscht; für den Vergleich mit St. Albans wäre vor allem eine Untersuchung des

[16] *Cheney,* English Bishops' Chanceries, S. 104–109.

[17] Ebd., S. 108 f., vgl. das Zitat in den Annalen von Burton, Ann. mon. 1, S. 289.

[18] Über die recht unzulänglich von *Luard* (1861) edierten Grosseteste-Briefe: *S. H. Thomson,* The Writings of Robert Grosseteste, Bishop of Lincoln 1235–1253 (1940), S. 192–213.

[19] Brüssel, Bibliothèque royale MS. 3723 (7965–73), vgl. *Holtzmann,* Papsturkunden 3, S. 120–123.

[20] Ebd., S. 79–81; *Davis,* Cartularies, S. 94–96. Eine Voruntersuchung gab *Sayers,* FS Major, S. 57–84.

fast gleichzeitigen Cartulars der Abtei Burton-on-Trent lohnenswert. Hier wie dort handelt es sich um einen Chronisten, der sein Material außerhalb seines chronikalischen Werkes zusammengestellt hat [21]. Der Chronist von Burton stützt sich bei der Beschaffung von Dokumenten sichtbar vor allem auf die zentralen englischen Reichsbehörden [22]. Im Anschluß an die auf dem Lyoner Konzil vorgetragenen Beschwerden der Engländer über exzessive päpstliche Forderungen [23] schreibt der Chronist:

Responsiones domini Papae qui scire voluerit, quaerat eas in registro domini regis [24].

Die Praxis der Archivierung war also bekannt; die Wortbedeutung von „registrum“ ist in diesem Zusammenhang aber nicht klar. Der betreffende Antwortbrief des Papstes findet sich jedenfalls in den erhaltenen *rolls* nicht. Vielleicht besaß der König für seine unmittelbaren Bedürfnisse ein zusätzliches Briefbuch; oder aber der Chronist bezeichnet hiermit allgemein die Aufbewahrung von Schriftstücken in *chancery* oder Exchequer, wobei diese auch in *files* oder Schedarien erfolgt sein könnte. Rymer druckt zum Jahr 1246 einen an Heinrich III. gerichteten Papstbrief, den Luard für die Antwort auf die „gravamina“ hielt [25]. Der Brief gehört aber (anno 4°) zu 1247, nicht 1246, wie Rymer datierte. Nachdem zwischen diesem Stück und den „gravamina“ zwei Jahre liegen, kann es sich kaum um die unmittelbare Antwort handeln.

Ähnlich verschiedenen bischöflichen Kanzleien hat auch der König, wenn es in seinem Interesse lag, päpstliche Anweisungen weiterleiten lassen. Innozenz IV. hatte 1245 dem englischen König die Exemption königlicher Kapellen von der bischöflichen Jurisdiktion zugesichert. Dieses Schreiben sendet Heinrich III. im

[21] Der Schreiber der Annalen von Burton (Druck: Ann. mon. 1 nach dem einzigen MS. BL Cotton Vesp. E iii) ist vermutlich identisch mit dem Schreiber des größten Teils eines Cartulars aus Burton, jetzt National Library of Wales, Peniarth MS. 390 C, Mitteilung von Mr. Daniel Huws, Aberystwyth. Die NLW besitzt eine ausführliche masch. Beschreibung des MS., die von *Sawyer* (Hrsg.), Charters of Burton Abbey (1979), S. XIV f. benutzt wurde. Vgl. auch meinen Beitrag „Die Handschrift National Library of Wales, Peniarth MS. 390 C und zwei Briefe Kaiser Ottos IV. an Johann Ohneland“, demnächst im DA.

[22] Vgl. oben S. 51 und A. 30 die Briefe aus der sizilischen Korrespondenz 1257.

[23] Annalen von Burton, Ann. mon. 1, S. 284 f. = CM 4, S. 527 f.; beide Chronisten reihen die „gravamina“ übrigens zu 1246 ein. Matthaeus Paris gibt in der vorangestellten Rubrik die Begründung: „Articuli expositi in concilio Lugdunensi super gravaminibus regni Angliae quos hactenus nuntii celaverant“.

[24] Ann. mon. 1, S. 285.

[25] *Rymer* I, 1, S. 155 = Potth. 12559, Innozenz IV. an Heinrich III. „Personam tuam ea – contentari“, Dat. Lugdun. ii Id. Iunii, pont. 4° (1247). Nach Rymer ist der Brief *ex autographo* gedruckt, das Original ist aber verloren, zumindest in Lists and Indexes 49 (1923) nicht aufgeführt.

folgenden Jahr, eingebettet in ein *breve,* weiter [26]. Der Chronist von Burton schließt mit diesem Brief das Jahr 1245. Die neue Annale beginnt mit kurzen regestenartigen Inhaltsangaben fünf päpstlicher *rescripta,* die alle das Datum „Lugduni, ii. kal. Maii, ... anno tertio" trugen. Innozenz IV. reklamierte darin für sich die Hälfte aller kirchlichen Einnahmen für den Zeitraum von drei Jahren [27]. Aus dem Text geht nicht hervor, ob der Chronist die Inhaltszusammenfassung anhand der kompletten Texte selbst hergestellt hatte; wahrscheinlich ist wohl, daß alle fünf Stücke bereits dossierartig in einer bearbeiteten Zusammenstellung kursierten.

Wegen der nur bruchstückhaften Einsichten in die Verbreitungs- und Überlieferungsarten der Papstbriefe des 13. Jahrhunderts in England erschien es geboten, zunächst für die Überprüfung der aus Matthaeus Paris bekannten Stücke auf die wenigen erhaltenen Originale zurückzugreifen. Nach den gedruckten Listen der in Frage kommenden Repositorien ließen sich die folgenden in CM enthaltenen Stücke als im Original vorhanden identifizieren:

1. London BL Harley Charter 43 A 28 [28]
Celestinus III. „Cum vobis et – incursurum" = CM 5, S. 10
(dort fälschlich Clemens zugeschrieben und kürzer = JL 16992, aber nicht wesentlich verändert) [29].

2. London, Public Record Office
Im englischen Staatsarchiv befinden sich Originale von vier der bei Matthaeus Paris kopierten Mandate, alle datiert vom 3. August 1245 [30, 31]:

[26] Ann. mon. 1, S. 275, *breve* Heinrichs III., datiert Westminster, 20. März, anno xxx (= 1246); es enthält das Schreiben Innozenz' IV. „Tanto libentius celsitudinis – incursurum", Lyon xii kal. Aug. (pont. iii) = Potth. 11738. *Rymer* I, 1, S. 153 druckt dies aus den Annalen von Burton. In Ann. Burton anschließend noch das Schreiben des Papstes an den Bischof von Coventry und Lichfield „Mente solliciti semper – compescendo" = Potth. 11797, in dem eine Übertretung der Bestimmungen des vorigen gerügt wird.

[27] Ann. mon. 1, S. 276–278.

[28] *Bell,* EHR 36, S. 399.

[29] Nach CM 5, S. 10 und 6, S. 516 ist derselbe Brief in LA fol. 159^{v} ebenfalls enthalten (auch falsch unter Clemens und falschem Datum). Ebenso offenbar im Chatsworth MS. und in der Brüsseler Abschrift Briefe mit demselben Initium. Der Anschein spricht für eine Kompilation ursprünglich s. xiii in.

[30] Vgl. die Aufstellung der päpstlichen Originale im PRO, in: Lists and Indexes 49, S. 219–324 (Das Exemplar im Round Search Room enthält Nachträge).

[31] CM 4, S. 519–521. Die gleichzeitig ausgefertigten Mandate sind offenbar in England zusammenhängend bekanntgeworden, trotz unterschiedlicher Adressaten.

Ferner verwahrt das PRO eine Abschrift der berühmten Lyoner Absetzungssentenz „Sacro presente concilio", PRO Papal Bulls SC 7 64/47, die in anderem Zusammenhang zu erörtern sein wird.

Potth. 11773 = Papal Bulls, SC 7 21/12
Potth. 11774 = Papal Bulls, SC 21/5
Potth. 11775 = Papal Bulls, SC 22/34
Potth. 11776 = Papal Bulls, SC 21/9.

Die ersten drei Mandate gehören sachlich eng zusammen; Potth. 11776 über den Rechtsstatus der *crucesignati* in England, das an Heinrich III. gerichtet ist, würde man vom Inhalt und Empfänger her nicht in dieser Gruppe bei Matthaeus erwarten. CM enthält außerdem noch die Stücke Potth. 11777, 11778 (mit demselben Initium wie 11776) und 11779, die nicht im Original erhalten sind. Es scheint also bald nach dem Eintreffen aller dieser am selben Tag in Lyon ausgefertigten Schreiben eine Abschrift angefertigt worden zu sein, die Matthaeus Paris zugänglich wurde. Die Texte bei Matthaeus sind leicht gekürzt; überall fehlen die Datierungen, bei Potth. 11773 und 11774 wurden außerdem die Poenformeln weggelassen. Sinnentstellende absichtliche Änderungen des Textes wurden nicht angebracht. Die Veränderung von „Hinc est quod universitatem vestram monemus, rogamus et hortamur attente per apostolica vobis scripta mandantes..." in Potth. 11775 zu „...hortamur auctoritate Apostolica mandantes" sowie die Insertion dieses ganzen Passus „universitatem – mandantes" in Potth. 11774 gehen zweifellos auf Kopisten zurück, ohne daß ein Zweck sichtbar würde.

3. London, Lambeth Palace

Von den im erzbischöflichen Archiv in Lambeth aufbewahrten päpstlichen Originalen [32] ist keines abschriftlich auch in den Chronica majora enthalten. Matthaeus Paris kannte aber und übernahm in den Liber Additamentorum ein Schreiben Innozenz' IV., in dem eine Höchstgrenze von vier Mark Silber für Prokurationen anläßlich der Visitation von Kirchen festgelegt wird [33]. Das Originalmandat selbst nennt keinen Einzelempfänger (nur: ad memoriam et observantiam perpetuam), und die Ausfertigung in Lambeth stammt nach einem Vermerk auf der Plica aus St. Swithun in Winchester. In diesem Fall ist wohl von einer größeren Zahl ausgefertigter Kanzleioriginale auszugehen. In Matthaeus Paris' Liber Additamentorum erscheint Potth. 15259 zusammen mit anderen Papstbriefen zweimal (fol. 103, 110); die beiden Abschriften sind im wesentlichen gleich und heben sich in Lesarten von dem durch Luard verglichenen Reg. Vat.[34] ab. Das Dokument aus Lambeth stimmt mit Reg. Vat. nahezu vollständig überein.

[32] Katalogisiert von *Sayers*, Original Papal Documents. Über die Entstehung der Sammlung *Sayers*, The Medieval Care and Custody of the Archbishop of Canterbury's Archives, in: BIHR 39 (1966), S. 95–107.

[33] *Sayers*, Original Papal Documents Nr. 53, S. 22; CM 6, S. 289 f. = Berger 7314 = Potth. 15259 „Contra gravamina que".

[34] Lesarten in CM 6, S. 289 f.

4. Salisbury, Muniments of Dean & Chapter
Im Kapitelarchiv in Salisbury befindet sich nach den Angaben von Lunt eine Originalausfertigung eines auch in St. Albans bekanntgewordenen Schreibens, in dem der Papst am 3. Juni 1244 dem Kreuzfahrer Richard von Cornwall noch nachträglich die Einhebung alter Kreuzzugssteuern genehmigt [35]. Das bei Matthaeus fragmentarisch überlieferte Stück ist in Luards chronologisch angelegter Teiledition von LA aus dem ursprünglichen Zusammenhang gerissen; die Anlage des MS. zeigt, daß mehrere Papstbriefe an Richard in LA aufeinanderfolgen, daß also von einer über den Grafen in St. Albans erlangten Abschrift auszugehen ist [36].

5. In einer Abschrift ist der bei Matthaeus Paris überlieferte Bestätigungsbrief für den 1235 gewählten Abt Johann von Hertford [37] auch in einer kurzen Briefsammlung innerhalb der Sammelhandschrift Oxford, Bodl. Digby MS. 20 enthalten [38]. Digby 20 bietet dabei bis auf unbedeutende Schreiberversehen einen praktisch mit CM identischen Text; da die Brief- bzw. Formelsammlung fol. 105–109 in diesem Codex ausschließlich Stücke mit Bezug auf die Abtswahl von 1235 enthält [39], dürfte ihre letztliche Abkunft aus St. Albans sicher sein. Die Textgeschichte im einzelnen ließe sich erst nach Kenntnis des gesamten Urkunden- und Cartularmaterials aus diesem Hause beschreiben.

Weitere englische Parallelüberlieferungen zu den Papstbriefen bei Matthaeus Paris standen nicht zur Verfügung. Bisher konnten beim Textvergleich keine auf den Chronisten zurückfallenden tendenziösen Veränderungen ausgemacht werden, allerdings eine Reihe von kleineren Kürzungen oder Umstellungen der formelhaften Teile. Die bisher behandelten Stücke, darauf ist aber hinzuweisen, waren politisch nicht sonderlich zur Manipulation reizend. Die politisch besonders wichtigen Stücke, insbesondere die Manifeste gegen den Kaiser, können nicht in englischen Paralleltexten verglichen werden; hierzu muß auf die Überlieferung der Reg. Vat. zurückgegriffen werden.

Von den in Frage kommenden Briefen bieten die französischen Registerpublikationen von Auvray und Berger ausnahmslos nur Regesten. Nachdem die voraussichtlichen Ergebnisse im Hinblick auf Matthaeus Paris nicht den Aufwand

[35] Salisbury, D & C IV, A, i, vgl. *Lunt,* Financial Relations, S. 195 A. 3, von mir nicht eingesehen.

[36] CM 6 Nr. 57, S. 91 f.; in LA fol. 93, vgl. CM 6, S. 499 f., zusammen mit anderen Briefen an Graf Richard.

[37] CM 3, S. 316 f. = Potth. 9928 „Monasterio Sancti Albani".

[38] Hinweis bei *Pantin,* FS Tait, S. 220; Beschreibung des MS. bei *W. D. Macray,* Catalogue of Digby MSS. in the Bodleian (1883). Das MS. enthält neben verschiedenen Traktaten hagiographisches Material mit Bezug auf Nordengland.

[39] Fol. 105–109 (am Ende fol. 109 halb fortgerissen), in einer Hand s. xiii ex./xiv, später als der Hauptteil des MS. und wohl nicht ursprünglich dazugehörig. Der Brief Potth. 9928 dort fol. 107^{rv}.

einer Originaleinsicht der Reg. Vat. rechtfertigen, bietet sich vor allem zum Vergleich die MGH-Ausgabe von Teilen der Papstregister des 13. Jahrhunderts an, in der zumindest für die Reichsgeschichte die politisch bedeutendsten Dokumente publiziert sind. Immerhin finden sich von den Papstbriefen in CM sieben Stücke auch in der MGH-Auswahl ediert: Potth. 8044, 9525 (= 9765, fragm.), 10724, 10766, 10947, 11521, 11733 [40]. Die Benutzung dieser Ausgabe für Lesartenvergleiche kann nicht ohne Kenntnis der durch die Umstände bedingten Verfahrensweise bei der Edition aus dem MGH-Apparat durch Rodenberg erfolgen; die Register waren damals generell noch unzugänglich. G. H. Pertz hatte aus den Registern nur zum Teil Abschriften anfertigen lassen; soweit die Stücke bereits anderweitig im Druck vorlagen, begnügte man sich später bei der Edition gelegentlich mit einem verbesserten Nachdruck, wobei offensichtlich nicht in allen Fällen der Text des Reg. Vat. vollständig kollationiert wurde. Außerdem muß bei Vergleichen berücksichtigt werden, daß auch die Register nicht stets einen fehlerfreien „Urtext" bieten, was auf deren mutmaßliche Entstehung aus Konzeptmappen u. ä. zurückgeht [41]. Damit erscheint zunächst die Kontrolle der abschriftlichen Überlieferung erschwert; doch hat Luard nach dem Abschluß der Editionsarbeit an der Chronik die wichtigsten Lesarten aus dem Reg. Vat. im Band 6 nachgetragen. Leider unterblieb dabei eine Korrektur von etlichen unberechtigten, nur auf Luards Konjektur beruhenden Textemendationen. Zur Erstellung eines philologisch einwandfreien Apparates wäre in jedem Fall die Heranziehung der oft zahlreichen disparaten Einzelüberlieferungen erforderlich. Im Hinblick auf die Abschriften in CM kann es hier nur darum gehen, deren Besonderheiten im Vergleich mit jeweils geeigneten Textformen herauszuarbeiten.

1. Potth. 8044 = CM 3, S. 145–151 = MG Epp. saec. XIII 1 Nr. 368, S. 281–285, „In maris amplitudine".

Die Exkommunikationsbulle Gregors IX. gegen Friedrich II. vom Jahre 1227 ist bei Rodenberg im wesentlichen aus Raynaldus und einem Berliner MS. ediert [42]; die englischen Überlieferungen in den Chroniken von Wendover und Paris werden nicht herangezogen [43]. Das Manifest ist bei Wendover-Paris fälschlich mit dem zweiten Pontifikatsjahr Gregors IX. datiert, was wohl dort die Einreihung in das Jahr 1228 verursacht hat. Der Wendover-Text weicht selbst oft vom Register ab, während sich bei Matthaeus Paris – der Wendover als Vorlage benutzte – etliche weitere charakteristische Abweichungen finden; diese lassen sich nur zum Teil durch Flüchtigkeit erklären, so daß als zweites die Absicht zu

[40] Dies ist bereits annähernd die Hälfte des CM und Reg. Vat. gemeinsamen Bestandes an Papstbriefen.

[41] Vgl. *Bock*, Archiv. Zs. 52, bes. S. 15 ff.

[42] MG Epp. saec. XIII 1, S. 281.

[43] Lediglich die Fundstelle bei Wendover, Flores Historiarum, hrsg. v. *Coxe*, Bd. 4, S. 157 ff. wird in Epp. saec. XIII 1, S. 285 A. 1 angezeigt (dort mit falscher Seitenzahl).

stilistischer „Verbesserung“ des Textes angenommen werden muß. Angesichts des dürftigen Editionszustands läßt sich ohne eine vollständige Neukollationierung kein endgültiges Urteil über die in CM und Epp. saec. XIII gedruckten Texte fällen.

Die Art der stilistischen Veränderungen durch Matthaeus läßt sich an dem – gleichwohl nicht vollständigen – Apparat der Luard-Ausgabe ablesen. In einer Reihe von Fällen [44] spricht der Augenschein des Lesartenbefundes bei Luard, verglichen mit dem Text der MGH-Ausgabe, dafür, daß Matthaeus selbst gegenüber seiner unmittelbaren Vorlage, einem MS. der Wendover-Chronik, Änderungen einführte. An einer Stelle hat Matthaeus das Exordium durch einen eigenen Zusatz erweitert (in CM 3, S. 146 typographisch kenntlich gemacht: die Scylla und Charybdis-Metapher). Im übrigen wird auch die Art der stilistischen Veränderungen an dieser Stelle deutlich:

CM 3, S. 146 Z. 1–7

In maris amplitudine spatiosa navicula Petri posita, vel potius exposita turbinibus tempestatum, sic jugiter procellis et fluctibus agitatur, ut ejus gubernatores ac remiges vix contingat aliquando inter inundantium imbrium angustias respirare, *vix Caribdis voragines transire, vix a Cilla declinare* (a).
Nam (b) quandoque prospero *flatu* (c) plenis velis ad portum *vehitur,* (d) ...

lectiones aus O, W, und Epp. saec. XIII:
(a) (vix – declinare *deest*)
(b) Nach *nam* ins.: si
(c) flante vento
(d) tenditur

Der aus O, W bekannte Wendover-Text ist ebenfalls nicht fehlerfrei, wobei in mehreren Fällen Wendover und Paris gemeinsam gegenüber dem MGH-Text verändert sind [45]. Doch es läßt sich auch beobachten, daß Matthaeus Paris mit dem MGH-Druck zusammenfällt, während die Wendover-MSS. eindeutig falsche Lesarten bieten [46]. Bei einem Wort-für-Wort-Vergleich zwischen den gedruckten Ausgaben von Luard und MG Epp. saec. XIII ergaben sich noch zahlreiche weitere Differenzen, doch reichen bereits die hier nach Luards Apparat zitierten Fälle aus, das Bedürfnis nach einer gründlichen Textrevision zu verdeutlichen.

[44] CM 3, S. 146, A. 2, 3, 4, 6; 148 A. 1; 149 A. 2, 5; 150 A. 1, 2, 3, 5; 151, A. 2, 3.

[45] CM 3, S. 146 A. 5; 147 A. 1; 148, A. 2, 3. Bei S. 150 A. 4 ist nicht von vornherein sicher, daß B.O.W. fehlerhaft ist.

[46] CM 3, S. 149 A. 1, 3. (CM 3, S. 151 A. 1 läßt allein CM die Wörter „in Dei“ aus, das unmittelbar vorangehende „injuriam“ findet sich in B.O.W., nicht aber in den Überlieferungen, die Epp. saec. XIII zugrundeliegen; dort „ruinam“.)
Es zeigt sich erneut, daß Matthaeus Paris nicht *ow* als Vorlage benutzte, da CM eine richtige Lesart hat, während Wendover eine verderbte Lesart bietet.

2. Potth. 9525 (9765) = CM 3, S. 280–287, 309–312 = Epp. saec. XIII 1 Nr. 605, S. 491–495.

Den Kreuzzugsaufruf [47] Gregors IX. vom Jahre 1234 („Rachel suum videns") überliefert die Chronik in zwei verschiedenen Formen – eine Feststellung, die schon bei der Abgrenzung der jeweils Wendover und Paris zuzurechnenden Teile der Chronik von Bedeutung war. In der Wendover-Chronik findet sich nur die erste Hälfte des Manifests (CM 3, S. 309–312) unter dem Jahre 1235, während Matthaeus Paris den vollständigen Text unter dem richtigen Jahr 1234 einfügte (CM 3, S. 280–287). Beide Fassungen gehen der Adresse nach zu schließen („universis Domini nostri Jesu Christi fidelibus per regnum Angliae constitutis") auf dieselbe Ausfertigung zurück; das Datum ist jeweils „Spoleti, ii. non. Septembris, pontificatus nostri anno octavo", während Reg. Vat. anders datiert ist (Ausfertigung an Frankreich, Perugia, xv kal. Dec.).

Die MGH-Ausgabe ist nach den beiden unter sich häufig divergierenden Texten aus St. Albans erstellt, dabei wurde offensichtlich Reg. Vat. nicht verglichen. Die wenigen von Luard verzeichneten Lesarten des Reg.[48] können ebenfalls kein Bild vom Textzustand vermitteln. Die MGH-Editoren nahmen lediglich die Raynaldus-Ausgabe zur Hand und zogen deren offenbar auf das Reg. zurückgehenden Text für einen Teil der Edition des Manifests vor [49]. Unerörtert blieb dabei, ob die im Abstand von zwei Monaten hergestellten Ausfertigungen einen identischen Text bieten. Allein auf der Grundlage dieses recht unbefriedigend edierten Textes (wobei die äußeren Schwierigkeiten die Hauptursache waren) wäre es kaum möglich, ein Urteil über die bei Matthaeus Paris überlieferte Fassung zu begründen. Aber glücklicherweise liefert die Chronik selbst den Vergleichsmaßstab. Während gewöhnlich Textvergleiche Wendover-Paris sehr problematisch sind (wegen der stemmatischen Zuordnung von *ow* und B läßt sich nicht eindeutig der Erstzustand beweisen), hat Matthaeus in diesem Fall selbst beide Textfassungen in sein MS. B eingetragen. Das aus Wendover übernommene Fragment zeigt gegenüber den MSS. O, W nur unwesentliche Veränderungen: Matthaeus Paris hat also diese Vorlage nicht bereits verändert vorgefunden – die

[47] Zur Überlieferung dieses Manifests vgl. *U. Schwerin*, Die Aufrufe der Päpste zur Befreiung des Heiligen Landes von den Anfängen bis zum Ausgang Innozenz IV. (1937) Nr. 52, S. 145–147. Nach Schwerins Untersuchungen ist die aus England bekannte Empfängerüberlieferung gegenüber der Registerfassung erweitert. Der Text ist auch aus dem Baumgartenberger Formelbuch bekannt, hrsg. v. *Baerwald*, Nr. 33, S. 166–168, dort abgesehen von den formularhaften Veränderungen in der Art der Registerfassung.

[48] Vgl. CM 6, S. 482. Luard merkt im übrigen an, daß Reg. Vat. im wesentlichen mit dem Wendover-Text übereinstimmt.

[49] Epp. saec. XIII 1, S. 492 Z. 33–493 Z. 8; vgl. S. 492 A. p) aus *Raynaldus* a. 1234 § 30, vgl. Epp. 1, S. 491.

wesentlichen Manipulationen sind ihm anzulasten [50]. Es handelt sich erneut vor allem um stilistische „Verbesserungen“, wie sie schon wiederholt bei Matthaeus festgestellt werden konnten; hier bezweckte der Chronist vor allem, die mißliche Lage Jerusalems zu veranschaulichen.

Matthaeus Paris:	Roger Wendover:
CM 3, S. 280 Z. 32–281 Z. 11	CM 3, S. 310 Z. 9–18
(= Epp. saec. XIII 1, S. 492 Z. 10–16)	
Flet quia quondam libera	Flet, quia, quondam, libera,
sub impi*o* tyrannidis jugo	sub impi*ae* tyrannidis jugo
cogitur ancillari. Luget	*servit.* Luget,
quia ubi pacem multitudo	quia ubi pacem multitudo
caelestis militiae cecinit,	militiae caelestis cecinit,
ibi pressure gentis	ibi pressure gentis
immundissimae scandal*orum*	immundissimae scandal*a*,
spurcitiae abhominabiles	
simultates et scismata	simultates, et scismata
suscitavit, ac innovans	suscitavit; ac innovans
exordia praeliorum,	exordia praeliorum,
misit ad desiderabilia	misit ad desiderabilia
manum suam, et	manum suam, *sacerdotii* et
sacrorum ordinum	sacrorum ordinum
pias leges, et ipsius	pias leges, et ipsius
naturae jura relegans	naturae jura relegans
a templo Domini;	a templo Domini,
diversis ibi*dem* spurcitiis	diversis ibi spurcitiis
detestabilibus et ignomini-	*et abominationibus*
osis vitiis introductis,	introductis.
turpiter in suo stercore	
computrescit.	
Et ideo Jerusalem in suis	Et ideo Jerusalem, in suis
derisa Sabbatis obsorduit	derisa Sabbatis, obsorduit
quasi polluta menstruis *suos*	quasi polluta menstruis
inter *inimicos.*	inter *hostes.*

Der letzte Satz dieses Textausschnittes mit dem wohl gynäkologisch zu verstehenden Vergleich scheint Matthaeus Paris zu dem Ausbau der Schmutz-Metaphern angeregt zu haben. Die Vokabel „spurcitia“ (= klass. spurcities) wird von ihm ein zweites Mal verwendet, und auch das an seiner ursprünglichen Stelle von Matthaeus beseitigte Wort „abhominatio“ taucht im Zusammenhang mit „spurcitiae“ als „abhominabiles“ wieder auf.

[50] Ob die Veränderungen erst bei der Herstellung von B oder schon für eine Zwischenabschrift vorgenommen wurden, ist unerheblich. Die Möglichkeit, daß ein Dritter die Veränderungen in der Zwischenzeit veranlaßte, kann wohl ausgeschlossen werden; dies hätte Matthaeus Paris, der währenddessen bereits mit der Sammlung und Ordnung seines Materials begonnen hatte, kaum entgehen können.

3. Potth. 10724 = CM 3, S. 569–573 = Epp. saec. XIII 1 Nr. 741, S. 637–639. Neben dem Exkommunikationsmanifest Gregors IX. „Excommunicamus et anathematizamus“ vom März 1239 wies der Papst die Prälaten der lateinischen Christenheit an, die Sentenz in ihren Kirchen zu verkünden. Dieses Schreiben Potth. 10724 „Sedes apostolica sicut“ ist in der MGH-Ausgabe aus dem Register direkt ediert; dort ist der Brief an den Erzbischof von Rouen gerichtet und am Ende mit dem Vermerk versehen: „In eundem modum universis archiepiscopis et episcopis tam exemptis quam aliis“. Der in England weilende Kardinallegat Otto erhielt unter anderem Datum (ii id. Apr.) einen weithin gleichlautenden Brief. Die MGH-Ausgabe merkt dazu lediglich die Fundstelle bei Matthaeus Paris an [51]. Luard stellt seinem Text in diesem Fall keine Lesarten aus Reg. Vat. gegenüber, da er davon ausging, es handele sich trotz der weitgehenden Übereinstimmung um zwei verschiedene Stücke. Eine Gegenüberstellung der wichtigsten Unterschiede fehlt in den Drucken; neben den üblichen kleinen Varianten ist im Mittelteil des Briefes eine für den Textzustand bedeutsame Abweichung festzustellen, die sich aus den unterschiedlichen Adressaten ergibt:

Epp. saec. XIII 1, S. 638	CM 3, S. 572
Z. 35–41 (ad hec – ultionem)	*(deest)*
daran anschließend:	
S. 638 Z. 41 – S. 639 Z. 4	CM 3, S. 572 Z. 7–16
Quocirca universitatem vestram	Quocirca devotionem tuam
monemus et hortamur attentius,	monemus et exhortamur attente,
per Apostolica vobis scripta	per Apostolica scripta
in virtute obedientie firmiter	
precipiendo	tibi praecipiendo,
mandantes, quatinus nullum sibi	mandantes, quatinus
prestantes consilium, auxilium	
vel favorem, predictam	praedictam
excommunicationis et anathematis	excommunicationis et anathematis
sententiam singularis diebus	sententiam singularis diebus
dominicis et festivis pulsatis	Dominicis et festivis, pulsatis
campanis et candelis accensis	campanis et candelis accensis,
ac generaliter alia omnia, que	
presentibus continentur,	
solempniter publicare ac	solempniter publicare [52] ac
nuntiare curetis et faciatis	absolutionem et inhibitionem
simili modo per vestras civi-	nuntiare procures, et facias
tates et dioceses publicari	per totam terram tuae legationis
et etiam nuntiari; mandatum	modo simili publicari et etiam
nostrum taliter impleturi,	nuntiari, mandatum nostrum
quod de negligentia redargui	taliter impleturus, quod

[51] Epp. saec. XIII 1, S. 639 A. 3.

[52] MS. B darüber: „vel publicari“, vgl. CM 3, S. 572 A. 1.

aliquatenus non possitis et nos contra vos alias procedere non cogamur.	devotio tua possit exinde merito commendari.

Bei dem von Matthaeus Paris überlieferten Text fehlt am Ende der letzte Satz der Registerversion („In premissis – intendatis").

4. Potth. 10766 = CM 3, S. 590–608 = Epp. saec. XIII 1 Nr. 750, S. 645–654. Auch „Ascendit de mari", das vielleicht bedeutendste Manifest Gregors IX., liegt bislang nicht in einer befriedigenden Ausgabe vor. In der MGH-Ausgabe waren die zahlreichen Überlieferungen in Brief- und Formularsammlungen nicht mitherangezogen worden, sondern man hatte den Text nach den Chronica majora und Reg. Vat. erstellt. Die Beschreibung der Editionsprinzipien [53] ist in gewisser Weise irreführend; dort heißt es, man habe Matthaeus Paris benutzt, wobei A. Mau das Reg. Vat. verglichen und zahlreiche Verbesserungen vorgenommen habe. In Wirklichkeit wird Matthaeus Paris nicht zur Editionsgrundlage gemacht, sondern das Reg. Vat. Der Textzustand bei Matthaeus Paris ist in den Anmerkungen der MGH-Ausgabe nur an einigen wenigen Stellen festgehalten. Luards Lesarten aus Reg. Vat. zeigen [54], daß CM von Reg. Vat. stärker abweicht als aus der MGH-Edition erkennbar ist, und eine vollständige Nachkollation ergab mehrere Dutzend Lesarten, aber keine eindeutige Interpolation des Textes aus St. Albans. Inwieweit Reg. Vat. stets den richtigen Wortlaut bietet, müßte an weiteren Überlieferungen kontrolliert werden, etwa auch solchen in Briefsammlungen. Eine Aussage läßt sich bereits aufgrund der zwei Textüberlieferungen treffen: die von Luard vorgenommenen Emendationen sind häufig unberechtigt; in zahlreichen Fällen kongruieren Reg. Vat. und das MS. B [55] (also zwei eindeutig nicht voneinander abhängige Textzeugen), so daß Emendationen sich wohl erübrigen.

5. Potth. 10947 = CM 4, S. 96–98 = Epp. saec. XIII 1 Nr. 785, S. 688–691. Die Konzilseinberufung Gregors IX. „Petri navicula matris" ist nach Ausweis des Reg. Vat. an kirchliche Amtsträger im Bereich der ganzen Christenheit gegangen. Rodenberg druckte der Vorrede zufolge offensichtlich nicht direkt aus Reg. Vat., sondern indirekt unter Benutzung von Raynaldus [56]. Weder Luard noch Rodenberg haben ihren Editionstext durch Lesartenvergleiche abgestützt. In der Tat differieren beide Überlieferungen stellenweise auffällig. Zum Teil sind die Abweichungen deutlich auf stilistische Eingriffe durch den Chronisten zurückzuführen:

[53] Epp. saec. XIII 1, S. 646.

[54] CM 6, S. 485–487.

[55] So CM 3, S. 593 A. 2; 598 A. 1 (von Luard selbst CM 6, S. 486 richtiggestellt); 598 A. 5, 6; 599 A. 2. In allen diesen Fällen hat Luard gegen gleichlautende Lesungen in B und Reg. Vat. emendiert.

Weiter sind falsch emendiert: S. 594 A. 1, 2, 7; 596 A. 2; 600 A. 1, 3; 605 Z. 15 statt „astringi" zu ergänzen „ligari".

[56] *Raynaldus*, Ann. eccl. a. 1240 § 57–58.

Epp. saec. XIII 1, S. 689 Z. 1–3	CM 4, S. 97 Z. 5–9
... naute quasi naufragii	... nautae quasi naufragii
verentur eventum,	verentur *ventum et* eventum,
populi trepidant, clamat	populi trepidant, clamat
Petrus: ,Utinam tepescentibus	Petrus; utinam tepescentibus
ceteris saltem porrigerent	caeteris saltem porrigerent
filii opem consilii salutaris ...	filii opem *et operam* consilii
	salutaris ...

Ein Satz findet sich bei Matthaeus Paris, den der andere Text ganz ausläßt [57], wobei nicht wahrscheinlich ist, daß der CM-Text hier unautorisiert verändert worden ist. Und auch an einer weiteren Stelle lassen sich die Abweichungen vermutlich durch die unterschiedlichen Adressaten erklären:

Epp. saec. XIII 1, S. 689 Z. 21–25	CM 4, S. 98 Z. 6–11
... fraternitatem *tuam*	... fraternitatem *vestram* [58]
rogamus mone*mus* attent*ius*,	rogamus, mone*ntes* attent*e*
per apostolica tibi scripta	per Apostolica scripta tibi [58]
in virtute obedientie districte	*mandata ut caeteris,* districte
precipiendo mandantes,	praecipiendo mandantes,
quatenus Dominum preferens	Deum praeferens
homini et difficultatibus	homini et difficultatibus *omnibus*
obedientie meritum anteponens,	*ob* meritum *fidei* anteponens,
usque ad proximum venturum	*in supradicto termino*
festum resurrectionis	
Dominice ad sedem apostolicam	ad sedem Apostolicam
accedere *personaliter*	accedere
non omittas ...	non omittas ...

6. Potth. 11521 = CM 4, S. 410–412 = Epp. saec. XIII 2 Nr. 78, S. 56–58 = Ann. Burton, in: Ann. mon. 1, S. 263.

Die endliche Berufung des von Gregor IX. geplanten Konzils durch den Nachfolger Innozenz IV. erging ebenfalls in verschiedenen Formen und zu verschiedenen Zeitpunkten [59]. Die Varianten sind zumeist unbedeutend oder leicht er-

[57] CM 4, S. 97 Z. 25–29: „Inter quos te, frater episcope, devotum ecclesiae filium et nobile membrum ipsius, ut venires ad matris ecclesiae gremium, ad proximum venturum festum Resurrectionis Dominicae, literis recolimus Apostolicis convocasse".

Ferner ist Epp. saec. XIII 1, S. 689 Z. 16 „venditare" gegen die übereinstimmende Texttradition „vendicare" unrichtig emendiert.

[58] Vgl. den Widerspruch *vestram – tibi!*

[59] Zu den verschiedenen Ladungsschreiben *M. Tangl,* Die sogenannte Brevis nota über das Lyoner Concil von 1245, in: MIÖG 12 (1891), S. 250 A. 1.

Die Epp. saec. XIII 2 gedruckte Fassung an Empfänger in Frankreich ist „iii non. Ianuar., anno secundo" (= 3. Januar 1245) datiert, Potth. 11493, während das Schrei-

klärbar (Epp. saec. XIII 2, S. 57 Z. 13 „fraternitatem tuam"; CM 4, S. 411 Z. 24 f. „devotionem vestram"), und nur zum Schluß hin erscheint CM gekürzt.

Epp. saec. XIII 2, S. 57 Z. 19 ff.	CM 4, S. 411 Z. 36–412 Z. 4
De personarum autem et evectionum moderato numero illam, cum vener*is*, providentiam habe*bis*, quod tue nimis oneros*us* ecclesi*e* non existas.	De personarum autem et evectionum moderato numero, illam cum vener*itis* providentiam habe*atis*, quod *vestris* ecclesi*is* nimis non *sitis* oneros*i* [60].
(Z. 21–24:) Ceterum volumus – postponas.	*(deest)*
Dat. Lugduni, III Non. Ianuar. anno secundo.	Datum Lugduni, tertio kalendas Februarii, pontificatus nostri anno secundo.

7. Die Lyoner Absetzungsbulle

Potth. 11733 = Epp. saec. XIII 2 Nr. 124, S. 88–94 = *Alberigo,* S. 278–283 = CM 4, S. 445–455 = Berger 1368 = BF 7552 („Sacro presente concilio").

Für das quellenmäßig ziemlich dürftig dokumentierte Lyoner Konzil von 1245 bildet die Chronik von St. Albans neben der offiziös-kurialen Brevis Nota und einem weiteren englischen Text eine wesentliche Überlieferung [61]. Es wäre die Aufgabe einer weitausgreifenden Untersuchung, die erzählenden, dokumentarischen und juristischen Texte mit Bezug auf Lyon I insgesamt zu sichten und kritisch zu beurteilen. Nicht nur ist die Darstellung in Hefeles Konziliengeschichte überholt [62], sondern auch die jüngsten Publikationen entziehen sich einer Diskussion der manchmal widersprüchlichen Quellen [63]. Die Darstellung Wolters glättet über die meisten Probleme hinweg und ist auch bei eigentlich unproblematischen Fakten nicht immer korrekt [64].

ben an die englischen Äbte später versandt wurde: „iii. kal. Febr.". Das Konzil wurde zuerst mündlich angekündigt am 27. Dezember 1244. Zu den Einzelheiten der Ladung *H. Wolter/H. Holstein,* Lyon I/Lyon II, S. 63–68; vgl. auch *Berger,* Saint Louis et Innocent IV, S. 115–118.

[60] Der Brief in CM ist auch in den Annalen von Burton, Ann. mon. 1, S. 263 mit derselben Adresse enthalten. Beide stimmen bis auf Kleinigkeiten überein. Die größte Abweichung am Ende: „quod vestris nimis onerosi ecclesiis non existatis. Datum Lugduni v. idus Junii, pontificatus nostri anno secundo".

[61] *Tangl,* MIÖG 12, S. 246–253; Text MG Const. 2 Nr. 401, S. 513–516 „Relatio de Concilio Lugdunensi"; *Folz,* S. 41 ff.; *Lunt,* The Sources for the First Council of Lyons, 1245, in: EHR 33 (1918), S. 72–78.

[62] *Hefele/Leclerq,* Histoire des Conciles V, 2, S. 1633 ff.

[63] Neben dem kurzen Abriß bei *Alberigo,* S. 273–277 vor allem *Wolter/Holstein.*

[64] So wird der „Reformplan" des Kaisers, vgl. BF 3541, ohne Grund (und ohne eine Bemerkung zur Datierung) dort S. 79 f. A. 21 mit der Konzilssitzung vom 5. Juli 1245 in Verbindung gebracht.

In der Forschung wird überwiegend bei inhaltlichen Widersprüchen die Version der Brevis Nota gegenüber Matthaeus Paris bevorzugt [65]. Vorsicht gegenüber Matthaeus Paris ist gewiß angebracht, vor allem, wenn rhetorische Ausschmükkungen dem Chronisten die Feder führen; doch ist es ein fragwürdiges Vorgehen, bei Widersprüchen zwischen beiden Quellen der bn recht zu geben, wo diese aber schweigt, Matthaeus Paris heranzuziehen. Auch Lunt, der eine weitere Quelle aus England [66] mit den beiden bekannten verglich, ist methodisch nicht einwandfrei vorgegangen. Er stellte fest, daß bei Unterschieden zwischen bn und CM der Text jener englischen Archivüberlieferung zumeist Matthaeus Paris ins Unrecht setze [67]. Diese Argumentation läßt die ungeklärte Entstehungsgeschichte der Berichte außer acht. Das von Cole gedruckte Dokument, das mit etlichen anderen Stücken aus dem Jahre 1245 in einer etwa 30 Jahre späteren Abschrift zusammen überliefert ist, stellt höchstwahrscheinlich einen in unmittelbarer zeitlicher Nähe zum Konzil hergestellten Text dar; auch eine Entstehung in Kreisen englischer Konzilsteilnehmer wäre denkbar. Damit müßte aber auch die Möglichkeit ins Auge gefaßt werden, daß bn oder ein ähnlicher Bericht als Vorlage für diese Quelle gedient haben könnte. In diesem Falle wäre deren Faktenkongruenz nicht als Beweis zur Falsifizierung von Nachrichten bei Matthaeus Paris verwendbar, da es sich bei bn und den von Cole edierten Notizen dann nicht um zwei voneinander unabhängige Quellen handeln würde.

Tangl hatte angegeben, daß Matthaeus Paris möglicherweise bn benutzt haben könnte, da eine in bn dem kaiserlichen Prokurator Thaddeus von Suessa zugeschriebene Behauptung sich in CM wiederfindet, dort allerdings dem Papst untergeschoben [68]. Diese Möglichkeit wurde zwar von Folz vehement bestritten [69], doch dessen – zweifellos zutreffende – Feststellung, Matthaeus Paris weiche im-

[65] Wolter zitiert hierzu S. 70 A. 1 die von Vaughan gegebenen Belege für die Voreingenommenheit und Fehlerhaftigkeit von Matthaeus Paris, vgl. bes. *Vaughan,* Matthew Paris, S. 140–143; doch betrifft keines der dort angeführten Beispiele das Lyoner Konzil. Zur Kritik an Matthaeus' Bericht vgl. *Folz,* S. 41 mit der älteren Lit. Früher war angenommen worden (Schirrmacher), daß Matthaeus Paris selbst in Lyon gewesen sei.

[66] *Lunt,* EHR 33, S. 73 und A. 3–6; „Articuli et Petitiones Praelatorum Angliae, et Responsiones Regis ad ipsos factae. Et alii diversi Articuli in concilio generali Lugdunensi et alibi, cum Supplicationibus factis Domino Papae pro regno Angliae – temporibus Henrici tertii et Edwardi filii ejusdem"; gedruckt in: Documents illustrative of English History in the Thirteenth and Fourteenth Centuries, hrsg. v. *H. Cole* (1844). Dort S. 351 der Bericht über Lyon I; die Petitionen jetzt bei *Powicke/Cheney,* Councils and Synods II, pt. 1, S. 391 ff.

[67] Das Résumé bei *Lunt,* EHR 33, S. 78: „Wherever Cole's document throws light on the divergences between Matthew Paris and the *Brevis Nota,* it is the former which suffers from the illumination".

[68] *Tangl,* MIÖG 12, S. 247 A. 4.

[69] *Folz,* S. 44 f., dem die neuere Forschung hier meist gefolgt ist.

mer wieder von bn ab, reicht nicht zum Nachweise, daß an *keiner* Stelle in CM eine bn-förmige Vorlage mitbenutzt wurde [70].

Über mögliche Zusammenhänge zwischen den erzählenden Quellen über das I. Lyoner Konzil kann bislang, in Ermangelung einer eingehenden Untersuchung, nur gemutmaßt werden. Ähnlich schwierig ist ein Urteil über die auf jenem Konzil erlassenen Konstitutionen, die uns noch beschäftigen werden. Der politisch bedeutendste Text des Konzils ist die Absetzungsbulle Innozenz' IV. gegen Friedrich II., meist unter dem eigentlich unzutreffenden Initium „Sacro presente concilio" zitiert. Ihre Textgestalt bei Matthaeus Paris und den parallelen Überlieferungen gilt es im folgenden darzustellen, da dieser Vergleich allgemeinere Überlegungen zur Quellenlage von Lyon I erlaubt.

Die Textgestalt der Absetzungsbulle ist in den einzelnen handschriftlichen Überlieferungsformen recht unterschiedlich [71]. Auffällig sind einige Differenzen zwischen Reg. Vat.[72] und den bekannten Originalausfertigungen [73]. Reg. Vat. ist, wie mehrfach betont, aus Konzeptmappen und ähnlichen Vorformen hervorgegangen, wobei sich anhand der dort zusammen mit „Sacro presente concilio" überlieferten Konzilskonstitutionen zeigen läßt, daß Reg. Vat. durchaus nicht den frühesten Zustand bietet, sondern eine – noch in Lyon angefertigte – Redaktion darstellt [74]. Der Vergleich zwischen Epp. saec. XIII (= Reg. Vat.), dem Text der drei Originale (Alberigo) und CM zeigt, daß an mehreren Stellen Alberigo und CM gegen Reg. Vat. eine gemeinsame Lesart bieten [75]; es ist also

[70] *Folz,* S. 44 stellt die Darstellung der einleitenden Predigt des Papstes aus beiden Quellen gegenüber; in der Tat sind an der von ihm gewählten Stelle keine Formulierungsgemeinsamkeiten erkennbar. Doch entwerten derartige Beispiel nicht eine eindeutige Textähnlichkeit an anderer Stelle, wie Tangl sie entdeckte.

[71] Die folgende Beschreibung geht von einer vollständigen Kollation der Drucke bei Alberigo und MG Epp. saec. XIII sowie von CM, der Chronik von Melrose und des MS. PRO SC 7 64/47 aus.

[72] Druck: MG Epp. saec. XIII 2 Nr. 124, S. 88–94; der dort in den Anmerkungen gegebene Variantenapparat gibt die unterschiedlichen Lesarten bei Matthaeus Paris nicht annähernd vollständig wieder! Die Originalausfertigungen waren den Editoren von MG Epp. saec. XIII offenbar alle nicht bekannt.

[73] Jetzt zu benutzen in: *Alberigo,* S. 278–283 aus den drei Originalen, die Baumgarten entdeckt hatte, vgl. *G. Battelli* (Hrsg.), Schedario Baumgarten 1 (1965), S. 410 *schedae* 1579, 1581, 1582. Der Text in MG Const. 2 Nr. 400, S. 508–512 berücksichtigt von den drei Originalen nur Arch. Vat. AA. Arm. I–XVIII, 171.

[74] *S. Kuttner,* Die Konstitutionen des ersten allgemeinen Konzils von Lyon, in: Studia et Documenta Historiae et Iuris 6 (1940), S. 70–131; vgl. S. 80 f., 98–101. S. 100 f.: die Konstitutionen in Reg. Vat. stellen bereits eine gegenüber dem ursprünglich im Konzil promulgierten Inhalt redigierte Fassung dar.

[75]

MG Epp. saec. XIII 2	CM/Alberigo
S. 89 Z. 28 posset	possent
S. 92 Z. 32 inextimabiles	inestimabiles
S. 93 Z. 6 inextenta	non extenta

in diesem Fall davon auszugehen, daß die Änderungen in Reg. Vat. in Kreisen der Kurie vor oder bei der Registeranfertigung erfolgten. Im allgemeinen muß aber darauf hingewiesen werden, daß der Text bei Matthaeus Paris von allen im Druck greifbaren Überlieferungen weitaus der schlechteste ist. Diese Tatsache läßt sich in groben Zügen aus dem Apparat der MGH-Ausgabe erahnen; daß CM einen nicht benutzbaren Text enthält, ist bekannt [76]. Bislang fehlt aber der Versuch, die Stellung der Überlieferung von „Sacro presente concilio" in CM zu klären.

Außer in CM ist die Absetzungsbulle auch in der Chronik von Melrose enthalten; das PRO verwahrt ferner eine weitere, zeitgenössische Abschrift. Obwohl die Chronik von Melrose gedruckt ist [77], wurde der Text von den verschiedenen Editoren der aufgeführten Drucke von „Sacro presente concilio" nicht zu Vergleichszwecken herangezogen. Das MS. der Chronik von Melrose ist über Jahrzehnte hinweg fortlaufend von verschiedenen Schreibern fortgeführt [78] und reichte nach dem Urteil der Editoren von 1936 ursprünglich bis 1263 [79]. Die Lage G des MS. der Chronik von Melrose ist in mehreren Händen semi-kursiven Typs

S. 93 Z. 15 exinanitiones exinanitionem
(Die Verderbtheit der Lesarten verschiedener weiterer Überlieferungen wird hier in Epp. bei A. h.) erkennbar. Raynaldus gibt übrigens die Endung -em, beruft sich also nicht auf Reg. Vat., vgl. Epp. 2, S. 88 *praefatio.)*
S. 94 Z. 4 quibus ad quos
(so auch andere MSS., vgl. Epp. A. b)
An einer Stelle scheint Alberigo ex 3 Orig. gegen CM und Reg. Vat. eine falsche Lesart zu geben:
Epp. S. 92 Z. 7 „convocari" (so auch CM), Alberigo „convocati". Ob dies einen Lesefehler (Druckfehler?) des Hrsg. darstellt oder aus den MSS. eindeutig so hervorgeht, kann ohne Überprüfung an den Originalen nicht gesagt werden. Unklar ist auch, warum Alberigo an der Stelle Epp. S. 90 Z. 11 f. „coram ... Gregorio ... diacono cardinali" statt dessen „Gregori*um*", aber dann mit den folgenden Ablativen liest.

[76] Vgl. *Alberigo,* S. 276: „Difficilis est traditio textus huius bullae et illius editiones mendosissimae sunt", mit Hinweis auf *Kuttner,* L'édition romaine des conciles généraux et les actes du premier concile de Lyon (1940), S. 55–58.

[77] *Stevenson* (Hrsg.), Chronica de Mailros, S. 164–171. Der Druck nach dem einzigen MS. BL Cotton Faustina B ix weicht jedoch von dem Text des MS. selbst gelegentlich unbegründet (und ohne Hinweis) ab, so daß für Lesartenvergleiche die Faksimile-Edition von *A. O. Anderson* u. a. (Hrsg.), The Chronicle of Melrose (1936) zu verwenden ist; dort die Absetzungsbulle S. 97–101 = MS. fol. 50r–52r (neueste Foliierung; bei Stevenson noch eine alte Foliierung, ebenfalls an den oberen äußeren Ecken, aber durchgestrichen = fol. 49r–51r. Eine weitere obsolete Foliierung am unteren Blattrand).

[78] *Anderson,* S. XXVI ff.

[79] Ebd., S. XV. In demselben Codex ist auch eine Fortsetzung der St. Albans-Chronik (Rishanger) mitgebunden, vgl. *Planta,* Catalogue of Cotton MSS., S. 607 f., doch ist diese Verbindung künstlich.

geschrieben [80], wie sie in dieser Ausprägung auch später in der Melrose-Chronik nicht auftreten. Die späteren Fortsetzungen weisen Charakteristika von weitaus stärker formalisierten Buchschriften auf. Der Quaternio G enthält nun die politisch bedeutsamen Dokumente der Jahre 1244/45, die in die Chronik Eingang gefunden haben, während im übrigen nur wenige derartige Stücke enthalten sind [81]. Man muß damit rechnen, daß dieser Teil dem MS. nicht ursprünglich angehörte und nicht im Scriptorium von Melrose geschrieben wurde [82], daß also in Melrose der Quaternio nach Erhalt der dortigen Chronik eingefügt wurde.
Der Quaternio enthält [83]:

fol. 47^{v}–49^{r}: ein Schreiben des Patriarchen Robert von Jerusalem (und anderer) an Innozenz IV. vom 21. September 1244 (BF *deest*) = *Stevenson,* S. 156–162 = *Anderson,* S. 91–95;

fol. 49^{r}: ein Schreiben, vermutlich des Erzbischofs von Tyrus = *Stevenson,* S. 163 = *Anderson,* S. 95;

fol. 49^{v}: verschiedene Notizen, die eine Herkunft aus Frankreich nahelegen (Abtswechsel in St. Servanus [84], Ankunft Innozenz' IV. in Frankreich, Krankheit Ludwigs IX.);
dann: der Brief Friedrichs II. an Ludwig IX. BF 3461, nur aus dieser Quelle überliefert (daraus HB 6, S. 261) = *Stevenson,* S. 164 = *Anderson,* S. 96;

fol. 50^{r}–52^{r}: „Sacro presente concilio“ = *Stevenson,* S. 164–171 = *Anderson,* S. 97–101;

fol. 52^{v}–53^{v}: BF 3495 = *Stevenson,* S. 171–176 = *Anderson,* S. 102–104.

Die erhaltenen Blätter dieses Teils der Melrose-Chronik sind vor 1263/64 geschrieben: fol. 53^{v} enthält am oberen Rande die Notiz „Iam regnavit Henricus rex Anglie filius Johannis regis xlvii a[nnos]“ [85]. Am unteren Seitenrand steht in vermutlich derselben (nicht mit dem Schreiber der Briefabschriften identischen) Hand: „Alexander rex Scocie“. Der heutige Quaternio ist also zu der angegebenen Zeit mit großer Wahrscheinlichkeit bereits in Melrose gewesen. Die Herkunft der Blätter läßt sich nicht klären. Für BF 3495 war eine stemmatische Einordnung versucht worden [86], die aber die Frage nach einem möglichen Entstehungsort

[80] Dies ist besonders deutlich auf den Seiten zu 1245, vgl. *Anderson,* S. LIX.

[81] Ebd., S. XX.

[82] Die kurzen annalenartigen Notizen zur schottischen Geschichte (in anderer Hand) am Anfang und Ende des Quaternio, fol. 47^{r} und fol. 54 wären demnach erst nachträglich hinzugefügt.

[83] Vgl. *Anderson,* S. XX.

[84] Es dürfte sich um das nordfranzösische Saint-Servain handeln. Nicht ganz ausgeschlossen werden kann, daß die Notiz sich auf das schottische Kloster Culross, Fife, bezieht, mit einem St. Servanus (St. Serf)-Patrozinium; Mitteilung Dr. J. E. Sayers.

[85] *Anderson,* S. LX; das 48. Regierungsjahr Heinrichs III. dauerte vom 28. Oktober 1263 bis 27. Oktober 1264; vgl. *Cheney,* Handbook of Dates, S. 19.

[86] Vgl. oben S. 79–83.

nicht beantwortete. Da die Lage G der Melrose-Chronik eine Reihe von Materialien enthält, die vor allem in Frankreich zugänglich sein mußten, wäre eine Entstehung dieser Nachrichten im Kreise englischer Konzilsteilnehmer denkbar. Ob „Sacro presente concilio" und BF 3495 ursprünglich dazu zählten, läßt sich nicht sagen; es bleibt unbekannt, ob die uns als Lage G entgegentretende Sammlung in dieser Form originär oder bereits Abschrift ist; auch eine *compositio mixta,* die aus unterschiedlichen Vorlagen schöpft, wäre denkbar.

Anhand des Textzustands von „Sacro presente concilio" läßt sich keine dieser Vermutungen sicher bestätigen. Die Melrose-Chronik enthält, wenn man die Fehler der Stevenson-Edition nach dem MS. emendiert, meist einen ordentlichen Text, der von allen Überlieferungsformen der bei Alberigo edierten am nächsten kommt [87]. Allerdings fehlen vereinzelt Wörter, und an einer Stelle ist eine längere Passage ausgelassen [88]. Es gibt keinen typischen Fehler, den der Text mit den genannten Überlieferungsformen gemeinsam hätte, so daß sich im Hinblick auf den in CM vorgefundenen Text keine Erkenntnismöglichkeiten ergeben.

Das im Public Record Office verwahrte MS.[89] ist dort in die künstliche Dokumentenklasse SC 7 (Papsturkunden) eingefügt worden, obwohl es sich nicht um eine Originalurkunde handelt, sondern um eine Abschrift. Der Text ist im allgemeinen ordentlich – ein Zusammenhang mit den anderen in England zu findenden Versionen ist nicht ausgeschlossen, aber auch nicht nachweisbar. Jedenfalls zeigen sowohl die Londoner Abschrift als auch die Chronik von Melrose, daß „Sacro presente concilio" im wesentlichen unverfälscht nach England gelangte.

Demgegenüber ist die Absetzungsbulle in CM, obgleich sie aus chronologischen Gründen (Abfassungszeit von MS. B) recht bald in St. Albans bekannt wurde, erheblich verändert. Matthaeus Paris hat seinen Text zwar nicht durch Interpolationen „bereichert", aber CM enthält eine große Anzahl von verderbten Stellen, die sich in den anderen MSS. nicht finden. Es handelt sich häufig um

[87] Einige charakteristische Abweichungen, die in der Überlieferung sonst nicht auftreten:

MG Epp. saec. XIII 2	Chron. Melrose (hrsg. v. Stevenson)
S. 91 Z. 11 conditione	S. 168 Z. 12 contradicione
S. 91 Z. 17 postmodum	S. 168 Z. 19 postremum
S. 91 Z. 38 earum	S. 169 Z. 7 ecclesiarum
S. 92 Z. 25 ipsorumque	S. 170 Z. 6 eorumque
S. 92 Z. 38 asseritur	S. 170 Z. 21 fertur
S. 93 Z. 28 omnes qui	S. 171 Z. 22 cives.

[88] Bei *Stevenson,* S. 168 Z. 29 (und im MS.) fehlt nach „ecclesiasticis" die Passage MG Epp. saec. XIII 2, S. 91 Z. 26–28 „ac rebus – questio".

[89] PRO Papal Bulls SC 7 64/47; frühere Signaturen T. G. 41 403; Exch. K. R. Misc. 896 and 7.

Es handelt sich um eine Abschrift um die Mitte des 13. Jahrhunderts in einer semikursiven *court-hand,* ca. 55 × 18 cm hoch, in der Mitte einmal nach innen geknickt, mehrere Flecken. Der linke Rand ist in der Mitte beschädigt.

Mängel, die auf einen besonders unfähigen oder sorglosen Kopisten schließen lassen [90]:

CM 4			Epp. saec. XIII (u. a.)		
S. 445	Z. 20	sempiternam et ad Apostolicae dignitatis	S. 88	Z. 26 f.	(„et" *deest*)
	24	(*deest:* „merita)		29	discernere merita et
	30	diu		33	dira
446	6	(*ins.:*) abbatem	89	4	(*deest*)
	20	ut eos		13	eum ut illos
	28	etiam		18	ecclesia
	28	ecclesia		18	(*deest*)
447	23	juxta multitudinem		35	maxima multitudine
	25	convenirent		36	convenerant
	28	judices et procuratores		38	iudices, nuntios et procuratores
451	1	eundem	91	21	eum
	13	civilis		28	civiliter
	15	eis		29	eisdem
	24	eadem		35	eiusdem
452	31 f.:	et clericorum, aqua diversis partibus ad sedem Apostolicam venientium, captiones, ...	92	19 f.:	et clericorum ac aliorum etiam diversis temporibus
	35	asseruit		22	asseveravit (Epp.) asseveraverit (Alberigo)
453	29	adjuratoribus	93	1	adiutoribus (SC 7 64/47: autoribus)
	32	neglecta salutis suae et famae integritate		3	neglector salutis et fame
454	2	injuriis		5	misericorditer
	8	nunc		8	nonne
	10	vocabulo jus		10	vocabulo illos ius
	14	spirituale		13	speciale
	24	squinatorum		19	squifatorum
455	4	absolvimus		29	absolventes
	14 f.:	decimo septimo Kalendas Augusti	94	7 f.:	xvi.

[90] Hörfehler bei Diktatvervielfältigung sind in diesem Falle ausgeschlossen; die Lesarten deuten auf typische Versehen beim Abschreiben hin.

Da Matthaeus Paris solche Fehler gewöhnlich nicht in derartiger Häufung unterlaufen (seine Veränderungen sind ja oft als Ausdruck individuellen Stilwillens erklärbar), ist es – zumal angesichts der Bedeutung des Stückes, die den Chronisten wohl zu Sorgfältigkeit veranlaßt hätte – durchaus wahrscheinlich, daß ein dazwischengeschalteter Kopist für einen großen Teil der absurden Versehen verantwortlich zu machen ist.

In St. Albans lag also eine schlechte Abschrift einer nach England gekommenen Fassung vor. Diese Erkenntnis hat insofern Weiterungen, als die Absetzungsbulle in der Chronik eingebunden in eine Erzählung der Ereignisse des Lyoner Konzils und in die Konzilskonstitutionen überliefert ist [91]. Diese drei Teile sind stets als Einheit betrachtet worden – in der Forschung sind jedenfalls keine Zweifel daran geäußert worden. Der Konzilsbericht gilt allgemein als nicht zuverlässig, wie bereits dargestellt wurde. Die Textqualität der Absetzungsbulle in CM ist außerordentlich schlecht. Demgegenüber ist nun das Phänomen zu erklären, daß die Konzilskonstitutionen in CM einen sehr frühen, vor allen anderen bekannten Fassungen liegenden Textzustand darstellen. (Dies betrifft nicht Lesarten, sondern Inhalt und Anordnung der Konstitutionensammlung.)

Stephan Kuttner, der die Überlieferungslage der Canones von Lyon I im wesentlichen geklärt und die Eigentümlichkeiten der verschiedenen Textzeugen untersucht hat [92], ist zu folgender Einordnung gekommen: Die älteste „amtliche" Sammlung (Coll. I) wurde wenige Wochen nach dem Ende des Konzils am 25. August 1245 den Universitäten übersandt [93]. (Alle später wirksam gewordenen Sammlungen: Coll. II, Coll. I + II, Coll. III und Liber Sextus können hier außer Betracht bleiben.) Die bei Matthaeus Paris überlieferte Canonessammlung ist gegenüber Coll. I sehr unvollständig und gegenüber Reg. Vat. z. T. inhaltsverschieden [94], sowie gegenüber diesen beiden in der Anordnung unterschiedlich. Kuttner verwarf aber die zunächst denkbare Möglichkeit, Matthaeus Paris habe nur eine Auswahl geboten und diese dann in der Anordnung „künstlich verwirrt" sowie Präambeln hinzuerfunden [95], nicht zuletzt aus dem Grunde, weil dann auch Reg. Vat. eine ebensolche mutwillig veränderte Auswahl darstellen

[91] CM 4, S. 430–445 der Bericht; darin enthalten ein Brief der englischen Barone an den Papst mit Beschwerden über Geldforderungen der Kurie, S. 441–444.
CM 4, S. 445–455 folgt die Absetzungsbulle;
S. 456 Reaktion des Th. von Suessa auf die Absetzung
S. 456–472 die Konzilscanones
S. 473 Ende des Konzils.
Vgl. dazu *Kuttner*, Studia et Documenta ... 6, S. 77 ff.

[92] Ebd., S. 70–131. Ich kann die dort benutzte Lit. hier nicht aufführen. Einen Überblick über die textgeschichtlichen und editorischen Probleme der Canones gibt *Alberigo*, S. 274–276.

[93] *Kuttner*, wie oben, S. 71.

[94] Ebd., S. 98.

[95] Ebd., S. 91.

müßte (was innerhalb der päpstlichen Kanzlei kaum anzunehmen sei). Eine parallele Auflistung des Inhalts und der Reihenfolge der Canones, wie sie in CM, Reg. Vat. und Coll. I enthalten sind [96], führte zu dem Schluß, daß die ersten zehn Konstitutionen (Kuttner: M 1–10) in CM [97] der älteste rekonstruierbare Bestand seien, der möglicherweise auf dem Konzil promulgiert wurde. In Reg. Vat. sind diese Nummern enthalten, aber anders angeordnet. Reg. Vat. stellt nach Kuttner eine nach M 1–10 liegende Rezensionsstufe dar, jedoch vor Coll. I, die in ihrem Bestand im wesentlichen (mit einigen Ausnahmen) M 1–19 und Reg. Vat. zusammenfaßt. Ob M 11–19 in CM als homogene Einheit mit den ersten zehn Teilen von Anfang an verbunden war, mußte Kuttner offenlassen; es gelang ihm aber, den vorkonziliaren Ursprung dieser Konstitutionen zu zeigen [98].

Die M 1–19 vorgeschaltete Kreuzzugskonstitution [99] „Afflicti corde" findet sich auch in Reg. Vat., wird jedoch bei der Zusammenstellung von Coll. I ausgeschieden. Kuttner ist dies natürlich nicht entgangen [100], doch versuchte er nicht zu erläutern, warum CM dieses Einzelstück derartig aus dem Zusammenhang gerissen vorwegstellt. Die wahrscheinlichste Erklärung für diesen Sachverhalt ist aus der Tatsache zu entnehmen, daß dieser Kreuzfahrererlaß ebenfalls separat in die Annalen von Burton Eingang gefunden hat [101]. Dort sind die eigentlichen Canones nicht überliefert, nur dieses eine Stück. Daraus läßt sich schließen, daß dieses Aktenstück in England einzeln zirkulierte und so beiden Chronisten zugänglich wurde. Bei Alberigo zeigt sich anhand des Lesartenapparats, daß CM und die Annalen von Burton fast stets übereinstimmen, daß also eine enge Verwandtschaft anzunehmen ist.

Nach den bisherigen Feststellungen enthält CM über das Lyoner Konzil also:
- einen nicht immer schlüssigen Bericht über die Konzilsereignisse,
- eine äußerst schlechte Version der Absetzungsbulle,
- den in England separat verbreiteten Kreuzfahrererlaß,
- die Konzilskonstitutionen in der frühesten erschließbaren Fassung (wie sie möglicherweise promulgiert wurden).

Angesichts dieser Zusammenstellung ist es unmöglich anzunehmen, Matthaeus Paris gebe nur einen geschlossen vorgefundenen Überlieferungsblock wieder. Schon der aus dem Zusammenhang gerissene Kreuzfahrererlaß widerspricht dem. Außerdem ist es unwahrscheinlich, daß eine – allem Anschein nach – aus Kreisen von Konzilsteilnehmern erlangte und in Lyon hergestellte Abschrift der Kon-

[96] Ebd., S. 98–101.

[97] CM 4, S. 462–466.

[98] *Kuttner,* wie oben, S. 103–106.

[99] CM 4, S. 456–462; vgl. *Kuttner,* wie oben, S. 80 (R 17); *Alberigo,* S. 276.

[100] *Kuttner,* wie oben, S. 78, 98 (Tabelle).

[101] Ann. mon. 1, S. 267–271. Dort folgt anschließend der in Lyon gegebene Tartarenbericht eines russischen Erzbischofs. Edition von „Afflicti corde" aus Reg. Vat., CM und Ann. Burton bei *Alberigo,* S. 297–301 mit Lesarten.

stitutionen von Anfang an mit einem derart verderbten Text der Absetzungsbulle verbunden gewesen sein soll. Matthaeus Paris ist demnach als der Urheber des uns in CM entgegentretenden Überlieferungsblocks zu betrachten. Er schöpfte dabei aus verschiedenen und unterschiedlich guten Quellen. Die Konstitutionen gehen mit einiger Sicherheit auf eine Abschrift durch Konzilsteilnehmer zurück. Bei Matthaeus' Bericht über den Fortgang des Konzils ist ebenfalls an einen Augenzeugen als Ursprung zu denken, ohne daß dessen Darstellung (oder die Wiedergabe durch Matthaeus) immer erwiesenermaßen richtig sind. Die beiden anderen Texte (Absetzungsbulle und Kreuzfahrererlaß) besorgte sich der Chronist aus in England umlaufendem Abschriftenmaterial und fügte sie seiner Erzählung ein.

Exkurs: Teilnehmer des Lyoner Konzils als mögliche Informanten von Matthaeus Paris

Den Personenkreis einzugrenzen, über den ein Text wie die Konzilskonstitutionen nach St. Albans gelangt sein könnte, ist naturgemäß schwierig – schon wegen der großen Zahl der Konzilsteilnehmer. Aus England war fast der gesamte hohe Klerus angereist [102]; nur wenige fehlten, denen ein päpstlicher Dispens erteilt worden war [103]. Unter den letzteren befand sich der Abt von St. Albans, der aber Vertreter entsandte [104]. Sie als Überbringer von Nachrichten aus Lyon ins Auge zu fassen, ist gewiß naheliegend. Matthaeus erwähnt aber lediglich die Beauftragung eines Klerikers und eines Mönches mit der Vertretung von St. Albans auf dem Konzil, ohne sie an irgendeiner Stelle als Gewährsleute in der Chronik zu nennen.

Von den englischen Konzilsteilnehmern käme als Informationsquelle wohl mit gewisser Wahrscheinlichkeit Bischof Robert Grosseteste in Betracht [105], dessen Kanzlei bereits als Weiterleitungsinstanz für mehrere päpstliche Schreiben identifiziert werden konnte. Grosseteste war bereits Mitte November 1244 von Eng-

[102] Eine Aufstellung der Teilnehmer finde ich in der Lit. nicht vor. Man kann zahlreiche Teilnehmer erschließen, die in Chroniken oder Briefen als anwesend bezeichnet werden, z. B. mehrere Bischöfe, die in Potth. 11611 eingangs erwähnt werden, CM 4, S. 555; vgl. *Lunt,* Financial Relations, S. 215. Auch die englischen Laien waren vertreten, ebd., S. 148; *Powicke,* King Henry III, S. 356–358.

[103] CM 4, S. 413 f.; der Papst dispensiert mehrere Prälaten, Potth. 11669.

[104] CM 4, S. 430.

[105] Der alte Grosseteste war in Lyon das Haupt des englischen Episkopats, 1245 ein nachdrücklicher Verfechter der Linie des Papstes in kirchenpolitischen und -rechtlichen Fragen, vgl. *Dehio,* S. 23–25.

land an die Kurie aufgebrochen [106] und hielt sich seit Januar 1245 in Lyon auf [107]. Grosseteste erhielt von Innozenz IV. in Lyon nach dem Konzil die Erlaubnis, Klöster in seiner Diözese zu visitieren, womit ein langer Streit zwischen ihm und dem Abt von Bardney entschieden wurde [108]. Dieses päpstliche Mandat fand auch in die Chronik von St. Albans Einlaß [109], zweifellos über Lincoln. Insofern ist als Hypothese zu erwägen, daß diesen Weg auch weitere Schriftstücke des Konzils, etwa die Konstitutionen in der Fassung von CM, genommen haben könnten.

In Lyon bestanden reiche Kontaktmöglichkeiten mit Prälaten und Klerikern aus fast allen Teilen der lateinischen Kirche, so daß es nicht überraschend ist, wenn auch die anwesenden englischen Teilnehmer sich dieser Informationsquellen bedienten. Einer der wenigen nicht anwesenden Kardinäle war Rainer von Viterbo [110], der unbeugsame Feind des Kaisers. Er hatte die päpstliche Stellung in Italien zu wahren, versuchte aber aus der Ferne die Verhandlungen durch Flugschriften in seinem Sinne zu beeinflussen und entsandte auch Kanzlisten aus seinem Haushalt an den Tagungsort. Daß Nachrichten auf irgendeinem Weg von der Entourage dieses Rainer von Viterbo in die Chronik des Matthaeus Paris gelangten, hat erstmals E. von Westenholz erkannt [111]. Aufbauend auf Forschungen ihres Lehrers Karl Hampe [112] wies sie nach, daß über Rainer in den Chronica majora Nachrichten enthalten sind, die sich teilweise inhaltlich mit den Flugschriften [113] decken, deren Urheberschaft Hampe in der Umgebung des

[106] CM 4, S. 390 f.

[107] Als Ankunftstag nennt *Thomson*, The Writings of Robert Grosseteste, S. 210 (zu ep. 113) den 7. Januar.

[108] *J. H. Srawley*, Grosseteste's Administration of the Diocese of Lincoln, in: Robert Grosseteste, Scholar and Bishop, hrsg. v. *D. A. Callus* (1953), S. 154 f.; für die Fundstellen bei Matthaeus Paris vgl. den Registerband, CM 7, S. 358. St. Albans war als exemptes Kloster von dem Fall nicht direkt betroffen.

[109] CM 4, S. 497–501 = Potth. 11833.

[110] *J. Maubach*, Die Kardinäle und ihre Politik um die Mitte des XIII. Jahrhunderts (1902), S. 5 f. Die Biographie von *E. von Westenholz*, Kardinal Rainer von Viterbo (1912) ist noch nicht ersetzt.

[111] *Westenholz*, S. 175–182.

[112] *K. Hampe*, Über die Flugschriften zum Lyoner Konzil von 1245, in: HVj 11 (1908), S. 297–313.

[113] Es sind:

1. Die „Programmschrift" BF 7548 = Hampe A = *Winkelmann*, Acta 2 Nr. 1037 II, S. 717–721;
2. die zweite Flugschrift BF 7549 = Hampe B = *Winkelmann*, Acta 1 Nr. 723, S. 568–570;
3. das zu letzterer gehörige Begleitschreiben BF 7550 = Hampe C = *Winkelmann*, Acta 2 Nr. 1037 I, S. 709–717 (aus Vat. Pal. lat. 953);
4. die „relatio" über Viterbo BF 13481 = Hampe D = *Winkelmann*, Acta 1 Nr. 693, S. 546–554 (aus Vat. Pal. lat. 953).

Kardinals festgestellt hatte. Rainer selbst war zwar nicht zum Konzil gekommen, hatte aber Kleriker aus seinem Haushalt gesandt, die mindestens bis zum Jahresende 1245 in Lyon blieben. Dort entstand in ihrem Kreise noch die Propagandaschrift „Eger cui lenia“ (BF 7584 = Potth. 11848), wie Herde zeigen konnte [114].

Matthaeus Paris erwähnt zwar nicht die Anwesenheit der Kapläne Rainers im Kontext seines Konzilsberichts, hat aber nach seinen eigenen Worten eine Nachricht zu einem früheren Jahr über den Kleriker Thomas, einen Kaplan Rainers, bezogen. Über die Reise und Festnahme der 1241 von Genua aus zu dem von Gregor IX. anberaumten Konzil zu Schiff anreisenden Prälaten berichtet Matthaeus Paris ausführlich [115]. Nach der Niederschrift im MS. B kamen dem Chronisten weitere Einzelheiten zu Ohren, die er an der entsprechenden Stelle des MS. (fol. 146^{v}) am unteren Rand hinzufügte:

Nota praelatorum miseriam.
Secundum assertionem fratris Thomae capellani Reineri de Biterbio, qui fuit unus de incarceratis, fuerunt intrusi et inclusi plus quam sexaginta praelati, scilicet legati, cardinales, archiepiscopi, episcopi, abbates, in una domo non ampla apud Neapolim, qui omnes ut porci vestiti glomeratim jacuerunt, donec divisi alibi incarcerabantur [116].

Die Worte „secundum assertionem“ sind – da für ein direktes Treffen zwischen Thomas und Matthaeus Paris keinerlei Anhaltspunkte bestehen – so zu verstehen, daß ein Gewährsmann des Chronisten (also wohl ein nach Lyon gereister Engländer) von Thomas die Mitteilungen erhalten hatte. Den Kaplan Thomas als Quelle hat Westenholz auch für die Notiz über die sybillinische Prophezeihung zur Gefangennahme der Prälaten wahrscheinlich gemacht [117]. Ihr Befund ist dahingehend zu ergänzen, daß die Prophezeihung im MS. an derselben Stelle (fol. 146^{v} *in marg.*) nachgetragen ist, und daß also bereits der paläographische Eindruck den Zusammenhang beider Zusätze nahelegt. Noch ein weiterer, in das Jahr 1243 gehörender, Bericht in CM ist vermutlich auf den Umkreis Rainers von Viterbo zurückzuführen. In erstaunlicher Breite schildert Matthaeus Paris den Abfall Viterbos vom Kaiser und den Übertritt der Stadt ins päpstliche

Zur Einordnung und Datierung der Flugschriften vgl. außer Hampe auch *Westenholz*, S. 108 ff., dort die ältere Lit. Weitere Lit. bei *Herde*, DA 23, S. 494 A. 101.

[114] *Herde*, DA 23, S. 499–506.

[115] CM 4, S. 120–125; dann 4, S. 126–129 das kaiserliche Manifest BF 3205 = PdV I 9 zur Seeschlacht von Monte Christo; 4, S. 129 f. die Inhaftierung der Geistlichen in Neapel.

[116] CM 4, S. 130. Der Kaplan Thomas wird auch von *Vaughan*, Matthew Paris, S. 17 als Informant aufgeführt.

[117] *Westenholz*, S. 175 f.; nach *Holder-Egger*, NA 15 (1890), S. 148 liegt dies vor der ältesten Fassung der Sybilla Erithrea. *Schnith*, England, S. 105 A. 238, 156 A. 55, 56; der dort gegebenen Datierung 1252–1254 für die Prophezeihung kann ich mich nicht anschließen; vgl. *Schaller*, FS Heimpel 2, S. 930.

Lager[118]. Zwischen CM und der Darstellung eines Kanzlisten Rainers in der „Relatio" über Viterbo BF 13481 bestehen, wie die Untersuchung von Westenholz ergab, deutliche inhaltliche Ähnlichkeiten, so daß die Biographin bereits einen wie auch immer gearteten Zusammenhang zwischen der „Relatio" und dem Bericht in CM vermutete[119]. Einer ihrer Anhaltspunkte hierfür war der Kommentar in CM über die Verdunkelung des kaiserlichen Ruhms am Ende der Erzählung[120]; Matthaeus übernahm hier die in den Flugschriften Rainers BF 7548, 7549 formulierten Anklagen gegen den Kaiser. Bemerkenswert ist, daß dieser Abschnitt über den Abfall der Stadt Viterbo vom Kaiser in der Chronik nicht am Rande nachgetragen ist, sondern in den fortlaufenden Text eingearbeitet ist. Die Niederschrift der Annale zu 1243 in B erfolgte frühestens 1246. Matthaeus Paris hätte demnach seinen Text für 1241 bereits in B niedergeschrieben, als er die von dem Kaplan Thomas herrührenden Ergänzungen erhielt, nicht aber den Text für 1243. Die Anwesenheit von Rainers Klerikern in Lyon 1245, die dort als Informanten dienten, deckt sich mit den Beobachtungen zur Entstehung der einzelnen Teile von B.

Überraschend ist bei alledem, daß die von Rainers Kanzlisten verfaßte Kampfschrift „Eger cui lenia" BF 7584 offenbar den in Lyon anwesenden Engländern nicht zur Kenntnis gekommen wäre – von ihr findet man auch in CM keine Spur. Herde hatte damit seine Theorie der Nichtausfertigung von BF 7584 zu untermauern versucht[121]. Dabei übersah er allerdings eine naheliegende Möglichkeit: daß die an den Aktenstücken und Flugschriften des Jahres 1245 interessierten englischen Konzilsteilnehmer vor der Abfassung des später als alle anderen erörterten Stücke entstandenen Pamphlets Lyon bereits verlassen haben könnten[122]. In diesem Zusammenhang ist nochmals auf die Person des ebenfalls in Lyon weilenden Passauer Erzdiakons Albert von Behaim zu verweisen, der dort die ersten Teile seines Briefbuches anlegte und BF 3495, 3541, 7584 darin aufnahm[123], aber auch die von Kardinal Rainer nach Lyon geschickten Flugschriften BF 7548 und 7550. Albert stand in Lyon nicht nur mit der Gruppe um die Anhänger Rainers von Viterbo in Verbindung, sondern auch – auf eine nicht näher beschreibbare Weise – mit anwesenden Engländern. Auf diesem Weg wurde ihm der Text von BF 3495 „Etsi causae" (mit der Inskription an den englischen Adel) zugänglich; die in Alberts Briefbuch abgeschriebene Fassung konnte in

[118] CM 4, S. 266–268.

[119] *Westenholz*, S. 178 f.

[120] CM 4, S. 268: „Denigrata est fama ...".

[121] *Herde*, DA 23, S. 487 f.

[122] Es ist aber nicht restlos auszuschließen, daß die Texte von „Eger cui lenia" in den österreichischen MSS. (Wilh. 60, Wien 590, Baumgartenberger Formelbuch) doch auf Empfängerüberlieferung zurückgehen. Im Anhang von MS. Wien 409 findet sich das Pamphlet mitten in der „englischen" Überlieferungsgruppe, vgl. *Baerwald*, S. 435.

[123] *Herde*, DA 23, S. 504 f.

ihrem stemmatischen Zusammenhang mit den anderen englischen Überlieferungen gezeigt werden [124]. Albert hatte also in Lyon Kontakt mit Rainers Gefolgsleuten und mit englischen Konzilsteilnehmern. Man hat sich vorzustellen, daß die klar päpstlich gesonnene Gruppe in Lyon ständig Wissen und Material austauschte [125]. Wie im einzelnen dann die Weiterleitung der Materialien von Lyon nach England erfolgte, ist nicht rekonstruierbar [126, 127].

[124] Vgl. oben S. 79–83.

[125] Es ist merkwürdig, daß auch in Kardinal Rainers Briefbuch, Vat. Pal. lat. 953 das Manifest BF 3541 mit den Lesarten von CM im Exordium erscheint, vgl. oben S. 84 und A. 130.

[126] Daß sporadisch auch nach der Abreise der Konzilsteilnehmer nach Lyon gerichtete Briefe in England bekannt wurden, zeigt der Brief Rainers von Viterbo an den Papst über die Hinrichtung des Bischofs von Arezzo durch die kaiserliche Partei BF 13657 in CM 5, S. 61–67 zu 1249.

[127] Ungeklärt bleiben muß auch, auf welche Weise Matthaeus Paris in den Besitz zahlreicher Nachrichten über Personen an der Kurie, insbesondere Kardinäle, kam, die ihm in St. Albans nicht ohne weiteres zugänglich sein konnten. So haben die prosopographischen Studien von *A. Paravicini Bagliani,* Cardinali di Curia ... 1 (1972) ergeben, daß Matthaeus' Wissen über den Personenkreis der Kardinäle ganz erstaunlich detailliert gewesen ist. Das Register von Paravicini Baglianis Buch verzeichnet im übrigen s. v. Matth. Parisiensis die im Text aus CM gegebenen Belegstellen nicht vollständig.

IX. Schlußbemerkung

Am Ende einer solchen Spezialuntersuchung mit vielen Seiten voller Lesartenbefunde fragen sich Leser (und Autor) nach deren über den Gegenstand selbst hinausweisenden Wert. Wenn Textkritik um ihrer selbst willen betrieben wird, ist sie zwar nützlich, aber doch eher Vorarbeit für eine Edition, als Stoff für eine Monographie. – Aber was für den Kriminalisten Fingerabdrücke, das sind für den Mediävisten oft Lesarten: sie führen zur Identifizierung der „Täter" und der Tatumstände.

In unserem Falle dokumentieren Lesarten ein jahrelanges Bemühen des Chronisten Matthaeus Paris um neue und bessere Informationen. Er beschaffte sich politische Briefe aus dem Umkreis der englischen Behörden, sog auf, was der Haushalt Richards von Cornwall ihm bei Aufenthalten in St. Albans zu bieten hatte, was er von Italien- oder Frankreichreisenden erfahren konnte, was die Templer verbreiteten, oder was irgendein Gast im Kloster gerade zu sagen hatte und zeigen konnte.

Lesarten, die ja oft „Fehler" sind, zeigen uns, wie mühsam es sein mußte genau zu sein, wenn schon die Vorlage es vielleicht nicht war, oder der Kopist *currente digito ac calamo* in Eile sich eine Abschrift beschaffen mußte. Sie helfen auch, den „Täter" zu benennen, wenn unerklärliche, und häufig ungehörige, Zwischenbemerkungen in Briefe eingefügt sind. Und wenn bisher schon manche Spitzzüngigkeit bei Matthaeus Paris verdächtig erschien, so hätte man ihn doch „mangels Beweises" eigentlich freisprechen müssen. Paralleltexte haben ihn erst endgültig überführt. Das heißt nicht, daß Matthaeus damit als Quelle abgewertet wäre; vielleicht erklärt die Dichotomie von mühevoller Informationsbeschaffung und manchmal leichtfertigem Umgang mit den Informationen, von skrupulös sorgfältiger Schedenaufzeichnung und vorgefaßter Meinung auch etwas von der viel zitierten Widersprüchlichkeit der Chronica majora. Inwieweit sich hier persönliches Temperament und verbreitete Ansichten vermischen, müßte einmal eigens untersucht werden.

Ich will die Ergebnisse der einzelnen Kapitel nicht einfach als Schlußbemerkung wiederholen; die folgende englischsprachige Zusammenfassung soll dies auch für die angelsächsischen Leser tun, die diese Veröffentlichungsreihe erreicht.

Nur noch eines zum Abschluß: Es ist sicher ein seltener Glücksfall, nach 700 Jahren die Arbeitsweise eines Chronisten, seine Quellen und Aufzeichnungen, aus solcher Nähe sehen zu können. Nur in wenigen Fällen (wie z. B. *H. Hoffmann,* in: QF 51 [1971] für Monte Cassino im 12. Jahrhundert zeigte) ist der Nachweis eines Chronisten-Schedariums bisher möglich gewesen. Bei der Rekonstruktion von Kanzleivorgängen des 13. Jahrhunderts ist ohne die Annahme solcher Schedarien (wie sie Schaller für das ThdC – PdV Material beschreibt) gar nicht auszukommen. Muß man nicht bei umfangreichen Chroniken ähnliche Vorformen fast stets voraussetzen? Bedeutet das nicht auch, bevor man über die „Tendenz“ manches Autors nachdenkt, seine Informationsquellen und -methoden zu ergründen? Vielleicht muß man dann sagen, daß ein guter Teil der Wahrheit stets auch im „Zettelkasten“ liegt.

X. English Summary

Ch. I: Matthew Paris' place in the tradition of Anglo-Norman historiography.

Matthew Paris, author of a comprehensive universal chronicle, which combined "theological" history with more worldly national history, is particularly famous for the insertion of numerous valuable documents. In collecting his documentary material, Matthew Paris took up a specifically Anglo-Norman tradition evolved in the late 11th and 12th centuries by men like Ordericus Vitalis, John of Salisbury, Henry of Huntingdon, and Ralph Diceto. Except for his immediate predecessor, Roger Wendover, Matthew could not rely on earlier historical work, or continually practised methodical research, in the St. Albans scriptorium. (Followed by a critical account of the textual and editorial history of the Chronica majora and some of its derivatives.)

Ch. II: Assembling material for a chronicle: the beginnings of Matthew Paris.

Pt. i. Matthew Paris, who had already altered and enlarged upon the last portion of Wendover's chronicle, is responsible for the whole text from mid-1235. A theory put forward by Kay (EHR, 1969) implying a takeover by Matthew during the 1234 annal is erroneous on several grounds: it presupposes a more or less immediate continuation by Matthew, and it argues, against all codicological reason, with space left at the end of a MS. This disregards the fact that the individual quires of a MS. could be bound up or severed, as convenience required. The history of Matthew's Liber Additamentorum, as shown by Richard Vaughan, proves this for St. Albans.

Pt. ii. Several mentionings in Matthew's autograph MS. of historical facts, which are known to have happened at a later date than their entry in the Chronica majora, corroborate that there was a time-lag of some eight years between Wendover's last entry and the beginning of Matthew's continuation in MS. B (C.C.C.C. 16). This theory is also supported by an analysis of the chronological interlocking of MS. B and a volume of poems by Henry of Avranches, also in Matthew's hand (C.U.L. Dd. xi. 78).

Pt. iii. Matthew Paris started collecting his material c. 1237 around the time of the Legate Otho's provincial council held in England. From this year to c. 1243, when the continuation was begun in MS. B, Matthew built up a schedarium, a tremendous stock of notes and of copied documents that were used in MS. B, and probably destroyed later. A similar theory put forward by Vaughan is backed up here by more evidence, and by a comparison with the Dunstable chronicler's contemporary efforts to sort out his *scedulae*, as investigated by Cheney.

Ch. III: Matthew Paris and the Exchequer.

Pt. i. This section outlines the place of the "Red Book of the Exchequer" in the context of that department's history. It argues (as T.F. Tout has shown for periods when King Henry III was abroad, and the Exchequer used for various chancery purposes) that the stationary Exchequer often went beyond its original task, e.g. in copying documents carried by arriving foreign envoys. One compound of documents in the Red Book is also contained in the Chronica majora. This raises the question of the general availability of these texts in England, and of possible connections between these and other contemporary parallel versions.

Pt. ii. A double exchange of letters between Pope Gregory IX and Germanus, the Patriarch of Constantinople, was transcribed into the Red Book as well as CM. The variant readings show that neither can derive from the other, but that both go back to a collection made at the Curia, and entered into the papal register. Luard's collation of the register (in CM 6) brought to light several lengthy interpolations in Matthew's texts of the letters, with a few insidious remarks against the pope. A further comparison now shows that these interpolations are not in the Red Book, so that they must be laid entirely at Matthew's feet. (The texts themselves seem to have reached England in connection with Cardinal Otho's legation to England and the 1237 legatine council.)

Pt. iii. There are several letters from Frederick II's imperial chancery in the Red Book, seven of which were also used by Matthew Paris. Richard Vaughan hinted at a common exemplar, but a study of variant readings has now shown that the relationships are more complicated than has been assumed so far. Both the St. Albans chronicler and the Exchequer scribes used a schedarium at the Exchequer. Where possible, I have tried to show the stemmatic connections in a graphic description. (In some cases, other related English MSS. sources were available as well.) A comparison of these texts from English MSS. (which chiefly go back to delivered letters) with the Petrus de Vinea-letterbook (derived from materials at the imperial chancery through a process not quite explainable) made it possible to identify, in places, common blunders in the English traditions, which have led to my stemmatic theories. Readings from these letters in CM, the Red Book, and other MSS. can also help to clarify doubtful passages in some Vinea letters, where subsequent tampering, and a vast bulk of second and third-rate MSS. have often obscured the original text.

Ch. IV: Matthew Paris and Richard of Cornwall.

Pt. i. Richard of Cornwall's known itinerary in England in the decade before 1250 is very incomplete, but a close relationship between Richard and the monks at St. Albans can be inferred through the detailed account in CM of Richard's crusade. Some of the autograph maps bound up with Matthew's MSS. were also connected, in the chronicler's mind, with Earl Richard (to whom there are some references in these maps).

There is a late-medieval tradition of a "Chapel of the Cross, called the Rood of Cornwaile", at St. Peter's Church in the town of St. Albans; this name seems to go back to some relics deposited there by the earl after his return.

Pt. ii. There are five letters by Frederick II to Richard of Cornwall in CM; all of them are fully dated and bear inscriptions to Richard. In some cases Matthew Paris probably transcribed his texts from the original document; he saw at least two different originals, one bearing a waxen seal (BF 2431), and another one sealed in gold. Matthew's readings are, in spite of nearness to the originals, corrupt in places, but sometimes CM can help to establish a better text for letters in the Petrus de Vinea-collection. I have tried to show this by an edition of BF 2312 from CM with variant readings from three sometimes very corrupt PdV-MSS.

Pt. iii. In the years of political strife in the 1230's, as well as in later years, CM usually adopts Earl Richard's views. This may go back to them being widely accepted in England, but could as well mean that Matthew picked up a lot of his points in conversation with the earl or people from his household. It has to be warned that many of Matthew's political statements may not be entirely his own, after all, but those of his prominent acquaintance.

Ch. V: Further imperial letters in England. An English letter-collection in the German royal chancery of Richard of Cornwall and Rudolf of Habsburg?

Two other widely known imperial manifestoes (PdV I 6, I 7) probably reached England soon after the emperor's excommunication in 1239; a text of PdV I 6 in an Oxford MS. transcribed by Huillard-Bréholles goes back to the same source as CM's exemplar, as both carry the same set of prophetic verses in connection with the letter.

Three more letters, of which no MS. tradition outside CM was known so far, could be traced (though somewhat mutilated) elsewhere. These and several other imperial letters to England form a coherent part in a group of late 13th century MSS. with letterbooks, partly derived from Rudolf of Habsburg's chancery. The only likely explanation for this is that Richard of Cornwall, after being elected King of the Romans, transferred some of his own written material from England to his German chancery, where it survived into later reigns.

Ch. VI: Messengers carrying imperial letters to England. The role of the notary Walter of Ocra.

Letters were carried to their destination by envoys, who were sometimes used as diplomats as well. In some of Frederick II's letters to Henry III, the envoys are named and thus accredited with the recipient. It has been known since

Kantorowicz' paper (MÖIG, 1937) that after Peter de Vinea's stay at the English court in 1235/36 there was a steady flow of persons and information between both courts. After correcting and adding to the evidence given by Kantorowicz, this chapter tries to link stays of imperial envoys (Walter of Ocra, in particular) that are known only from English archival sources, e.g. the Liberate Rolls, with the deliverance of particular letters to England. For most imperial letters of the years 1237–1246, inserted in CM, a likely carrier could be identified.

Kantorowicz claimed that Walter of Ocra stayed in England for most of the year 1244. A close examination of the information in CM reveals that Walter arrived with fresh instructions from the imperial court for the parliament held in September 1244, i.e., he had travelled to Italy and back to London between January and early September.

The chronology of the 1244 parliaments in CM is confused. Walter of Ocra appeared in the September council where the papal nuncio was present as well, and who tried to collect arrears of taxes to Rome not paid during the two years' vacancy of the apostolic see. This parliament is described twice in CM as well as the later council in November when Henry III tried to levy new taxes. This means that the famous "Paper Constitution" rightly attributed by Cheney to the year 1244 is connected with the meeting of the magnates in November.

Ch. VII: Documents on the Tartars and the Holy Land.
Frederick II's letter to Henry III on the Tartar invasion of 1241, a document not preserved elsewhere, is known to have been interpolated by Matthew Paris, who used fragments of the alleged letter of Frederick I to Saladin (inserted in many English chronicles) to embellish his text. A critical analysis identifies sections of the letter that are likely to have been tampered with. Similarly, the letter by Ivo of Narbonne, writing from Austria about the Tartar irruption there and the cruelties committed by their warriors, can be demonstrated to have been enlarged upon by Matthew Paris; and it is the most sadistic and sexually offensive parts that he added.

Most of the information about the state of the Holy Land in CM was probably received through the English dependencies of the Templars and the Hospitallers. One letter, concerning Frederick's 1229 crusade, is discussed here in detail as it has been misinterpreted ever since the "Regesta Imperii" were published. BF 13016 about the invasion of a papal army into Frederick's lands was written not from Italy but from Jaffa, and thus gives an explanation for Frederick's hasty departure from Jerusalem.

Ch. VIII: Papal letters in CM.
After a discussion of the general problems in tracing MSS. sources for papal letters in England, this chapter is devoted to a textual analysis of those contained in CM. Though Luard collated variants from the Vatican Registers in vol. 6 of his edition, he did not correct some earlier erroneous conjectures (cf. "Ascendit

de mari", Potth. 10766). The version of "Sacro presente concilio" (the pronouncement of the emperor's deposition during the Council of Lyons 1245), as entered in CM, is by far the worst of all known traditions. The Lyons constitutions, however, are given in CM in a form earlier than any other, as Kuttner has demonstrated. One may conclude that this time Matthew derived his materials, good and bad, from different sources, and later formed them into one coherent block himself.

Some papal letters in CM do not survive by their own virtue but inserted into other documents ("letter-within-letter"). They seem to have been copied and distributed by English episcopal chanceries, in particular that of Robert Grosseteste at Lincoln. Usually only one copy, or a very small number, of each papal letter, even if addressed to a multitude of people, was dispatched to its destination. The evidence suggests that English bishops' chanceries looked after adequate publication of more important bulls, an activity not noted in earlier times (if the evidence collected by Cheney is exhaustive).

Appendix to Ch. VIII.

Matthew Paris quotes some of his information on the capture of the prelates at Monte Christo 1241 as having been obtained from a chaplain of Cardinal Rainer of Viterbo. This note, as well as one on the Sibilla Erithrea, were written on a margin by Matthew after the completion of his annal for 1241. In 1243, CM is well informed about the siege of Viterbo. As Westenholz (1912) pointed out, Matthew had access to a source near Cardinal Rainer. After comparing her results with those of Herde (1967), it looks probable that this contact was established by members of the English delegation at the Lyons council who met Cardinal Rainer's agents, also present there.

Verzeichnis der Abkürzungen

A.	Anmerkung
AfD	Archiv für Diplomatik
AfKu	Archiv für Kulturgeschichte
Ann. mon.	Annales monastici, hrsg. v. *Luard*
Archiv. Zs.	Archivalische Zeitschrift
AUF	Archiv für Urkundenforschung
Auvray	*L. Auvray* (Hrsg.), Les Registres de Grégoire IX
Berger	*E. Berger* (Hrsg.), Les Registres d'Innocent IV
BF	*Böhmer-Ficker(-Winkelmann),* Regesta Imperii V
BIHR	Bulletin of the Institute of Historical Research
BL	British Library, London
BN	Bibliothèque nationale, Paris
bn	Brevis Nota (über Lyon I)
ClR	Close Rolls Henry III, PRO London
CLibR	Calendar of the Liberate Rolls, PRO London
CM	Matthaeus Paris, Chronica majora, hrsg. v. *Luard*
CPR	Calendar of the Patent Rolls, PRO London
DA	Deutsches Archiv für Erforschung des Mittelalters
Diss.	Dissertation
EHR	English Historical Review
Erg. Bd.	Ergänzungsband
FDG	Forschungen zur Deutschen Geschichte
FS	Festschrift, Essays, etc.
Gesta abbatum	Gesta abbatum Sancti Albani, hrsg. v. *Riley*
Graves	*E. B. Graves,* A Bibliography of English History to 1485
HA	Matthaeus Paris, Historia Anglorum, hrsg. v. *Madden*
HB	*J. L. A. Huillard-Bréholles,* Historia Diplomatica Friderici Secundi
Hrsg.	Herausgeber, herausgegeben
HVj	Historische Vierteljahrschrift
JL	*Jaffé/Löwenfeld,* Regesta pontificum Romanorum (– 1198)
Masch.	maschinenschriftlich
MGH, MG	Monumenta Germaniae Historica
– Const.	Constitutiones et acta publica imperatorum et regum
– Epp. saec. XIII	Epistolae saeculi XIII e regestis pontificum Romanorum selectae
– SS	Scriptores (in folio)

MIÖG, MÖIG	Mitteilungen des Instituts für Österreichische Geschichtsforschung (bzw. 1923–1942: Mitt. d. Österr. Inst.)
Mlat. Jb.	Mittellateinisches Jahrbuch
MPh	Modern Philology
MS., MSS.	Manuskript(e)
NA	Neues Archiv der Gesellschaft für ältere deutsche Geschichtskunde
ND	Neudruck
N. S.	Neue Serie, New Series, etc.
PBA	Proceedings of the British Academy
PdV	Petrus de Vinea; wenn mit Nummer (z. B. I 1) zitiert: *Schard/Iselin*, Petri de Vineis ... Epistolarum ... Libri VI
PL	*Migne*, Patrologia latina
Potth.	*A. Potthast*, Regesta pontificum Romanorum (1198–1304)
PRO	Public Record Office, London
QF	Quellen und Forschungen aus italienischen Archiven und Bibliotheken
RB	Red Book of the Exchequer, hrsg. v. *H. Hall*
Reg. Vat.	Vatikanische(s) Register, zitiert nach MG Epp saec. XIII und CM 6
RS	Rolls Series
S.	auch: Serie, Series, etc.
SB	Sitzungsberichte der Akademie der Wissenschaften ... (phil.-hist. Klasse)
ThdC	Thomas von Capua
TRHS	Transactions of the Royal Historical Society
ZGO	Zeitschrift für die Geschichte des Oberrheins

(Für weitere, mit dem Verfassernamen abgekürzte Zitate vgl. das Literaturverzeichnis.)

Quellen und Literatur

1. Benutzte Manuskripte

(Die Stellen, an denen die MSS. herangezogen sind, sind über das Register zu erschließen; dort auch Fundstellen für weitere, nicht eingesehene, MSS., zu denen die Informationen aus der Lit. entnommen sind.)

Aberystwyth, National Library of Wales, Peniarth MS. 390 C: Cartular der Abtei Burton-on-Trent, s. xiii

Cambridge, Corpus Christi College, MS. 26 (Sigle A): CM bis 1188, s. xiii^{2}

–, Corpus Christi College, MS. 16 (Sigle B): CM 1189–1253, s. xiii$^{2-3}$

–, University Library, MS. Dd. xi. 78: Gedichte (Heinrich von Avranches u. a.) aus St. Albans, s. xiii^{2}

Chatsworth, Derbys. (The Duke of Devonshire): Cartular aus St. Albans, s. xiv ex.

London, BL Add. MS. 25439: PdV (große 6-teilige Sammlung), s. xiv

–, BL Cotton MS. Nero D i (Sigle LA): Liber Additamentorum von Matthaeus Paris, s. xiii$^{2-3}$

–, BL Cotton MS. Nero D v (Sigle C): Abschrift von CM 1189–1250, s. xiii^{3}

–, BL Cotton MS. Otho B v (Sigle O): Wendover, Flores Historiarum, s. xiv

–, BL Cotton MS. Vespasian E iii: Annalen von Burton, s. xiii med.

–, BL Cotton MS. Cleopatra B xii: PdV (kleine 6-teilige Sammlung, fragm.) und 4 weitere Briefe Friedrichs II., s. xiv

–, BL Cotton MS. Faustina B ix: Chronik von Melrose, s. xiii (und Rishanger)

–, BL Hargrave MS. 313: Abschrift des RB, ca. 1252/53

–, BL Harley Charter 43 A 28 (= JL 16992)

–, BL Harley MS. 325, Sammel-MS., darin fol. 209 ff.: PdV (kleine 6-teilige Sammlung) und 4 weitere Briefe Friedrichs II.

–, BL Royal MS. 13 E vi: Ralph Diceto, aus St. Albans, s. xii ex./xiii in.

–, BL Royal MS. 14 C vii (Sigle R): Matthaeus Paris, HA und CM 1254–1259, s. xiii^{3}

–, Lambeth Palace, Papal Document Nr. 53 (= Potth. 15259)

–, PRO C. 53/...: Close Rolls (jährlich fortlaufend numeriert)

–, PRO Exchequer Misc. Books E. 164/2: Red Book of the Exchequer

–, PRO Papal Bulls SC 7	21/12	= Potth.	11773
	21/ 5		11774
	22/34		11775
	21/ 9		11776
	64/47 (Kopie)		11733

Manchester, Chetham's Library MS. 6712 (Sigle Ch): Matthaeus Paris, Flores Historiarum, s. xiii[3] [nicht eingesehen]
München, Bayerische Staatsbibliothek, clm 2574 b: Albert Behaim, Briefbuch, s. xiii [2–3]
–, MGH Phillipps MS. 8390: PdV (große 6-teilige Sammlung), s. xiv
New York: Pierpont Morgan Library, MS. 926: St. Albans Miscellany, s. xi ex.
Oxford, Bodleian Library, MS. Auct. F 1. 8 (Summary Catalogue 2482, *olim* 372): Johann von Salisbury, Arnulf von Lisieux, etc.; fol. 140ᵛ: PdV I 6, s. xiii [2–3]
–, Bodleian Library, Digby MS. 20, fol. 105–109: Briefsammlung aus St. Albans, s. xiii ex.
–, Bodleian Library, Douce MS. 207 (Sigle W): Wendover, Flores Historiarum, s. xiv in.
–, Bodleian Library, MS. Laud 572: Flores Historiarum, s. xiv
Paris, BN lat. 13059: PdV (große 6-teilige Sammlung)
Rom, Biblioteca Apostolica Vaticana, Vat. Pal. lat. 953: Briefbuch Kardinal Rainers von Viterbo, S. xiii [2–3]
–, Biblioteca Vallicelliana, MS. I 29: PdV und Rubrikenverzeichnis einer verlorenen PdV-Sammlung (Vorform große 6-teilige), s. xiii ex.
Troyes, Bibliothèque municipale, MS. 1482: PdV und ThdC, ungeordnet
Wien, Haus-, Hof- und Staatsarchiv, 20. April 1239: Original von BF 2431
–, Österreichische Nationalbibliothek, MS. 590 (*olim* Philol. 305, *olim* Theol. 310): PdV (ungeordnet), s. xiii ex.
Wilhering (OÖ), Stiftsbibliothek, MS. 60: PdV (ungeordnet), s. xiii ex.

2. Gedruckte Quellen

Alberigo, Josephus u. a. (Hrsg.), Conciliorum Oecumenicorum Decreta, 3. Aufl. Bologna 1973
Anderson, Alan Orr u. a. (Hrsg.), The Chronicle of Melrose, London 1936 [Faksimile-Edition]
Arnold, Thomas (Hrsg.), Henrici Archidiaconi Huntendunensis Historia Anglorum, London 1879 (RS 74)
Baerwald, Hermann (Hrsg.), Das Baumgartenberger Formelbuch, Wien 1866 (Fontes Rerum Austriacarum II, 25)
Chaplais, Pierre (Hrsg.), Treaty Rolls preserved in the Public Record Office vol I: 1234–1325, London 1955
–, Diplomatic Documents preserved in the Public Record Office vol I: 1101–1272, London 1964

Chibnall, Marjorie (Hrsg.), The Ecclesiastical History of Orderic Vitalis, Oxford 1969 ff.

Cole, Sir Henry (Hrsg.), Documents illustrative of English History in the Thirteenth and Fourteenth Centuries, selected from the Records of the Department of the Queen's Remembrancer of the Exchequer, London 1844

Coxe, Henry O. (Hrsg.), Rogeri de Wendover Chronica, sive Flores Historiarum, 5 Bde., London 1841–1844

Dörrie, Heinrich (Hrsg.), Drei Texte zur Geschichte der Ungarn und Mongolen: Die Missionsreisen des fr. Julianus O. P. ins Uralgebiet (1234/5) und nach Rußland (1237) und der Bericht des Erzbischofs Peter über die Tartaren, in: Nachrichten der Akademie der Wissenschaften Göttingen (1956, Nr. 6), S. 125–202

Garufi, C. A. (Hrsg.), Ryccardi de Sancto Germano Chronica, in: Raccolta degli Storici Italiani ... ordinata da L. A. Muratori, nuova edizione ... VII, 2, Bologna 1937

Hall, Hubert (Hrsg.), The Red Book of the Exchequer, 3 Bde., London 1896 (RS 99)

Hamilton, Hans Claude (Hrsg.), Chronicon domini Walteri de Hemingburgh, vulgo Hemingford nuncupati, ... de gestis regum Angliae (1048–1346), 2 Bde., London 1848–1849

Hewlett, Henry G. (Hrsg.), The Flowers of History by Roger de Wendover, 3 Bde., London 1886–1889 (RS 84) [Teiled. ab 1154, sehr schlecht ediert, nicht benutzbar, vgl. die Rez. von *W. H. Stevenson*, in: EHR 3 (1888), S. 353–360; die Ed. von *Coxe* ist stets vorzuziehen.]

Holtzmann, Walther (Hrsg.), Papsturkunden in England, 3 Bde., Berlin und Göttingen 1930–1952

Höfler, Constantin (Hrsg.), Albert von Beham und Regesten Pabst Innocenz IV., Stuttgart 1847

Hoogeweg, Hermann (Hrsg.), Die Schriften des Kölner Domscholasters, späteren Bischofs von Paderborn und Kardinalbischofs von S. Sabina, Oliverus, Tübingen 1894

Huillard-Bréholles, Jean Louis Alphonse (Hrsg.), Historia diplomatica Friderici Secundi, 6 Bde., Paris 1852–1861

Liebermann, Felix (Hrsg.), Ungedruckte Anglo-Normannische Geschichtsquellen, Straßburg 1879

Luard, Henry Richards (Hrsg.), Roberti Grosseteste Episcopi Quondam Lincolniensis Epistolae, London 1861 (RS 25)

–, Annales monastici, 5 Bde., London 1864–1869 (RS 36) [Edition der wichtigsten englischen Kloster-Annalen des 13. Jahrhunderts, u. a. Burton, Winchester, Waverley, Dunstable]

–, Matthaei Parisiensis, monachi Sancti Albani, Chronica majora, 7 Bde., London 1872–1883 (RS 57)

–, („Matthaeus Westminster") Flores Historiarum, 3 Bde., London 1890 (RS 95)

Madden, Sir Frederic (Hrsg.), Matthaei Parisiensis, monachi Sancti Albani, Historia Anglorum, 3 Bde., London 1866–1869 (RS 44)

Mansi, Joannes Domenicus (Hrsg.), Sacrorum Conciliorum nova et amplissima collectio . . ., Bd. 23, Venedig 1779

Mayer, Hans Eberhard (Hrsg.), Das Itinerarium peregrinorum. Eine zeitgenössische englische Chronik zum dritten Kreuzzug in ursprünglicher Gestalt, Stuttgart 1962 (MGH Schriften 18)

Monumenta Germaniae Historica

–, Annales Stadenses auctore Alberto, hrsg. v. *J. M. Lappenberg,* in: MG SS 16 (1859), S. 271–379

–, Hermanni Altahensis annales a. 1137–1273, hrsg. v. *Ph. Jaffé,* in: MG SS 17 (1861), S. 381–407

–, Albrici monachi Triumfontium Chronicon, hrsg. v. *P. Scheffer-Boichorst,* in: MG SS 23 (1874), S. 631–950

–, Chronica pontificum et imperatorum Mantuana, hrsg. v. *G. Waitz,* in: MG SS 24 (1879), S. 214–220

–, Ex Philippi Mousket Historia regum Francorum, hrsg. v. *A. Tobler,* in: MG SS 26 (1882), S. 718–821

–, Ex rerum Anglicarum scriptoribus saec. XII. et XIII., hrsg. v. *F. Liebermann und R. Pauli,* MG SS 27 (1885)

–, Ex rerum Anglicarum scriptoribus saec. XIII., hrsg. v. *F. Liebermann und R. Pauli,* MG SS 28 (1888)
[darin Teiled. von Wendover und Matthaeus Paris]

–, Epistolae saeculi XIII e regestis pontificum Romanorum selectae, hrsg. v. *C. Rodenberg,* 3 Bde., Berlin 1883–1894

–, Constitutiones et acta publica imperatorum et regum . . ., Bd. 2 (1198–1272), hrsg. v. *L. Weiland,* Hannover 1896

Palgrave, Sir Francis (Hrsg.), The Antient Kalendars and Inventories of the Treasury of His Majesty's Exchequer, with other Documents Illustrating the History of that Repository, 3 Bde., London 1836

Petrus Comestor, Historia Scholastica, PL 198

Powicke, Sir Frederick Maurice und Cheney, Christopher Robert (Hrsg.), Councils and Synods with other Documents Relating to the English Church II, pt. 1, 1205–1265, Oxford 1964

Raynaldi continuatio Annalium Caesaris Baronii ab anno 1198 usque ad annum 1534, Köln 1694 ff.

Riley, Henry Thomas (Hrsg.), Gesta abbatum monasterii Sancti Albani . . ., vol. I, 793–1290, London 1867 (RS 28, 4/1)

Rothwell, Harry (Hrsg.), The Chronicle of Walter of Guisborough, previously edited as the chronicle of Walter of Hemingford or Hemingburgh, London 1957 (Camden 3rd S., Bd. 89)

Russell, Josiah Cox und Heironimus, John Paul (Hrsg.), The Shorter Latin Poems of Master Henry of Avranches Relating to England, Cambridge, Mass. 1935

Rymer, Thomas (Hrsg.), Foedera, Conventiones, Literae et cujuscunque Acta publica ... I, 3. Aufl. Den Haag 1745 (al. ed. London 1816: Record Commission)
Sawyer, Peter H. (Hrsg.), Charters of Burton Abbey, Oxford 1979
Schard, Simon und Iselius (Iselin), Rudolph (Hrsg.): Petri de Vineis judicis aulici et cancellarii Friderici II. Imp. Epistolarum ... Libri VI, Basel 1740
Siegrist, Marianne (Hrsg.), Ricardus de Ely, Dialogus de Scaccario, lat. und dt., Zürich 1963
Stevenson, Joseph (Hrsg.), Chronica de Mailros, Edinburgh 1835
Tautu, Aloysius L. (Hrsg.), Pontificia Commissio ad redigendum codicem iuris canonici orientalis: Fontes. Series III, Bd. 3: Acta Honorii III et Gregorii IX, Città del Vaticano 1950
Wats, W. (Hrsg.), Matthaei Paris monachi Albanensis angli Historia Major ..., London 1640 (ND der Ausgabe London 1571, hrsg. v. *Matthew Parker*)
–, Vitae duorum Offarum, London 1639
Winkelmann, Eduard (Hrsg.), Acta Imperii Inedita Saeculi XIII et XIV, 2 Bde., Innsbruck 1880–1885

3. Hilfsmittel, Regesten

Auvray, Lucien, Les Registres de Grégoire IX, 4 Bde., Paris 1896–1955
Battelli, Giulio (Hrsg.), Schedario Baumgarten, 2 Bde., Città del Vaticano 1965
Bell, H. Idris, A List of Original Papal Bulls and Briefs in the Department of Manuscripts, British Museum, in: EHR 36 (1921), S. 393–419, 556–583
Berger, Elie, Les Registres d'Innocent IV, 4 Bde., Paris 1884–1911
Bliss, W. H., A Calendar of Entries in the Papal Registers Relating to Great Britain and Ireland, I (1198–1304), London 1893
Böhmer, Johann Friedrich und Ficker, Julius, (Winkelmann, Eduard), Regesta Imperii V, 3 Bde., Innsbruck 1881–1901 (ND Hildesheim 1971, mit einem Initienverzeichnis von *Hans Martin Schaller*)
van Caenegem, R. C. und Ganshof, F. L., Kurze Quellenkunde des Westeuropäischen Mittelalters, dt. Göttingen 1964
(auch neubearb. engl. Ausgabe Amsterdam 1978)
A Catalogue of Manuscripts formerly in the Possession of Francis Hargrave, Esq., ... now Deposited in the British Museum, London 1818
Cheney, Christopher Robert, Handbook of Dates for Students of English History, London 1945 u. ö. (verb. ND 1970)
Davis, G. R. C., Medieval Cartularies of Great Britain, London 1958
Giuseppi, M. S., A Guide to the Manuscripts Preserved in the Public Record

Office, vol. I Legal Records etc., London 1923
[vgl. auch „Guide to the Contents of the Public Record Office“, London 1963, der aber die MSS.-Beschreibungen bei Giuseppi nicht ersetzt.]

Graves, Edgar B., A Bibliography of English History to 1485, Oxford 1975

Initienverzeichnis zu August Potthast, Regesta pontificum Romanorum (1198–1304), München 1978 (MGH Hilfsmittel 2)

Jaffé, Philipp und Loewenfeld, S., Regesta pontificum Romanorum ab condita ecclesia ad annum post Christum natum MCXCVIII, 2 Bde., 2. Aufl. Leipzig 1885–1888

Ker, Neil R., Medieval Libraries of Great Britain. A List of Surviving Books, 2. Aufl. London 1964

Knowles, David und Hadcock, R. Neville, Medieval Religious Houses. England and Wales, 2. Aufl. London 1971

Kuttner, Stephan, Ricardus Anglicus, in: Dictionnaire de Droit Canonique 7 (1965), Sp. 676–681

Kuttner, Stephan und Rathbone, Eleanor, Anglo-Norman Canonists of the Twelfth Century: an Introductory Study, in: Traditio 7 (1949–1951), S. 279–358

Liebermann, Felix, Handschriften in Englischen Bibliotheken, in: NA 10 (1884/85), S. 588–600

Major, Kathleen, Original Papal Documents in the Bodleian Library, in: Bodleian Library Record 3, Nr. 33 (1951), S. 242–256

Pantin, W. A., English Monastic Letter-books, in: Historical Essays in Honour of James Tait, hrsg. v. *J. G. Edwards* u. a., Manchester 1933, S. 201–222

Paravicini Bagliani, Agostino, Cardinali di Curia e 'Familiae' Cardinalizie dal 1227 al 1254, Bd. 1, Padua 1972

Pertz, Georg Heinrich, Italiänische Reise vom November 1821 bis August 1823, in: Archiv 5 (1824), S. 1–514

–, Reise nach den südlichen Niederlanden, Paris und England, vom 16. October 1826 bis 3. November 1827, in: Archiv 7 (1839), S. 1–105; Bemerkungen über einzelne Handschriften und Urkunden, ebd., S. 227–1022

Planta, J., Catalogue of the Manuscripts in the Cottonian Library Deposited in the British Museum, London 1802

Potthast, August, Regesta pontificum Romanorum inde ab anno post Christum natum MCXCVIII ad annum MCCCIV, 2 Bde., Berlin 1874/75

PRO Calendar of the Liberate Rolls (1226–1272), 6 Bde., London 1917–1964

PRO Calendar of the Patent Rolls Henry III, 6 Bde., London 1901–1913 [Bd. 4 (1247–1258), 1908]

PRO Close Rolls of the Reign of Henry III (1227–1272), 14 Bde., London 1902–1938

PRO Lists and Indexes 49, London 1923

Powicke, Sir Frederick Maurice und Fryde, E. B., Handbook of British Chronology, 2. Aufl. London 1961

Russell, Josiah Cox, Dictionary of Writers of Thirteenth Century England, London 1936 (BIHR Special Supplement 3); verb. ND 1967

Sawyer, Peter H., Anglo-Saxon Charters. An Annotated List and Bibliography, London 1968

Sayers, Jane E., Original Papal Documents in the Lambeth Palace Library, London 1967 (BIHR Special Supplement 6)

Walther, Hans, Initia carminum ac versuum medii aevi posterioris latinorum, 2. Aufl. Göttingen 1969

Wattenbach, Wilhelm und Schmale, Franz-Josef, Deutschlands Geschichtsquellen im Mittelalter. Vom Tode Kaiser Heinrichs V. bis zum Ende des Interregnum 1, Darmstadt 1976

Zinsmaier, Paul, Nachträge zu den Kaiser- und Königsurkunden der Regesta Imperii 1198–1272, in: ZGO 102 (1954), S. 188–273

4. Darstellungen

Arbusow, Leonid, Colores rhetorici, 2. Aufl. Göttingen 1963

Battelli, Giulio, I Transunti di Lione del 1245, in: MIÖG 62 (1954), S. 336–364

Baumgarten, Paul Maria, Aus Kanzlei und Kammer. Erörterungen zur kurialen Hof- und Verwaltungsgeschichte im XIII., XIV. und XV. Jahrhundert, Freiburg 1907

Berger, Elie, Saint Louis et Innocent IV, Paris 1893 [auch in: *Berger,* Les Registres ... 2, 1887]

Bezzola, Gian Andri, Die Mongolen in abendländischer Sicht (1220–1270). Ein Beitrag zur Frage der Völkerbegegnungen, Bern und München 1974

Bock, Friedrich, Studien zu den Registern Innocenz' IV., in: Archiv. Zs. 52 (1956), S. 11–48

Brentano, Robert, Two Churches. England and Italy in the Thirteenth Century, Princeton, N. J. 1968

Bresslau, Harry, Handbuch der Urkundenlehre für Deutschland und Italien, 2 Bde., 3. Aufl. Berlin 1958

Brieger, Peter, English Art 1216–1307, Oxford 1957 (The Oxford History of English Art 4)

von den Brincken, Anna-Dorothee, Studien zur lateinischen Weltchronistik bis in das Zeitalter Ottos von Freising, Düsseldorf 1957

–, Die „Nationes Christianorum Orientalium" im Verständnis der lateinischen Historiographie von der Mitte des 12. bis in die zweite Hälfte des 14. Jahrhunderts, Köln und Wien 1973

–, Die Klimatenkarte in der Chronik des Johann von Wallingford, in: Westfalen 51 (1973), S. 47–56

–, Die Mongolen im Weltbild der Lateiner um die Mitte des 13. Jahrhunderts unter besonderer Berücksichtigung des „Speculum Historiale“ des Vincenz von Beauvais OP, in: AfKu 57 (1975), S. 117–140
Brooke, Christopher, Geoffrey of Monmouth as a historian, in: Church and Government in the Middle Ages. Essays Presented to C. R. Cheney on his 70th Birthday, hrsg. v. *C. N. L. Brooke* u. a., Cambridge 1976, S. 77–91
Bryant, W. N., Matthew Paris, Chronicler of St. Albans, in: History Today 19 (1969), S. 772–782
Callus, D. A. (Hrsg.), Robert Grosseteste, Scholar and Bishop. Essays in Commemoration of the Seventh Centenary of his Death, Oxford 1955
Chaplais, Pierre, English Royal Documents. King John – Henry VI, 1199–1461, Oxford 1971
Cheney, Christopher Robert, Legislation of the Medieval English Church, in: EHR 50 (1935), S. 193–224, 385–417
–, English Bishops' Chanceries 1100–1250, Manchester 1950
–, The 'Paper Constitution' preserved by Matthew Paris, in: EHR 65 (1950), S. 213–221
–, Notes on the Making of the Dunstable Annals, in: Essays in medieval history presented to Bertie Wilkinson, hrsg. v. *T. A. Sandquist* und *M. R. Powicke,* Toronto 1969, S. 79–98
–, Medieval Texts and Studies, Oxford 1973 [druckt u. a. die beiden zuletzt genannten Titel ab.]
–, Pope Innocent III and England, Stuttgart 1976
Chibnall, Marjorie, Charter and Chronicle: the use of archive sources by Norman historians, in: Church and Government in the Middle Ages. Essays Presented to C. R. Cheney on his 70th Birthday, hrsg. v. *C. N. L. Brooke* u. a., Cambridge 1976, S. 1–17
Chrimes, S. B., An Introduction to the Administrative History of Mediaeval England, 3. Aufl. Oxford 1966
Clanchy, M. T., Did Henry III have a Policy?, in: History 53 (1968), S. 203–216
–, From Memory to Written Record. England 1066–1307, London 1979
Dehio, Ludwig, Innozenz IV. und England, Berlin und Leipzig 1913
Denholm-Young, Noel, The Cursus in England, in: Oxford Essays in Medieval History presented to Herbert Edward Salter, Oxford 1934, S. 68–103
–, The Winchester-Hyde Chronicle, in: EHR 49 (1934), S. 85–93
–, The 'Paper Constitution' Attributed to 1244, in: EHR 58 (1943), S. 401–423
–, Collected Papers, 2. Aufl. Cardiff 1969 [druckt u. a. die drei vorstehenden Aufsätze ab]
–, Richard of Cornwall, Oxford 1947
–, Handwriting in England and Wales, 2. Aufl. Cardiff 1964
Dibben, L. B., Chancellor and Keeper of the Seal under Henry III, in: EHR 27 (1912), S. 39–51

Dupuy, Pierre, Histoire de l'ordre militaire des Templiers . . ., 2. Aufl. Brüssel 1751

Eitel, Anton, Über Blei- und Goldbullen im Mittelalter. Ihre Herleitung und erste Verbreitung, Freiburg 1912

Erben, Wilhelm, Rombilder auf kaiserlichen und päpstlichen Siegeln des Mittelalters, Graz 1931 (Veröffentlichungen des historischen Seminars der Universität Graz 7)

Ewald, Wilhelm, Siegelkunde, Berlin 1914 (in: Handbuch der mittelalterlichen und neueren Geschichte, hrsg. von *G. v. Below und F. Meinecke,* Abt. 4)

Fehling, Ferdinand, Kaiser Friedrich II. und die römischen Cardinäle in den Jahren 1227 bis 1239, Berlin 1901 (Eberings Historische Studien 21)

Felten, Joseph, Papst Gregor IX., Freiburg 1886

Folz, August, Kaiser Friedrich II. und Papst Innocenz IV. Ihr Kampf in den Jahren 1244 und 1245, Straßburg 1905

Funkenstein, Amos, Heilsplan und natürliche Entwicklung. Gegenwartsbestimmung im Geschichtsdenken des Mittelalters, München 1965

Galbraith, Vivian Hunter, An Introduction to the Use of the Public Records, Oxford 1934 u. ö. (1971)

–, Roger Wendover and Matthew Paris, Glasgow 1944

Gebhardt, Bruno und Grundmann, Herbert (Hrsg.), Handbuch der Deutschen Geschichte 1, 9. Aufl. Stuttgart 1970

Gransden, Antonia, Historical Writing in England c. 550–c. 1307, London 1974

Grauert, Hermann, Meister Johann von Toledo, in: SB München (1901), S. 111–325

Grundmann, Herbert, Geschichtsschreibung im Mittelalter, in: Deutsche Philologie im Aufriß, hrsg. v. *Wolfgang Stammler,* Bd. 3, 2. Aufl. Berlin 1962, Sp. 2221–2286 [auch einzeln, Göttingen 1965]

Hägermann, Dieter, Studien zum Urkundenwesen Wilhelms von Holland. Ein Beitrag zur Geschichte der deutschen Königsurkunde im 13. Jahrhundert, Köln und Wien 1977 (AfD Beiheft 2)

Haller, Johannes, Das Papsttum. Idee und Wirklichkeit Bd. 4, 2. Aufl. 1962, ND Reinbek 1965

Hampe, Karl, Über die Flugschriften zum Lyoner Konzil von 1245, in: HVj 11 (1908), S. 297–313

–, Zur Auffassung der Fortuna im Mittelalter, in: AfKu 17 (1927), S. 20–37

Hartmann, Heinz, Die Urkunden Konrads IV. Beiträge zur Geschichte der Reichsverwaltung in spätstaufischer Zeit, in: AUF 18 (1944), S. 38–163

Hartzell, K. D., A St. Albans Miscellany in New York, in: Mlat. Jb. 10 (1974), S. 20–61

Haskins, Charles Homer, Studies in the History of Mediaeval Science, Cambridge, Mass. 1924

Hefele, Carl Joseph und Leclerq, H., Histoire des conciles V, 2, Paris 1913

Heller, Emmy, Zur Frage des kurialen Stileinflusses in der sizilischen Kanzlei Friedrichs II., in: DA 19 (1963), S. 434–450
Herde, Peter, Beiträge zum päpstlichen Kanzlei- und Urkundenwesen im dreizehnten Jahrhundert, 2. Aufl. Kallmünz 1967
–, Ein Pamphlet der päpstlichen Kurie gegen Kaiser Friedrich II. von 1245/46 (‚Eger cui lenia'), in: DA 23 (1967), S. 468–538
Höltgen, Karl Josef, König Arthur und Fortuna, in: Anglia 75 (1957), S. 35–74
Hoffmann, Hartmut, Zur mittelalterlichen Brieftechnik, in: Spiegel der Geschichte. Festgabe für Max Braubach zum 10. April 1964, hrsg. v. *Konrad Repgen und Stephan Skalweit,* Münster 1964, S. 141–169
–, Chronik und Urkunde in Montecassino, in: QF 51 (1971), S. 93–206
Holder-Egger, Oswald, Italienische Prophetieen des 13. Jahrhunderts, I. in: NA 15 (1890), S. 141–178; II. in: NA 30 (1905), S. 321–386
Holt, J. C., King John's Disaster in the Wash, in: Nottingham Mediaeval Studies 5 (1961), S. 75–86
–, The St Albans Chroniclers and Magna Carta, in: TRHS 5th S. 14 (1964), S. 67–88
Huillard-Bréholles, Jean Louis Alphonse, Vie et correspondance de Pierre de la Vigne, Paris 1865
Hunt, Richard W., The Library of the Abbey of St Albans, in: Medieval Scribes, Manuscripts & Libraries. Essays presented to N. R. Ker, hrsg. v. *M. B. Parkes* und *Andrew G. Watson,* London 1978, S. 251–277
Jenkins, Claude, The Monastic Chronicler and the Early School of St. Albans, London 1922
Kantorowicz, Ernst, Kaiser Friedrich II., Hauptband, Düsseldorf und München 1927, 4. Aufl. 1936; Erg. Bd. 1931
–, Petrus de Vinea in England, in: MÖIG 51 (1937), S. 43–88
Kastner, Jörg, Historiae fundationum monasteriorum. Frühformen monastischer Institutionsgeschichtsschreibung im Mittelalter, München 1974
Kay, Richard, Wendover's last annal, in: EHR 84 (1969), S. 779–785
Kempf, Friedrich, Das Rommersdorfer Briefbuch des 13. Jahrhunderts, in: MÖIG Erg. Bd. 12 (1933), S. 502–571
Kempf, J., Geschichte des deutschen Reiches während des grossen Interregnums 1245–1273, Würzburg 1893
Kienast, Walther, Die deutschen Fürsten im Dienst der Westmächte II, 1, Utrecht 1931
–, Deutschland und Frankreich in der Kaiserzeit (900–1270). Weltkaiser und Einzelkönige, 3 Bde., 2. Aufl. Stuttgart 1975
Knowles, David, Great Historical Enterprises . . ., Edinburgh und London o. J. (1963)
–, The Monastic Order in England, 2. Aufl. Cambridge 1963
–, The Religious Orders in England 3, Cambridge 1959
Krüger, Karl Heinrich, Die Universalchroniken, Turnhout 1976 (Typologie des Sources du Moyen Age Occidental 16)

Kuttner, Stephan, L'édition romaine des conciles généraux et les actes du premier concile de Lyon, Rom 1940
–, Die Konstitutionen des ersten allgemeinen Konzils von Lyon, in: Studia et Documenta Historiae et Iuris 6 (1940), S. 70–131
Ladner, Gerhart, Formularbehelfe in der Kanzlei Kaiser Friedrichs II. und die „Briefe des Petrus de Vinea", in: MÖIG Erg. Bd. 12 (1933), S. 92–198, 415
Lamprecht, Hans, Untersuchungen über einige englische Chronisten des zwölften und des beginnenden dreizehnten Jahrhunderts, Torgau 1937 (phil. Diss. Breslau 1932)
Landau, Peter, Jus Patronatus. Studien zur Entwicklung des Patronats im Dekretalenrecht und der Kanonistik des 12. und 13. Jahrhunderts, Köln und Wien 1975
Lawrence, C. H., St. Edmund of Abingdon. A Study in Hagiography and History, Oxford 1960
Legge, Mary Dominica, Anglo-Norman in the Cloisters, Edinburgh 1950
Levison, Wilhelm, St Alban and St Albans, in: Antiquity 15 (1941), S. 337–359
Lewis, Frank Robert, Richard, Earl of Cornwall, King of the Romans (1257–1272), masch. M. A. Diss., University College of Wales, Aberystwyth 1934
Liebermann, Felix, Zur Geschichte Friedrichs II. und Richards von Cornwall, in: NA 13 (1888), S. 217–222
Liebeschütz, Hans, Die Beziehungen Kaiser Friedrichs II. zu England seit dem Jahre 1235, masch. Diss. Heidelberg 1920
Little, A. G., Franciscan Papers, Lists, and Documents, Manchester 1943
Ludwig, Friedrich, Untersuchungen über die Reise- und Marschgeschwindigkeit im XII. und XIII. Jahrhundert, Berlin 1897
Lunt, William E., The Sources for the First Council of Lyons, 1245, in: EHR 33 (1918), S. 72–78
–, The Valuation of Norwich, Oxford 1926
–, The Consent of the English Lower Clergy to Taxation During the Reign of Henry III, in: Persecution and Liberty. Essays in Honor of George Lincoln Burr, New York 1931, S. 117–169
–, Financial Relations of the Papacy with England to 1327, Cambridge, Mass. 1939
Malsch, Rudolf, Heinrich Raspe, Landgraf von Thüringen und Deutscher König († 1247), Halle 1911 (Forschungen zur thüringisch-sächsischen Geschichte 1)
Marks, Richard und Payne, Ann (Hrsg.), British Heraldry from its Origins to c. 1800, London 1978 (British Museum Publications)
Matthew Parker's Legacy, Cambridge 1975 (Corpus Christi College)
McKisack, May, Medieval History in the Tudor Age, Oxford 1971
McLeod, W., Alban and Amphibal: Some Extant Lives and a Lost Life, in: Mediaeval Studies 42 (1980), S. 407–430

Maubach, Josef, Die Kardinäle und ihre Politik um die Mitte des XIII. Jahrhunderts, Bonn 1902
Mayer, Hans Eberhard, Der Brief Kaiser Friedrichs I. an Saladin vom Jahre 1188, in: DA 14 (1958), S. 488–494
–, Geschichte der Kreuzzüge, Stuttgart 1965
Meyer, W., Zur Korrespondenz Kaiser Friedrich des II., in: FDG 19 (1879), S. 75–80
Mills, Mabel H., Experiments in Exchequer Procedure (1200–1232), in: TRHS 4th S. 8 (1925), S. 151–170; jetzt in: *R. W. Southern* (Hrsg.), Essays in Medieval History selected from the TRHS . . ., London 1968, S. 129–145
–, The Reforms at the Exchequer (1232–1242), in: TRHS 4th S. 10 (1927), S. 111–133
Mitchell, Sydney Knox, Studies in Taxation under John and Henry III, New Haven, Conn. 1914
Morris, John, The Date of Saint Alban, in: Hertfordshire Archaeology 1 (1968), S. 1–8
Morgan, W. Carey, St. Peter's Church, St. Albans, in: St. Albans and Hertfordshire Architectural and Archaeological Society. Transactions N. S. vol. I, pt. 2 for 1897 & 1898 (1899), S. 135–173
Oelrichs, Helga, Untersuchung der Glaubwürdigkeit des Matthäus Parisiensis für die Jahre 1236–1241, mit besonderer Berücksichtigung der Geschichte des Kaisertums, masch. Diss. Jena 1922
Parks, George B., The English Traveler to Italy. First Volume. The Middle Ages (to 1525), Rom 1954
Patch, Howard Rollin, The Goddess Fortuna in Mediaeval Literature, Cambridge, Mass. 1927
Patterson, Sonia, An Attempt to Identify Matthew Paris as a Flourisher, in: The Transactions of the Bibliographical Society. The Library 32, Nr. 4 (1977), S. 367–370
Philippi, F., Zur Geschichte der Reichskanzlei unter den letzten Staufern. Friedrich II., Heinrich (VII.) und Konrad IV., Münster 1885
Pickering, F. P., Literatur und darstellende Kunst im Mittelalter, Berlin 1966
–, Augustinus oder Boethius? Geschichtsschreibung und epische Dichtung im Mittelalter und in der Neuzeit, 2 Bde., Berlin 1967–1976
Pitz, Ernst, Papstreskript und Kaiserreskript im Mittelalter, Tübingen 1971 (Bibliothek des Deutschen Historischen Instituts Rom 36)
Plehn, Hans, Der politische Charakter von Matheus Parisiensis. Ein Beitrag zur Geschichte der englischen Verfassung und des Ständetums, Leipzig 1897 (Staats- und socialwissenschaftliche Forschungen, hrsg. v. *Gustav Schmoller,* 14. Bd., 3. Heft = der ganzen Reihe 62. Heft)
Poole, Austin Lane, From Domesday Book to Magna Carta 1087–1216, 2. Aufl. Oxford 1955 (The Oxford History of England 3)
Poole, Reginald Lane, The Exchequer in the Twelfth Century, Oxford 1912

–, The Beginning of the Year in the Middle Ages, in: PBA 10 (1921–1923), S. 113–137; jetzt in: *R. L. Poole,* Studies in Chronology and History, hrsg. v. *A. L. Poole,* Oxford 1934

Posse, O., Die Siegel der deutschen Kaiser und Könige von 751–1806, Bd. 1: 751–1347, Dresden 1909

Powicke, Sir Frederick Maurice, Notes on the Compilation of the *Chronica majora* of Matthew Paris, in: MPh 38 (1940/41), S. 305–317 rev. in: PBA 30 (1944), S. 147–160

–, King Henry III and the Lord Edward, 2 Bde., Oxford 1947 (benutzt in der einbd. Ausg., Oxford 1966)

–, The Thirteenth Century 1216–1307, 2. Aufl. Oxford 1962 (The Oxford History of England 4)

Purcell, Maureen, Papal Crusading Policy 1244–1291, Leiden 1975

Queller, Donald E., The Office of Ambassador in the Middle Ages, Princeton, N. J. 1967

Reindel, Kurt, Studien zur Überlieferung der Werke des Petrus Damiani I, in: DA 15 (1959), S. 23–102

Richardson, H. G., Richard fitz Neal and the Dialogus de Scaccario, in: EHR 43 (1928), S. 161–171, 321–340

Rickert, Margaret, Painting in Britain. The Middle Ages, 2. Aufl. Harmondsworth 1965

Riley-Smith, Jonathan, The Knights of St. John in Jerusalem and Cyprus c. 1050–1310, London 1967

Röhricht, Reinhold, Die Kreuzzüge des Grafen Theobald von Navarra und Richard von Cornwallis nach dem heiligen Lande, in: FDG 26 (1886), S. 67–102

Rück, Karl, Das Exzerpt der Naturalis Historia des Plinius von Robert von Cricklade, in: SB München (1902), S. 195–285

Runciman, Sir Steven, A History of the Crusades 3, Cambridge 1954 (benutzt in der Ausg. Harmondsworth 1971)

Russell, Josiah Cox, Master Henry of Avranches as an International Poet, in: Speculum 3 (1928), S. 34–63

Saunders, J. J., Matthew Paris and the Mongols, in: Essays in medieval history presented to Bertie Wilkinson, hrsg. v. *T. A. Sandquist und M. R. Powicke,* Toronto 1969, S. 116–132

Saunders, O. *Elfrida,* Englische Buchmalerei 1, Florenz und München 1927

Sayers, Jane E., The Medieval Care and Custody of the Archbishop of Canterbury's Archives, in: BIHR 39 (1966), S. 95–107

–, Proctors Representing British Interests at the Papal Court, 1198–1415, in: Proceedings of the 3rd International Congress of Medieval Canon Law ... Strasbourg 3–6 Sept 1968, hrsg. v. *Stephan Kuttner,* Città del Vaticano 1971, S. 143–163

–, Papal Privileges for St. Albans Abbey and its Dependencies, in: The Study

of Medieval Records. Essays in Honour of Kathleen Major, hrsg. v. *D. A. Bullough und R. L. Storey,* Oxford 1971, S. 57–84
–, Papal Judges Delegate in the Province of Canterbury 1198–1254, Oxford 1971
Schaller, Hans Martin, Die Antwort Gregors IX. auf Petrus de Vinea I, 1 „Collegerunt pontifices", in: DA 11 (1954/55), S. 140–165
–, Die staufische Hofkapelle im Königreich Sizilien, in: DA 11 (1954/55), S. 462–505
–, Zur Entstehung der sogenannten Briefsammlung des Petrus de Vinea, in: DA 12 (1956), S. 114–159
–, Die Kanzlei Kaiser Friedrichs II. Ihr Personal und ihr Sprachstil, in: AfD 3 (1957), S. 207–286; 4 (1958), S. 264–327
–, Die Petrus de Vinea-Handschrift Phillipps 8390, in: DA 15 (1959), S. 237–244
–, Das letzte Rundschreiben Gregors IX. gegen Friedrich II., in: Festschrift Percy Ernst Schramm . . ., hrsg. v. *Peter Classen und Peter Scheibert,* Bd. 1, Wiesbaden 1964, S. 309–321
–, Studien zur Briefsammlung des Kardinals Thomas von Capua, in: DA 21 (1965), S. 371–518
–, Endzeit-Erwartung und Antichrist-Vorstellungen in der Politik des 13. Jahrhunderts, in: Festschrift für Hermann Heimpel 2, Göttingen 1972, S. 924–947
–, Eine Briefsammlung des 13. Jahrhunderts in dem Codex CCLXII der Biblioteca Capitolare in Verona, in: Scritti in Onore di Mons. Giuseppe Turrini, Verona 1973, S. 765–780
Schieffer, Rudolf und Schaller, Hans Martin, Briefe und Briefsammlungen als Editionsaufgabe, in: Mittelalterliche Textüberlieferungen und ihre kritische Aufarbeitung, München 1976, S. 60–70 (MGH)
Schirmer, Walter F., Heinrich von Huntingdons Historia Anglorum, in: Anglia 88 (1970), S. 26–41
Schnith, Karl, Von Symeon von Durham zu Wilhelm von Newburgh. Wege der englischen „Volksgeschichte" im 12. Jahrhundert, in: Speculum Historiale, (= FS Johannes Spörl), hrsg. v. *Clemens Bauer* u. a., Freiburg und München 1965, S. 242–256
–, England in einer sich wandelnden Welt (1189–1259). Studien zu Roger Wendover und Matthäus Paris, Stuttgart 1974
Schramm, Percy Ernst und Mütherich, Florentine, Denkmale der deutschen Könige und Kaiser, München 1962
Schüppert, Helga, Kirchenkritik in der lateinischen Lyrik des 12. und 13. Jahrhunderts, München 1972
Schwerin, Ursula, Die Aufrufe der Päpste zur Befreiung des Heiligen Landes von den Anfängen bis zum Ausgang Innozenz IV., Berlin 1937 (Eberings Historische Studien 301)

Segl, Peter, Ketzer in Österreich. Untersuchungen über Häresie und Inquisition im Herzogtum Österreich im 13. und beginnenden 14. Jahrhundert, Habil.-Schr. Regensburg 1979 (im Druck: Quellen und Forschungen aus dem Gebiet der Geschichte, hrsg. v. *Laetitia Boehm, Ludwig Schmugge* u. a., Bd. 3)
Setton, Kenneth M. (Hrsg.), A History of the Crusades 2, 2. Aufl. Madison, Wisc. 1969
Smith, A. L., Church and State in the Middle Ages, Oxford 1913
Spörl, Johannes, Grundformen hochmittelalterlicher Geschichtsanschauung. Studien zum Weltbild der Geschichtsschreiber des 12. Jahrhunderts, München 1935
Stenton, Doris Mary, English Society in the Early Middle Ages (1066–1307), Harmondsworth 1951, 4. Aufl. 1965 u. ö. (The Pelican History of England 3)
–, Roger of Howden and Benedict, in: EHR 68 (1953), S. 574–582
Strakosch-Grassmann, Gustav, Der Einfall der Mongolen in Mitteleuropa in den Jahren 1241 und 1242, Innsbruck 1893
Stubbs, William, The Constitutional History of England 2, 4. Aufl. Oxford 1906
Sybel, Heinrich und von Sickel, Theodor, Kaiserurkunden in Abbildungen. Lieferung I–XI, Berlin 1880–1891; Textband, 1891
Tangl, M., Die sogenannte Brevis nota über das Lyoner Concil von 1245, in: MIÖG 12 (1891), S. 246–253
Thomson, R. M., Some Collections of Latin Verse from St. Albans Abbey and the Provenance of MSS. Rawl. C 562, 568–9, in: Bodleian Library Record 10, Nr. 3 (1980), S. 151–161
Thomson, S. Harrison, The Writings of Robert Grosseteste, Bishop of Lincoln 1235–1253, Cambridge 1940
Toms, Elsie, The Story of St. Albans, St. Albans und London 1962
Tout, Thomas Frederick, Chapters in the Administrative History of Mediaeval England 1, 2. Aufl. Manchester 1937
Trautz, Fritz, Die Könige von England und das Reich 1272–1377. Mit einem Rückblick auf ihr Verhältnis zu den Staufern, Heidelberg 1961
Van Cleve, Thomas Curtis, The Emperor Frederick II of Hohenstaufen, Oxford 1972
Vaughan, Richard, The Handwriting of Matthew Paris, in: Transactions of the Cambridge Bibliographical Society 1 (1953), S. 376–394
–, Matthew Paris, Cambridge 1958
–, The Chronicle of John of Wallingford, in: EHR 73 (1958), S. 66–77
Vehse, Otto, Die amtliche Propaganda in der Staatskunst Kaiser Friedrichs II., München 1929
Weber, Heinrich, Ueber das Verhältniss Englands zu Rom während der Zeit der Legation des Cardinals Otho in den Jahren 1237–1241, Berlin 1883
Weber, H., Der Kampf zwischen Papst Innocenz IV. und Kaiser Friedrich II.

bis zur Flucht des Papstes nach Lyon, Berlin 1900 (Eberings Historische Studien 20)
von Westenholz, Elisabeth, Kardinal Rainer von Viterbo, Heidelberg 1912 (Heidelberger Abh. zur mittleren und neueren Geschichte 34)
van der Westhuizen, J. E. (Hrsg.), John Lydgate, The Life of Saint Alban and Saint Amphibal, Leiden 1974
Wilkinson, Bertie, The Constitutional History of England 1216–1399, Bd. 1, London 1948
Williams, L. F. Rushbrook, History of the Abbey of St. Alban, London 1917
Williamson, Dorothy M., The Legation of Cardinal Otto, 1237–41, masch. M. A. Diss., Manchester 1947
–, Some Aspects of the Legation of Cardinal Otto in England, 1237–41, in: EHR 64 (1949), S. 145–173
Wolter, Hans, Ordericus Vitalis. Ein Beitrag zur kluniazensischen Geschichtsschreibung, Wiesbaden 1955
Wolter, Hans und Holstein, Henri, Lyon I/Lyon II, dt. Mainz 1972 (Geschichte der ökumenischen Konzilien 7)
Wood, Susan, English Monasteries and their Patrons in the Thirteenth Century, Oxford 1955
Wormald, Francis und Wright, C. E., The English Library before 1700, London 1958
Die Zeit der Staufer, 4 Bde., Stuttgart 1977 (Katalog zur Ausstellung)
Zinsmaier, Paul, Ein verschollenes Formularbuch der Reichskanzlei im Interregnum, in: MÖIG 48 (1934), S. 46–57

Personen- und Sachregister

Register der zitierten BF- und Potth.-Nummern

Veröffentlichungen des Deutschen Historischen Instituts London
Publications of the German Historical Institute London

Band 2

Lothar Kettenacker (Hrsg.)

Das „Andere Deutschland“ im Zweiten Weltkrieg
Emigration und Widerstand in internationaler Perspektive

The "Other Germany" in the Second World War
Emigration and Resistance in International Perspective

1977, 258 Seiten, Leinen, ISBN 3-12-910490-9

Band 3

Marie-Luise Recker

England und der Donauraum 1919—1929
Probleme einer europäischen Nachkriegsordnung

1976, 324 Seiten, Brosch., ISBN 3-12-906850-3

Band 4

Paul Kluke, Peter Alter (Hrsg.)

Aspekte der deutsch-britischen Beziehungen im Laufe der Jahrhunderte
Ansprachen und Vorträge zur Eröffnung des Deutschen Historischen Instituts London

Aspects of Anglo-German Relations through the Centuries
Addresses and Papers given at the Opening of the German Historical Institute London

1978, 83 Seiten, Leinen, ISBN 3-12-910930-7

Klett-Cotta

Band 5

Wolfgang J. Mommsen, Peter Alter, Robert W. Scribner (Hrsg.)

Stadtbürgertum und Adel in der Reformation

Studien zur Sozialgeschichte der Reformation in England und Deutschland

The Urban Classes, the Nobility and the Reformation

Studies on the Social History of the Reformation in England and Germany

1979, 392 Seiten, Leinen mit Schutzumschlag, ISBN 3-12-911890-X

Band 6

Hans-Christoph Junge

Flottenpolitik und Revolution

Die Entstehung der englischen Seemacht während der Herrschaft Cromwells

1980, 368 Seiten, Leinen mit Schutzumschlag, ISBN 3-12-911830-6

Band 7

Milan Hauner

India in Axis Strategy

Germany, Japan, and Indian Nationalists in the Second World War

1981, 750 Seiten, Leinen mit Schutzumschlag, ISBN 3-12-915340-3

Band 8

Gerhard Hirschfeld und Lothar Kettenacker (Hrsg.)

Der „Führerstaat": Mythos und Realität

Studien zur Struktur und Politik des Dritten Reiches

The "Führer State": Myth and Reality

Studies on the Structure and Politics of the Third Reich

Mit einer Einleitung von Wolfgang J. Mommsen

1981, 465 Seiten, Leinen mit Schutzumschlag, ISBN 3-12-915350-0

Klett-Cotta